UM DE NÓS ESTÁ MENTINDO

KAREN M. McManus

UM DE NÓS ESTÁ MENTINDO

Tradução
André Gordirro

45ª edição

— Galera —

RIO DE JANEIRO
2024

CIP-BRASIL. CATALOGAÇÃO NA PUBLICAÇÃO
SINDICATO NACIONAL DOS EDITORES DE LIVROS, RJ

McManus, Karen M.

M146u   Um de nós está mentindo / Karen M. McManus; tradução de
45ª ed.   André Gordirro. – 45ª ed. – Rio de Janeiro: Galera Record, 2024.

Tradução de: One of us is lying
ISBN 978-85-01-11252-1

1. Ficção juvenil americana. I. Gordirro, André. II. Título.

17-45110   CDD: 028.5
                                                                  CDU: 087.5

Título original:
One of us is lying

Copyright © 2017 por Karen M. McManus

Copyright da edição em português © 2017 por Editora Record LTDA.

Publicado mediante acordo com a Lennart Sane Agency AB.

Esta é uma obra de ficção. Nomes, personagens, lugares e acontecimentos
são produto da imaginação do autor. Qualquer semelhança com eventos,
lugares ou pessoas vivas ou mortas é mera coincidência.

Todos os direitos reservados.
Proibida a reprodução, no todo ou em parte, através de quaisquer meios.
Os direitos morais do autor foram assegurados.

Texto revisado segundo o novo Acordo Ortográfico da Língua Portuguesa.

Editoração eletrônica: Abreu's System

Direitos exclusivos de publicação em língua portuguesa
somente para o Brasil adquiridos pela
EDITORA RECORD LTDA.
Rua Argentina, 171 – Rio de Janeiro, RJ – 20921-380 – Tel.: (21) 2585-2000,
que se reserva a propriedade literária desta tradução.

Impresso no Brasil

ISBN 978-85-01-11252-1

Seja um leitor preferencial Record.
Cadastre-se e receba informações sobre nossos
lançamentos e nossas promoções.

Atendimento e venda direta ao leitor:
sac@record.com.br

**Para Jack,
que sempre me faz rir.**

PARTE UM

LÁ VEM TEXTÃO DO SIMON

CAPÍTULO 1

Bronwyn
Segunda-feira, 24 de setembro, 14h55

Uma sex tape. Alguém com medo de ter ficado grávida. Dois escândalos envolvendo traições. E essa é apenas a atualização das notícias da semana. Se tudo que você soubesse a respeito do Colégio Bayview viesse do aplicativo de fofoca de Simon Kelleher, você se perguntaria como alguém ainda poderia ter tempo de assistir às aulas.

— Isso é notícia velha, Bronwyn — diz uma voz pelas minhas costas. — Espere até ver o post de amanhã.

Droga. Eu odeio ser flagrada lendo Falando Nisso, especialmente pelo criador do aplicativo. Abaixo o celular e bato a porta do armário.

— Vai arruinar a vida de quem agora, Simon?

Simon passa a me acompanhar assim que vou contra o fluxo de alunos a caminho da saída.

— É um serviço de utilidade pública — responde ele, com um gesto de desdém. — Você é tutora do Reggie Crawley, né? Não seria melhor saber que ele tem uma câmera no quarto?

Nem me dou ao trabalho de responder. Eu chegar perto do quarto de Reggie Crawley, aquele eterno maconheiro, é tão provável de acontecer quanto Simon adquirir alguma consciência.

— De qualquer forma, a culpa é das pessoas. Se elas não mentissem e traíssem, eu estaria na rua. — Os frios olhos azuis de Simon percebem meus passos longos. — Para onde você está correndo? Vai se cobrir de glória extracurricular?

Quem me dera. Como se para me zoar, um alerta pisca no meu telefone: *Treino para a Olimpíada de Matemática, 15h, Café Epoch.* Seguido de uma mensagem de um dos meus colegas de equipe: *Evan está aqui.*

Claro que está. O atleta gatinho de matemática — um paradoxo menor do que você imagina — só parece dar as caras quando eu não posso.

— Não exatamente — respondo.

Como regra, e especialmente nos últimos dias, tento fornecer o mínimo de informação possível para Simon. Nós passamos por portas verdes de metal em direção à escadaria dos fundos, uma linha divisória entre o ambiente sombrio do Colégio Bayview original e o novo anexo iluminado e arejado. A cada ano, mais famílias ricas saem de San Diego por causa do aumento do custo de vida na cidade e se mudam para Bayview, 25 quilômetros a leste, na esperança de que seus impostos paguem por uma educação melhor do que colégios com teto chapiscado e linóleo arranhado.

Simon continua na minha cola quando chego ao laboratório do Sr. Avery no terceiro andar, e dou meia-volta com os braços cruzados.

— Você não tem que estar em algum lugar?

— É, na detenção — diz Simon, que me espera continuar a andar. Quando pego a maçaneta em vez disso, ele cai na gargalhada. — Você está me zoando. Você também? O que você fez?

— Fui acusada injustamente — murmurei, e abri a porta com força.

Já havia três outros alunos sentados. Paro para observá-los. Não era o grupo que eu teria previsto. A não ser por um nome.

Nate Macauley inclina a carteira para trás e dá um risinho irônico para mim.

— Entrou no lugar errado? Aqui é a detenção, não o conselho estudantil.

Ele bem sabia disso. Nate se metia em confusões desde o quinto ano, que é mais ou menos a época em que nos falamos pela última vez. A corrente de fofocas me diz que Nate está sob liberdade condicional concedida pela polícia de Bayview por... alguma coisa. Pode ter sido por dirigir embriagado; pode ter sido por tráfico de entorpecentes. Ele é um conhecido fornecedor, mas meu conhecimento é puramente teórico.

— Poupe seus comentários. — O Sr. Avery risca alguma coisa na prancheta e fecha a porta quando Simon entra.

Janelas altas e arqueadas na parede dos fundos lançam triângulos de luz solar vespertina no chão, e ruídos do treino de futebol flutuam vindos do campo atrás do estacionamento.

Eu me sento quando Cooper Clay, que segura um pedaço de papel amassado como se fosse uma bola de beisebol, sussurra "se liga, Addy" e joga o papel na direção de uma garota sentada em frente a ele. Addy Prentiss pisca, sorri vagamente e deixa a bolinha cair no chão.

O relógio da sala de aula se arrasta em direção às três, e eu sigo o avanço com uma sensação impotente de injustiça. Eu nem sequer deveria *estar* ali. Deveria estar no Café Epoch, flertando sem jeito com Evan Neiman diante de equações diferenciais.

O Sr. Avery é um sujeito do tipo detenção-primeiro-perguntas-nunca, mas talvez ainda houvesse tempo para fazê-lo mudar de opinião. Eu pigarreio e começo a erguer a mão quando noto o risinho de Nate se alargando.

— Sr. Avery, aquele celular que o senhor encontrou não era meu. Não sei como foi parar na minha mochila. *Este* é o meu — explico a ele, brandindo meu iPhone com capinha listrada cor de melão.

Honestamente, a pessoa tinha que ser sem noção para levar um telefone para o laboratório do Sr. Avery. Ele mantém uma rígida política de proibição de uso de celulares e passa os primeiros dez minutos de cada aula vasculhando mochilas, como se fosse o chefe de segurança de uma companhia aérea e nós todos estivéssemos na lista de suspeitos. Meu celular estava no meu armário, como sempre.

— Você também? — Addy se vira para mim tão rapidamente que o cabelo lavado com xampu esvoaça em volta dos ombros. Ela deve ter sido separada cirurgicamente do namorado para ter aparecido sozinha. — Aquele também não era o meu telefone.

— Comigo são três — emenda Cooper.

O sotaque sulista faz o três parecer outra coisa. Addy e ele trocam olhares surpresos, e eu me pergunto como isso pode ser novidade se os dois fazem parte da mesma panelinha. Talvez pessoas superpopulares como eles tenham coisas melhores para conversar do que detenções injustas.

— Alguém nos sacaneou! — Simon se inclina à frente com os cotovelos na mesa, parecendo uma mola encolhida e pronto para dar o bote em uma fofoca fresquinha. Seu olhar passa por nós quatro, reunidos no meio de uma sala de aula praticamente vazia, antes de se concentrar em Nate. — Por que alguém ia querer prender na sala de detenção um bando de alunos com fichas praticamente limpas? Parece o tipo de coisa que, ah, sei lá, um cara que está aqui o tempo todo faria para se divertir.

Eu olho para Nate, mas não consigo imaginar aquilo. Manipular uma detenção significa ter algum trabalho, e tudo a respeito de Nate — desde os cabelos escuros e desgrenhados à jaqueta de couro surrada — diz bem claramente *não estou nem aí*. Ele sustenta meu olhar, mas não diz uma palavra, apenas inclina a cadeira mais para trás. Outro milímetro e Nate vai cair.

Cooper se endireita na cadeira e franze seu rosto de Capitão América.

— Esperem aí. Eu achei que isso fosse apenas um engano, mas, se a mesma coisa aconteceu com todos nós, então é uma pegadinha idiota feita por alguém. E estou perdendo *o treino de beisebol* por causa disso. — Ele fala como se fosse um cirurgião cardíaco que foi detido e estivesse perdendo uma operação para salvar vidas.

O Sr. Avery revira os olhos.

— Guardem as teorias conspiratórias para outro professor. Eu não vou acreditar. Todos conhecem as regras sobre trazer telefones para a sala de aula, e vocês infringiram essas regras. — Ele lança um olhar especialmente feio para Simon. Os professores sabem que o Falando Nisso existe, mas não há muito o que possam fazer para impedir o aplicativo. Simon usa apenas iniciais para identificar as pessoas, e nunca fala abertamente sobre o colégio. — Agora prestem atenção. Vocês ficarão aqui até às quatro da tarde. Quero que cada um faça uma redação de quinhentas palavras sobre como a tecnologia está arruinando os colégios nos Estados Unidos. Quem não cumprir as regras leva outra detenção amanhã.

— Com o que a gente vai escrever? — pergunta Addy. — Não tem computador aqui.

A maioria das salas tinha notebooks, mas o Sr. Avery, que aparentemente já poderia estar aposentado há uma década, é um dinossauro.

O Sr. Avery vai até a mesa de Addy e bate com o dedo na ponta de um bloco pautado amarelo. Todos nós temos um igual.

— Explore a magia da caligrafia. É uma arte perdida.

O rosto bonito e em formato de coração de Addy parece uma máscara de confusão.

— Mas como vamos saber que chegamos às quinhentas palavras?

— Contem — responde o Sr. Avery. Os olhos descem para o telefone que ainda estou segurando. — E me dê isso aqui, Srta. Rojas.

— O fato de o senhor estar confiscando meu celular *duas vezes* não lhe faz parar para pensar? Quem tem dois telefones? — pergunto. Nate sorri, tão rápido que quase deixo de ver. — Sério, Sr. Avery, alguém está pregando uma peça na gente.

O bigode branco do Sr. Avery estremece de irritação, e ele estende a mão, gesticulando.

— *O telefone*, Srta. Rojas. A não ser que queira voltar aqui outra vez. — Eu entrego o celular suspirando enquanto ele olha os demais com reprovação. — Os celulares que confisquei do restante de vocês estão na minha mesa. Vocês pegarão os aparelhos de volta após a detenção.

Addy e Cooper trocam olhares, achando graça, provavelmente porque seus verdadeiros telefones estão em segurança nas mochilas.

O Sr. Avery joga meu celular em uma gaveta, se senta atrás de sua mesa e abre um livro enquanto se prepara para nos ignorar pela próxima hora. Eu pego uma caneta, bato no bloco amarelo e contemplo a tarefa. Será que o Sr. Avery realmente acredita que a tecnologia está arruinando as escolas? É uma declaração um pouco forte para se fazer por causa de alguns telefones contrabandeados. Talvez seja uma armadilha, e ele esteja esperando que a gente o contradiga, em vez de concordar.

Dou uma olhadela em Nate, que está debruçado sobre o bloco, escrevendo *computadores são uma merda* sem parar, em letras garrafais.

Talvez eu esteja me preocupando demais com isso.

Cooper
Segunda-feira, 24 de setembro, 15h05

Minha cabeça começa a doer em poucos minutos. É ridículo, eu acho, mas não consigo me lembrar da última vez que escrevi qualquer coisa a mão. Para piorar, estou usando a mão direita, que nunca parece natural, embora eu já faça isso há muitos anos. Meu pai insistiu que eu aprendesse a escrever com a mão direita no segundo ano depois de me ver no campo de beisebol. *Seu braço esquerdo vale ouro*, disse ele. *Não desperdice com porcarias que não valem a pena*. O que vêm a ser qualquer coisa que não seja jogar beisebol, na opinião dele.

Foi quando meu pai começou a me chamar de Cooperstown, como o famoso jogador de beisebol. Nada como colocar um peso desses num menino de 8 anos.

Simon mete a mão dentro da mochila e vasculha tudo, abrindo cada divisória. Ele a coloca no colo e olha o interior.

— Onde diabos está minha garrafa d'água?

— Sem conversa, Sr. Kelleher — avisa o Sr. Avery sem erguer os olhos.

— Eu sei, mas minha garrafa d'água… sumiu. E estou com sede.

O Sr. Avery aponta para a pia no fundo da sala, com a bancada cheia de recipientes e tubos de ensaio.

— Vá beber água. *Em silêncio*.

Simon se levanta, pega um copo da pilha na bancada e o enche de água da torneira. Ele volta para o lugar e coloca o copo na mesa, mas parece distraído com a escrita metódica de Nate.

— Cara — diz Simon ao chutar com o tênis o pé da mesa de Nate —, falando sério, você colocou aqueles telefones nas nossas mochilas pra zoar com a gente?

Agora o Sr. Avery ergue os olhos e franze a testa.

— Eu disse *em silêncio*, Sr. Kelleher.

Nate se reclina e cruza os braços.

— Por que eu faria isso?

Simon dá de ombros.

— Por que você faz qualquer coisa? Pra você ter companhia na treta do dia?

— Mais uma palavra da parte de qualquer um de vocês e vai ter detenção amanhã — alerta o Sr. Avery.

Simon abre a boca mesmo assim, mas, antes que consiga falar, surge o som de pneus guinchando e depois a colisão entre dois carros. Addy contém um gritinho de susto, e me seguro na mesa, como se alguém tivesse acabado de se chocar comigo pelas costas. Nate, que parece contente com a interrupção, é o primeiro a ficar de pé e ir à janela.

— Quem bate o carro no estacionamento do colégio?

Bronwyn olha para o Sr. Avery, como se estivesse pedindo permissão, e, quando ele se levanta da mesa, ela também corre para janela. Addy segue Bronwyn, e finalmente saio da minha carteira. Melhor ver o que está acontecendo. Eu me apoio no peitoril para espiar lá fora, e Simon surge ao meu lado com uma risada debochada ao ver a cena abaixo.

Dois carros, um vermelho velho e um cinza genérico, estão enfiados um no outro em um ângulo reto. Todos olhamos fixamente em silêncio até o Sr. Avery soltar um suspiro exasperado.

— Melhor eu verificar se alguém se machucou. — Ele passa os olhos por todos nós e para em Bronwyn, a mais responsável do grupo. — Srta. Rojas, mantenha esta sala sob controle até eu voltar.

— Ok — responde Bronwyn, que lança um olhar nervoso para Nate.

Nós permanecemos na janela, vendo a cena lá embaixo, mas, antes que o Sr. Avery ou outro professor apareça fora do colégio, ambos os carros dão partida e saem do estacionamento.

— Bem, isso foi sem graça — diz Simon.

Ele volta para a mesa e pega o copo, mas, em vez de se sentar, vai até a frente da sala e examina o pôster com a tabela periódica de elementos. Simon enfia a cara no corredor, como se estivesse prestes a ir embora, mas a seguir se vira e ergue o copo em um brinde.

— Alguém quer água?

— Eu quero — responde Addy ao se sentar.

— Pegue você mesma, princesa — diz Simon, com um sorrisinho. Addy revira os olhos e não sai do lugar enquanto Simon se debruça sobre a mesa do Sr. Avery. — Literalmente, hein? O que você vai fazer agora que o baile já passou? É uma grande lacuna até a festa de formatura do terceiro ano.

Addy olha para mim sem responder. Eu não a culpo. A linha de raciocínio de Simon nunca leva a um lugar bom quando se refere aos nossos amigos. Ele age como se não se importasse em ser popular, mas ficou bastante convencido quando acabou fazendo parte do conselho da festa de formatura do ensino médio, na primavera passada. Ainda não sei como Simon conseguiu aquilo, mas talvez ele tenha comprado alguns votos com o seu silêncio.

Entretanto, Simon não foi visto no conselho do baile na semana anterior. Eu fui eleito rei, então talvez esteja na próxima lista de Simon para ser sacaneado ou seja lá que diabos ele esteja fazendo.

— O que você quer dizer, Simon? — pergunto ao me sentar ao lado de Addy.

Ela e eu não somos exatamente íntimos, mas eu meio que me sinto como protetor de Addy. Ela namora o meu melhor amigo desde o primeiro ano, e é gente boa. E também não é o tipo de pessoa que sabe enfrentar um cara insistente como o Simon.

— Ela é uma princesa, e você, um atleta — responde ele, apontando o queixo para Bronwyn e depois para Nate. — E você é um crânio. E também um criminoso. Vocês todos são estereótipos ambulantes de filmes de adolescente.

— E quanto a você? — pergunta Bronwyn.

Ela andou pairando pela janela, mas foi à mesa e se empoleirou em cima. Bronwyn cruzou as pernas e puxou o rabo de cavalo escuro sobre o ombro. Algo nela está mais bonito neste ano. Óculos novos, talvez? Cabelo mais comprido? De repente, Bronwyn está investindo nesse lance de nerd sexy.

— Eu sou o narrador onisciente — responde Simon.

As sobrancelhas de Bronwyn subiram acima da armação escura do óculos.

— Não existe isso nos filmes de adolescente.

— Ah, mas, Bronwyn — Simon pisca e toma a água em um gole só —, *existe* uma coisa assim na vida real.

Ele diz quase em ameaça, e eu me pergunto se Simon tem algum segredo de Bronwyn naquele aplicativo idiota. Eu odeio aquele troço. Quase todos os meus amigos apareceram no aplicativo em algum momento, e às vezes ele causa problemas de verdade. Meu amigo Luis e a namorada terminaram por causa de uma coisa que Simon escreveu. Embora *fosse* uma história real sobre Luis ter ficado com a prima da namorada, mas, ainda assim. Esse tipo de coisa não precisa ser publicada. As fofocas de corredor já são suficientemente ruins.

E, sendo honesto, estou bem preocupado com o que Simon poderia escrever sobre mim se decidisse fazer isso.

Simon ergue o copo com uma careta.

— Que gosto de merda.

Ele deixa o copo cair, e eu reviro os olhos diante da sua tentativa de fazer drama. Mesmo quando o líquido cai no chão, ainda acho que Simon está de zoação. Mas aí começa a respiração ofegante.

Bronwyn é a primeira a ficar de pé e depois se ajoelha ao seu lado.

— Simon — chama ela, enquanto lhe balança o ombro. — Você está bem? O que aconteceu? Consegue falar?

A voz de Bronwyn vai da preocupação ao pânico, e é o suficiente para eu me colocar em ação. Mas Nate é mais rápido, me empurra para passar e se ajoelha do lado de Bronwyn.

— Uma caneta — pede ele, enquanto os olhos vasculham o rosto de Simon, vermelho como tijolo. — Tem uma caneta?

Simon faz que sim com a cabeça freneticamente, e sua mão arranha o próprio pescoço. Eu pego a caneta da minha mesa e tento passá-la para Nate, pensando que ele está prestes a fazer uma traqueostomia de emergência ou algo do gênero. Nate apenas me encara, como se eu tivesse duas cabeças.

— Uma caneta de *adrenalina* — diz Nate procurando pela mochila de Simon. — Ele está tendo uma reação alérgica.

Addy fica em pé e abraça o próprio corpo, sem dizer uma palavra. Bronwyn se vira para mim, com o rosto corado.

— Vou achar um professor e ligar para a emergência. Fique com ele, ok? — Bronwyn pega o telefone da gaveta do Sr. Avery e dispara para o corredor.

Eu me ajoelho ao lado de Simon. Seus olhos estão esbugalhados, os lábios arroxeados, e ele emite sons horríveis de sufocamento. Nate joga o conteúdo inteiro da mochila de Simon no chão e vasculha a confusão de livros, papéis e roupas.

— Simon, onde você guarda a caneta? — pergunta ele ao abrir o pequeno compartimento frontal e arrancar duas canetas normais e um molho de chaves.

Porém, Simon já passou muito da fase de conseguir falar. Eu coloco uma palma da mão suada no seu ombro, como se isso fosse fazer algum bem.

— Você está bem, vai ficar bem. Estamos chamando ajuda. — Ouço minha voz desacelerando e engrossando como melado. Meu sotaque sempre sai forte quando estou estressado. Eu me viro para Nate e pergunto: — Tem certeza de que ele não está sufocando com alguma coisa?

Talvez Simon precise de uma manobra de Heimlich, não da porcaria de uma caneta médica.

Nate me ignora e joga a mochila vazia de Simon para o lado.

— Porra! — berra ele ao esmurrar o chão. — Você guarda a caneta no corpo, Simon? Simon!

Os olhos de Simon reviram enquanto Nate vasculha os bolsos do garoto, mas não encontra nada além de um lenço de papel amassado.

Sirenes berram ao longe quando o Sr. Avery e dois outros professores entram correndo, seguidos por Bronwyn, que fala ao telefone.

— Não conseguimos encontrar a caneta de adrenalina dele — explica Nate resumidamente ao gesticular para a pilha de coisas de Simon.

O Sr. Avery encara Simon de queixo caído e horrorizado por um segundo, depois se volta para mim.

— Cooper, há canetas de adrenalina na sala da enfermeira. Elas devem estar etiquetadas e bem à vista. *Depressa!*

Eu disparo para o corredor e ouço passos atrás de mim que desaparecem conforme eu chego rapidamente à escadaria dos fundos e escancaro a porta. Desço três degraus por vez até chegar ao primeiro andar, e costuro entre alguns estudantes retardatários até chegar à sala da enfermeira. A porta está entreaberta, mas não há ninguém ali.

A sala é apertada, com a mesa de exame diante das janelas e um grande armário cinza que se agiganta à esquerda. Eu passo os olhos pela sala, e eles param em duas caixas brancas instaladas na parede com letras vermelhas garrafais. Uma diz Desfibrilador de Emergência, e a outra Adrenalina de Emergência. Eu me atrapalho com o ferrolho da segunda caixa e o abro.

Não tem nada dentro.

Abro outra caixa, que tem um aparelho de plástico com o desenho de um coração. Tenho certeza de que não é aquilo, então começo a vasculhar o armário cinza, tirando caixas de bandagens e aspirina. Não vejo nada que se pareça com uma caneta.

— Cooper, encontrou as canetas? — A Sra. Grayson, que havia entrado no laboratório com o Sr. Avery e Bronwyn, irrompe na sala, ofegante e com a mão na lateral do corpo.

Eu gesticulo para a caixa vazia na parede.

— Elas deveriam estar ali, né? Mas não estão.

— Veja no armário — instrui a Sra. Grayson, ignorando as caixas de Band-Aid espalhadas pelo chão, que provam que já tentei isso.

Outro professor se junta a nós, e reviramos a sala enquanto a sirene se aproxima. Quando abrimos o último armário, a Sra. Grayson seca um filete de suor da testa com as costas da mão.

— Cooper, avise ao Sr. Avery de que não encontramos nada ainda. O Sr. Contos e eu vamos continuar procurando.

Chego ao laboratório do Sr. Avery no mesmo momento que os paramédicos. Há três deles em uniformes da Marinha, dois empurrando uma maca branca, e um correndo à frente para abrir espaço na pequena multidão que está reunida em volta da porta. Espero até que todos estejam na sala, e entro de mansinho. O Sr. Avery está curvado ao lado do quadro-negro, com a camisa social amarela para fora da calça.

— Não conseguimos encontrar as canetas — digo a ele.

O professor passa a mão trêmula pelo cabelo branco ralo quando um dos paramédicos dá uma injeção em Simon e os outros dois o colocam na maca.

— Que Deus ajude esse garoto — sussurra o Sr. Avery, mais para si mesmo do que para mim, imagino.

Addy está ao lado, sozinha na dela, com lágrimas escorrendo pela face. Cruzo o laboratório até ela e coloco o braço em seus ombros quando os paramédicos empurram a maca de Simon até o corredor.

— O senhor pode vir junto? — pergunta um deles para o Sr. Avery.

Ele concorda com a cabeça e vai atrás, deixando o laboratório vazio, a não ser por alguns professores abalados e nós quatro, que havíamos começado a detenção com Simon.

Foi só há uns quinze minutos, eu acho, mas parece que foram horas.

— Ele está bem agora? — pergunta Addy, com um tom contido.

Bronwyn está com o telefone entre as mãos, como se usasse o aparelho para rezar. Nate está parado com as mãos na cintura, olhando fixamente para a porta conforme mais professores e alunos entram.

— Eu arrisco dizer que não — respondo.

CAPÍTULO 2

Addy
Segunda-feira, 24 de setembro, 15h25

Bronwyn, Nate e Cooper estão conversando com os professores, mas eu não consigo. Preciso de Jake. Tiro o celular da mochila para mandar uma mensagem a ele, mas minhas mãos estão tremendo demais. Então, resolvo ligar.

— Amor?

Ele atende no segundo toque, parecendo surpreso. Não usamos muito o celular para ligações. Nenhum dos nossos amigos o faz. Às vezes, quando estou com Jake e o telefone toca, ele levanta e brinca: "O que quer dizer 'chamada recebida'?" Geralmente é sua mãe.

— Jake. — É tudo que consigo dizer antes de começar a chorar. O braço de Cooper ainda está nos meus ombros, e é a única coisa que me mantém de pé. Estou chorando demais para falar, e Cooper tira o telefone da minha mão.

— Ei, cara, é Cooper — diz ele, com o sotaque mais acentuado do que o normal. — Onde você está? — Cooper escuta por alguns segundos. — Pode encontrar a gente lá fora? Houve… Rolou um lance. Addy está realmente abalada. Não, ela está bem, mas… Simon Kelleher passou mal aqui na detenção. A ambulância o levou; nem sabemos se vai ficar bem.

As palavras de Cooper derretem umas nas outras, como sorvete, e eu mal consigo compreendê-lo.

Bronwyn se volta para a professora mais próxima, a Sra. Grayson.

— Devemos ficar? A senhora precisa da gente?

A Sra. Grayson leva a mão à garganta.

— Meu bom Deus, acho que não. Vocês contaram tudo para os paramédicos? Simon… bebeu um gole d'água e entrou em colapso? — Bronwyn e Cooper concordam com a cabeça. — É tão estranho. Ele tem alergia a amendoim, é claro, mas… vocês têm certeza de que ele não comeu nada?

Cooper devolve meu celular e passa a mão pelo cabelo castanho-claro com um corte escovinha meticuloso.

— Acho que não. Ele só bebeu um copo d'água e desmoronou.

— Talvez tenha sido algo que Simon comeu no almoço — arrisca a professora. — É possível que ele tenha tido uma reação atrasada. — Ela olha em volta da sala e se detém no copo de Simon, jogado no chão. — Acho melhor nós guardarmos isso — avisa a professora, enquanto passa por Bronwyn para pegá-lo. — Alguém pode querer examinar o copo.

— Eu quero ir embora — falo de supetão, limpando as lágrimas. Não aguento ficar mais um segundo naquela sala.

— Tudo bem se eu ajudar Addy? — pergunta Cooper, e a Sra. Grayson concorda com a cabeça. — Preciso voltar?

— Não, tudo bem, Cooper. Tenho certeza de que vão te chamar se precisarem de você. Vá para casa e tente voltar ao normal. Simon está em boas mãos agora. — Ela se debruça um pouco mais perto, e o tom de voz abranda. — Sinto muito mesmo. Deve ter sido horrível.

A professora fixa o olhar em Cooper, entretanto. Não há uma professora no Colégio Bayview que resista ao seu charme tipicamente norte-americano.

Cooper mantém o braço nos meus ombros ao sairmos. É bom. Eu não tenho irmãos, mas, se tivesse, imagino que seria assim que eles me apoiariam quando me sentisse mal. Jake não gostaria de ver a maioria dos amigos assim perto de mim, mas com Cooper não havia problema. Ele é um cavalheiro. Eu me apoio nele enquanto passamos pelos pôsteres do baile da semana passada que ainda não foram retirados. Cooper empurra a porta da frente para abri-la, e lá, graças a Deus, está Jake.

Eu desmorono nos seus braços, e por um segundo tudo está bem. Jamais vou esquecer quando vi Jake pela primeira vez, no primeiro ano: ele usava aparelhos nos dentes e ainda não tinha ganhado altura e ombros largos, mas bastou olhar para as covinhas e os olhos azuis da cor do céu de verão que eu *soube*. Jake era o cara certo para mim. Ele ter ficado bonito foi apenas um bônus.

Ele faz carinho no meu cabelo enquanto Cooper explica em voz baixa o que aconteceu.

— Meu Deus, Ads — diz Jake. — Que horrível. Vamos para casa.

Cooper vai embora sozinho, e, de repente, fico triste por não ter feito mais por ele. Pelo tom de voz de Cooper, sei que ele está tão surtado quanto eu, apenas escondendo melhor. Mas Cooper é um garoto de ouro, ele pode aguentar qualquer coisa. A namorada de Cooper, Keely, é uma das minhas melhores amigas e o tipo de garota que faz tudo certo. Ela vai saber exatamente como ajudar. Bem melhor do que eu.

Entro no carro de Jake e vejo a cidade passar como um borrão enquanto ele dirige um pouco rápido demais. Moro a menos de 2 quilômetros do colégio, e o trajeto de carro é curto, mas me preparo para a reação da minha mãe, porque tenho certeza de que ela já sabe. Seus canais de comunicação são misteriosos, porém à prova de falhas, e de fato ela está parada na nossa varanda quando Jake estaciona na garagem. Consigo perceber o estado de espírito dela ainda que o Botox tenha congelado suas expressões há muito tempo.

Espero Jake abrir a porta para eu sair do carro e me coloco embaixo do seu braço como sempre. Minha irmã mais velha, Ashton, gosta de fazer piada dizendo que eu sou uma daquelas cracas que morreria com o hospedeiro. Não é assim tão engraçado.

— Adelaide! — A preocupação da minha mãe é teatral. Ela estica a mão enquanto subimos os degraus, e faz carinho no meu braço. — Me conte o que aconteceu.

Eu não quero contar. Especialmente não com o namorado da minha mãe à espreita na porta atrás dela, fingindo que a curiosidade é preocupação genuína. Justin é doze anos mais novo que minha mãe, o que o torna cinco anos mais jovem do que o segundo marido, e quinze anos mais novo do que meu pai. Nesse ritmo, capaz de ela namorar Jake em seguida.

— Está tudo bem — murmuro, desviando deles. — Estou bem.

— Ei, Sra. Calloway — diz Jake. Minha mãe usa o sobrenome do segundo marido, não o do meu pai. — Vou levar Addy para o quarto. Aquilo tudo foi horrível. Eu posso contar para a senhora depois que ela estiver mais tranquila.

Eu sempre me espanto com a forma como Jake fala com minha mãe, como se fossem iguais.

E ela permite. *Gosta* disso.

— É claro — concede minha mãe, com um sorriso afetado.

Ela acha que Jake é bom demais para mim. Vem me dizendo isso desde o segundo ano, quando ele ficou supergostoso e eu continuei a mesma. Minha mãe costumava inscrever Ashton e eu em concursos de beleza quando éramos pequenas, sempre com os mesmos resultados para nós duas: terceira colocada. Princesa do baile, nunca rainha. Não exatamente ruim, mas não suficientemente boa para atrair e manter o tipo de homem que possa cuidar da pessoa pelo resto da vida.

Eu nem sei se isso algum dia foi colocado como um *objetivo* ou coisa do gênero, mas é o que devemos fazer. Minha mãe fracassou. Ashton está fracassando no casamento de dois anos com um marido que abandonou a faculdade de Direito e mal passa tempo com ela. Alguma coisa a respeito das irmãs Prentiss não conseguirem segurar os homens.

— Foi mal — murmuro para Jake ao subirmos a escada. — Não lidei bem com aquilo. Você deveria ter visto Bronwyn e Cooper. Eles foram demais. E Nate... meu Deus. Eu nunca pensei que veria Nate Macauley tomar conta da situação daquela maneira. Fui a única inútil.

— Shhh, não fale assim — diz Jake, com o rosto afundado no meu cabelo. — Não é verdade.

Ele fala em tom de fim de discussão porque se recusa a ver qualquer coisa que não seja o melhor em mim. Se isso algum dia mudar, eu honestamente não sei o que faria.

Nate
Segunda-feira, 24 de setembro, 16h

Quando Bronwyn e eu chegamos, o estacionamento está praticamente vazio, e nós hesitamos assim que saímos pela porta. Conheço Bronwyn desde o jardim de infância, tirando alguns anos do ensino médio, mas não andamos juntos exatamente. Ainda assim, não é estranho estar com ela ao meu lado. Quase reconfortante após o desastre do andar de cima.

Bronwyn olha ao redor, como se tivesse acabado de acordar.

— Eu não dirigi — murmura ela. — Eu deveria ter pegado uma carona. Para o *Café Epoch*.

Algo na forma como Bronwyn diz aquilo parece importante, como se houvesse mais detalhes na história que ela não estava compartilhando. Tenho assuntos a resolver, mas provavelmente não seja a melhor hora.

— Quer uma carona?

Bronwyn acompanha meu olhar até a moto.

— É sério? Eu não sentaria nessa armadilha nem que você me pagasse. Você conhece a estatística de acidentes fatais? Não é brincadeira.

Ela parece prestes a puxar uma planilha e me mostrar.

— Você que sabe.

Eu deveria abandoná-la e ir embora, mas ainda não estou pronto para encarar *minha casa*. Eu me encosto no prédio e tiro um cantil de Jim Beam do bolso da jaqueta, abro a tampa e ofereço para Bronwyn.

— Vai uma bebida?

Ela cruza os braços.

— Você está brincando? Essa é sua brilhante ideia antes de subir nessa máquina de destruição? E dentro do colégio?

— Você é engraçada, sabia?

Eu não bebo muito, na verdade; peguei o frasco do meu pai hoje de manhã e esqueci. Mas irritar Bronwyn é de certa forma gratificante.

Estou prestes a guardar o cantil no bolso quando ela franze a testa e estica a mão.

— Que se dane.

Bronwyn se encosta na parede de tijolos vermelhos ao meu lado e vai escorregando lentamente até o chão. Por algum motivo, tenho uma lembrança do ensino fundamental, quando Bronwyn e eu frequentávamos o mesmo colégio religioso. Antes de a vida ir completamente para o inferno. Todas as garotas de uniforme com saias plissadas, e agora Bronwyn está com uma saia igual, que sobe até as coxas quando ela cruza as pernas. Não é uma visão ruim.

Ela bebe por um tempo longo e surpreendente.

— O quê. Acabou. De acontecer?

Eu me sento ao seu lado, pego o cantil e o coloco no chão entre nós.

— Não faço ideia.

— Ele parecia à beira da morte. — As mãos de Bronwyn tremem tanto que, quando ela pega novamente o cantil, ele faz um barulho contra o chão. — Você não acha?

— É — respondo, enquanto Bronwyn toma outro gole e faz uma careta.

— Pobre Cooper — diz ela. — Ele parece que saiu da roça ontem. Sempre fica assim quando está nervoso.

— Eu não tenho como dizer. Mas aquela sei-lá-quem foi inútil.

— *Addy.* — O ombro de Bronwyn me cutuca de leve. — Você deveria saber o nome dela, Nate.

— Por quê?

Eu não consigo pensar em um bom motivo. Aquela garota e eu mal nos cruzamos antes de hoje, e provavelmente jamais nos cruzaremos de novo. Tenho certeza de que não há problema quanto a isso para os dois. Eu conheço o tipinho. Não tem nada na cabeça a não ser o namorado e seja lá que jogada mesquinha de poder esteja rolando com os amigos nesta semana. Bem gostosinha, mas sei lá, tirando isso, não tem nada a oferecer.

— Porque todos nós passamos por um grande trauma juntos — responde Bronwyn, como se isso resolvesse a situação.

— Você tem um monte de regras, não é?

Eu me esqueci de como Bronwyn é *cansativa.* Mesmo no ensino fundamental, o monte de besteiras com que ela se importava diariamente deixaria qualquer pessoa normal esgotada. Bronwyn sempre queria participar das coisas ou criá-las para que outras pessoas participassem. E aí tentava assumir o comando de todas as coisas que ela criava ou de que passava a participar.

Mas Bronwyn não é entediante. Isso eu tenho que admitir.

Ficamos sentados em silêncio, observando os últimos carros saírem do estacionamento, enquanto Bronwyn bebe do cantil de vez em quando. Quando finalmente tiro a bebida dela, fico surpreso ao notar como está leve. Eu duvido que ela esteja acostumada a beber destilado puro. Parece mais o tipo de garota que curte um coquetel. Se tanto.

Eu reponho o cantil no bolso quando Bronwyn puxa de leve a minha manga.

— Sabe, eu queria ter falado com você, quando aconteceu… Fiquei triste mesmo ao saber da sua mãe — diz ela, hesitante. — Meu tio morreu num acidente de carro também, mais ou menos na mesma época. Eu queria te dizer alguma coisa, mas… Você e eu, sabe, a gente realmente não se…

Bronwyn foi parando de falar, com a mão ainda pousada no meu braço.

— Falava — completei. — Tudo bem. Sinto muito pelo seu tio.

— Você deve sentir muita saudade dela.

Eu não queria falar sobre a minha mãe.

— A ambulância veio bem rápido hoje, né?

Bronwyn fica um pouco corada e recolhe a mão, mas acompanha a mudança rápida de assunto.

— Como você sabia o que fazer? Pelo Simon?

Eu dou de ombros.

— Todo mundo sabe que ele tem alergia a amendoim. É o que se faz.

— Eu não sabia da caneta. — Bronwyn ri pelo nariz. — Cooper te deu uma caneta de verdade! Como se você fosse escrever um bilhete para ele ou algo assim. Ai, meu Deus. — Ela bate com a cabeça na parede com tanta força que deve ter quebrado alguma coisa. — Eu deveria ir para casa. Isto não serve de nada, na melhor das hipóteses.

— A oferta da carona está de pé.

Eu não espero que ela aceite, mas Bronwyn diz "claro, por que não?" e estende a mão. Ela cambaleia um pouco enquanto a ajudo a se levantar. Não achei que o álcool fosse bater após quinze minutos, mas talvez tenha subestimado o fator peso-leve de Bronwyn Rojas. Talvez eu devesse ter lhe tirado o cantil antes.

— Onde você mora? — pergunto, enquanto monto no assento e coloco a chave na ignição.

— Na Rua Thorndike. A alguns quilômetros daqui. Depois do centro da cidade, vire à esquerda no Stone Valley Terrace depois do Starbucks. — Na parte rica da cidade. É claro.

Geralmente não levo ninguém na moto e não tenho um segundo capacete, então ofereço o meu. Ela o pega, e eu faço um esforço para desviar os olhos da pele nua da sua coxa quando Bronwyn monta atrás de mim e enfia a saia entre as pernas. Ela abraça minha cintura com força demais, mas não digo nada.

— Vai devagar, ok? — pede, com um certo nervosismo quando dou partida no motor.

Eu gostaria de irritá-la mais, porém saio do estacionamento na metade da minha velocidade normal. E, embora não achasse que isso fosse possível, ela me aperta com mais força ainda. Nós andamos de moto assim, com sua cabeça dentro do capacete e pressionada contra as minhas costas, e eu apostaria mil dólares, se tivesse esse dinheiro, que os olhos de Bronwyn estão bem fechados até chegarmos na sua casa.

Como era de se esperar, ela mora numa enorme mansão vitoriana com um jardim grande e um monte de árvores e flores complicadas. Há um SUV da Volvo na entrada da garagem, e minha moto — que, sendo generoso, pode ser chamada de clássica — parece tão ridícula ao lado dele quanto Bronwyn deve parecer atrás de mim. Por falar de coisas que não combinam.

Ela salta da moto e se atrapalha com o capacete. Eu solto as presilhas, ajudo Bronwyn a retirá-lo e desembaraço uma mecha de cabelo que se prendeu na tira. Ela respira fundo e ajeita a saia.

— Isso foi aterrorizante — diz, levando um susto quando um telefone toca. — Onde está minha mochila?

— Nas suas costas.

Ela tira a mochila dos ombros e arranca o celular do bolso frontal.

— Alô? Sim, eu posso… Sim, aqui é Bronwyn. Você… ai, Deus. Tem certeza? — A mochila escorrega da mão e cai aos seus pés. — Obrigada por ligar.

Bronwyn abaixa o telefone e me olha fixamente, com os olhos arregalados e vidrados.

— Nate, ele morreu — diz ela. — Simon morreu.

CAPÍTULO 3

Bronwyn
Terça-feira, 25 de setembro, 8h50

Não consigo parar de fazer as contas na cabeça. São 8h50 da manhã de terça-feira, e, há 24 horas, Simon participou da chamada pela última vez. Seis horas e cinco minutos antes do momento que fomos para a detenção. Uma hora depois, ele morreu.

Dezessete anos, morreu assim, do nada.

Eu escorrego para a carteira no canto dos fundos da sala e sinto 25 cabeças se virarem na minha direção quando me sento. Mesmo sem o Falando Nisso para fornecer uma atualização dos fatos, a notícia da morte de Simon esteve por toda parte na hora do jantar, ontem à noite. Recebi várias mensagens de todas as pessoas para quem um dia eu dei meu número.

— Você está bem?

Minha amiga Yumiko estende o braço e aperta minha mão. Faço que sim, mas o gesto piora ainda mais o latejar na minha cabeça. Descobri que meio cantil de uísque com o estômago vazio é uma *péssima* ideia. Felizmente meus pais ainda estavam no trabalho quando Nate me deixou em casa, e minha irmã, Maeve, me empurrou café goela abaixo, o suficiente para eu estar meio lúcida quando eles chegaram. Qualquer efeito remanescente, meus pais colocaram na conta do trauma.

Toca o primeiro sinal, mas o estalo do alto-falante, que geralmente antecede os anúncios da manhã, nunca acontece. Em vez disso, a professora que realiza a chamada, Srta. Park, pigarreia e se levanta da mesa. Ela segura uma folha de papel que treme na mão quando começa a ler.

— A seguir, um anúncio oficial da administração do Colégio Bayview. Sinto muitíssimo ter que compartilhar esta terrível notícia. Na tarde de ontem, um dos colegas de vocês, Simon Kelleher, sofreu uma grave reação alérgica. A assistência médica foi chamada de imediato e chegou com rapidez, mas, infelizmente, tarde demais para ajudar o Simon. Ele morreu no hospital, pouco tempo depois de dar entrada.

Um burburinho agitado percorre a sala enquanto alguém contém um pranto. Metade da turma já está com o celular na mão. Que se danem as regras hoje, suponho. Mas, antes que eu me controle, tiro o telefone da mochila e arrasto as telas até o Falando Nisso. Eu meio que espero uma notificação sobre a notícia quente sobre a qual Simon se vangloriou ontem, antes da detenção, mas é claro que não há nada, a não ser as notícias da semana passada.

Nosso baterista e maconheiro favorito está investindo em uma carreira no cinema. O RC instalou uma câmera na luminária do quarto e está realizando pré-estreias para todos os amigos. Vocês foram avisadas, meninas. (Talvez seja tarde demais para a KL.)

Todo mundo viu o flerte entre a *maluquete* TC e o novo riquinho GR, mas quem diria que pudesse ser algo mais sério? Aparentemente não o namorado dela, que se sentou na arquibancada do jogo de sábado sem perceber nada, enquanto T&G davam uns amassos *calientes* bem embaixo do seu nariz. Foi mal, JD. Você é sempre o último a saber.

A questão com o Falando Nisso era que... muito provavelmente tudo ali era verdadeiro. Simon criou o aplicativo no segundo ano, depois de passar o recesso da primavera em uma colônia de férias cara para programadores no Vale do Silício, e ninguém além dele tinha permissão de postar. Simon tinha fontes pelo colégio inteiro e era exigente e cuidadoso com o que relatava. As pessoas geralmente negavam ou ignoravam, mas ele nunca estava errado.

Jamais apareci no Falando Nisso; sou muito certinha para tanto. Tem apenas uma coisa que Simon poderia ter escrito sobre mim, mas teria sido impossível ele descobrir.

Agora acho que isso nunca vai acontecer mesmo.

A Srta. Park ainda está falando:

— Nessa situação de luto, haverá apoio psicológico disponível no auditório o dia inteiro. Vocês podem sair da aula a qualquer momento se sentirem necessidade de conversar com alguém sobre essa tragédia. O colégio está planejando um velório para Simon após o jogo de futebol de sábado, e nós daremos mais detalhes assim que possível. Também faremos questão de mantê-los informados sobre as providências tomadas pela família assim que soubermos.

O sinal toca, e todos nós nos levantamos para ir embora, mas a Srta. Park chama meu nome antes mesmo que eu pegue a mochila.

— Bronwyn, posso falar com você um instante?

Yumiko dispara um olhar de solidariedade para mim ao ficar de pé enquanto arruma uma mecha do cabelo preto revolto atrás da orelha.

— Kate e eu vamos esperar por você no corredor, ok?

Concordo com a cabeça e pego a mochila. A Srta. Park ainda está segurando o anúncio na mão quando me aproximo da mesa.

— Bronwyn, a diretora Gupta quer que todos vocês, que estiveram na sala com Simon, recebam apoio psicológico individual hoje. Ela me pediu para avisar a você que seu horário está marcado para as onze horas, na sala do Sr. O'Farrell.

O Sr. O'Farrell é meu orientador, e eu conheço muito bem sua sala. Passei muito tempo lá nos últimos seis meses, criando estratégias para entrar na faculdade.

— É o Sr. O'Farrell que está dando o apoio psicológico? — pergunto. Acho que não seria tão ruim assim.

A Srta. Parks franze a testa.

— Ah, não. O colégio trouxe um profissional.

Que ótimo. Passei metade da noite tentando convencer meus pais de que não precisava ver ninguém. Eles vão adorar saber que me forçaram a passar por isso mesmo assim.

— Tudo bem — concordo, e fico esperando caso ela tenha mais alguma coisa para me contar, mas a professora apenas dá um tapinha no meu ombro, sem jeito.

Como prometido, Kate e Yumiko estão esperando do lado de fora da porta. Elas me flanqueiam enquanto andamos até o primeiro período de Cálculo, como se estivessem me blindando dos *paparazzi* intrometidos. Yumiko se afasta, porém, quando vê Evan Neiman esperando do lado de fora da nossa sala de aula.

— Ei, Bronwyn. — Evan está usando sua camisa polo com um monograma ewn bordado em letra cursiva acima do coração. Sempre tive curiosidade em saber o que era o W... Walter? Wendell? William? Pelo bem dele, espero que seja William. — Você recebeu minha mensagem ontem à noite?

Recebi. *Precisa de alguma coisa? Quer companhia?* Sendo esta a única vez que Evan Neiman me mandou uma mensagem na vida, meu lado cínico decidiu que ele estava querendo um lugar na primeira fila da coisa mais chocante que jamais aconteceu no Colégio Bayview.

— Recebi, sim, obrigada. Mas eu estava muito cansada.

— Bem, se você estiver a fim de conversar, me avise. — Evan olha para o corredor, que está ficando vazio. Ele é um defensor da pontualidade. — A gente devia entrar, né?

Yumiko dá um sorriso para mim quando nos sentamos e sussurra:

— Evan não parava de me perguntar onde você estava durante o treino de ontem para a Olimpíada de Matemática.

Eu gostaria de estar tão entusiasmada quanto Yumiko, mas, em algum momento entre a detenção e o Cálculo, eu perdi todo o interesse em Evan Neiman. Talvez fosse estresse pós-traumático causado pela situação envolvendo Simon, mas agora eu não consigo lembrar o que me atraiu de início. Não que eu tivesse estado totalmente a fim de Evan em algum momento. Eu achava, inclusive, que Evan e eu tínhamos potencial para ser um casal sério só até a formatura, quando romperíamos de maneira amigável e seguiríamos para faculdades diferentes. O que agora eu percebo que é bastante desinteressante, mas namoro no ensino médio também é. Para mim, de qualquer forma.

Deixo a aula de Cálculo passar, com a mente muito, muito distante da matemática, e, então, de repente ela acaba e estou andando para a aula de Inglês Avançado com Kate e Yumiko. Minha cabeça ainda está tão cheia com tudo que aconteceu ontem que, quando passamos por Nate no corredor, parece perfeitamente natural chamá-lo.

— Oi, Nate.

Eu paro, surpreendendo a nós dois, e ele para também.

— Ei — responde Nate.

Seu cabelo preto está mais desalinhado do que nunca, e tenho certeza de que ele está usando a mesma camiseta de ontem. De alguma forma, porém, para ele aquele estilo funciona. Um pouco bem demais. Tudo a respeito da compleição alta e magra de Nate às maçãs do rosto angulosas e os olhos separados e delineados está me fazendo perder a linha de raciocínio.

Kate e Yumiko também estão encarando Nate, mas de uma forma diferente. Mais como se ele fosse um animal imprevisível de zoológico em uma jaula frágil. Conversas no corredor com Nate Macauley não fazem parte exatamente da nossa rotina.

— Você já teve sua sessão de apoio psicológico? — pergunto.

Seu rosto exibe uma expressão totalmente vaga.

— Minha o quê?

— Apoio psicológico por causa do luto. Pelo Simon. Nenhum professor te disse isso na hora da chamada?

— Eu acabei de chegar aqui — responde ele.

Arregalo os olhos. Jamais esperei que Nate ganhasse qualquer prêmio por pontualidade, mas são quase dez da manhã.

— Ah. Bem, todos nós que estivemos lá devemos ter sessões individuais. A minha é às onze.

— Meu Deus — murmura Nate, enquanto passa a mão pelo cabelo.

O gesto atrai meus olhos para seu braço, onde ficam até Kate pigarrear. Meu rosto fica vermelho quando recupero a atenção, tarde demais para registrar seja lá o que ela disse.

— Enfim, a gente se vê — murmuro.

Yumiko dobra a cabeça na direção da minha assim que ficamos fora do alcance de sermos ouvidas.

— Parece que ele acabou de rolar da cama — sussurra ela. — E *não sozinho*.

— Eu espero que você tenha tomado um banho de desinfetante depois que saiu da moto dele — acrescenta Kate. — Ele é uma puta.

Eu olho feio para ela.

— Você percebe que é sexista chamá-lo de *puta*, né? Se tem que usar algum termo, podia pelo menos escolher um que não ofendesse apenas as mulheres.

— Não importa — diz Kate, com desdém. — A questão é que ele é uma DST ambulante.

Eu não respondo. Essa é a reputação de Nate, claro, mas nós realmente não sabemos nada sobre ele. Quase conto para Kate como ele foi cuidadoso ao me dar carona para casa ontem, só que não sei o que eu estaria tentando provar fazendo isso.

Após a aula de Inglês, sigo para a sala do Sr. O'Farrell, e ele me chama para entrar com um gesto quando bato na porta aberta.

— Sente-se, Bronwyn. A Dra. Resnick está um pouco atrasada, mas ela estará aqui em breve.

Eu me sento diante dele e espio meu nome rabiscado na pasta de cartolina meticulosamente colocada no meio da mesa. Faço um gesto para pegá-la e hesito, sem saber se é confidencial, mas ele empurra a pasta para mim.

— Sua recomendação do organizador de simulação estudantil da ONU. Com tempo de sobra para o prazo de admissão antecipada de Yale.

Eu suspiro, aliviada.

— Ah, obrigada! — digo, e pego a pasta.

É a última que eu estava esperando. Yale é uma tradição familiar — meu avô foi professor-visitante lá e se mudou com a família inteira da Colômbia para New Haven quando pegou a cátedra. Todos os filhos, incluindo meu pai, se formaram lá, e foi em Yale que meus pais se conheceram. Eles sempre disseram que nossa família não existiria se não fosse por Yale.

— De nada. — O Sr. O'Farrell se recosta e ajusta os óculos. — Suas orelhas estavam ardendo mais cedo? O Sr. Camino passou por aqui para perguntar se você se interessaria em ser tutora de química neste semestre. Um bando de calouros brilhantes está tendo dificuldades como você teve no ano passado. Eles adorariam aprender uns métodos de alguém que acabou gabaritando a matéria.

Tenho que engolir em seco duas vezes antes de responder.

— Eu me interessaria — respondi, com o máximo de alegria possível —, mas talvez já esteja com compromissos demais.

Dou um sorriso que fica repuxado demais sobre os dentes.

— Não se preocupe. Você tem muita coisa para resolver.

Química foi a única matéria em que tive dificuldades, tanto que minha média foi 5 no meio do semestre. A cada teste que eu fracassava, parecia que as universidades tradicionais ficavam mais distantes. Até o Sr. O'Farrell começou a sugerir sutilmente que qualquer faculdade de primeira linha serviria.

Então, eu consegui aumentar minhas notas e tirei um 10 no fim do ano. Mas tenho certeza absoluta de que ninguém quer que eu compartilhe meus métodos com outros alunos.

Cooper
Quinta-feira, 27 de setembro, 12h45

— Vejo você hoje à noite?

Keely pega minha mão enquanto andamos até os armários depois do almoço, e ergue o olhar para mim com grandes olhos escuros. A mãe é sueca e o pai é filipino, e a combinação faz de Keely a menina mais bonita do colégio. De longe. Nós não nos encontramos muito esta semana por causa do beisebol e dos compromissos de família, e dá para perceber que ela está ficando impaciente. Keely não é exatamente grudenta, mas precisa de convivência regular como casal.

— Não sei — respondo. — Eu estou bem atrasado com os deveres de casa.

Os lábios perfeitos de Keely se curvam para baixo, e dá para perceber que ela está prestes a reclamar quando uma voz vem flutuando do alto-falante.

— *Atenção, por favor. Cooper Clay, Nate Macauley, Adelaide Prentiss e Bronwyn Rojas, queiram se apresentar à diretoria, por favor. Cooper Clay, Nate Macauley, Adelaide Prentiss e Bronwyn Rojas à diretoria.*

Keely olha em volta, como se esperasse uma explicação.

— O que significa isso? Algo a ver com Simon?

— Acho que sim.

Dou de ombros. Há dois dias, respondi o interrogatório da diretora Gupta sobre o que aconteceu durante a detenção, mas talvez ela esteja preparando outra rodada de perguntas. Meu pai falou que os pais de Simon têm muitos contatos na cidade, e o colégio deve estar preocupado em ser processado caso tenha sido negligente de alguma forma.

— Melhor eu ir. Falo com você mais tarde, ok?

Dou um beijo rápido no rosto de Keely, coloco a mochila no ombro e sigo pelo corredor.

Quando chego à diretoria, a recepcionista aponta para uma pequena sala de reuniões que já está cheia de gente: a diretora Gupta, Addy, Bronwyn, Nate e um policial. Minha garganta fica um pouco seca quando me sento na última cadeira vazia.

— Cooper, ótimo. Agora podemos começar. — A diretora entrelaça as mãos diante de si e olha em volta da mesa. — Eu gostaria de apresentar o agente Hank Budapest, do Departamento de Polícia de Bayview. Ele tem algumas perguntas sobre o que vocês testemunharam na segunda-feira.

O agente Budapest aperta a mão de cada um de nós a seguir. Ele é jovem, mas já está ficando careca, tem cabelo castanho-claro e sardas. Não é muito intimidador, em termos de autoridade.

— É um prazer conhecer todos vocês. Isto aqui não deve levar muito tempo, mas, após falar com a família Kelleher, nós queremos examinar mais a fundo a morte de Simon. Os resultados da autópsia saíram hoje de manhã e…

— Já? — interrompe Bronwyn, o que rende um olhar feio da diretora Gupta que ela nem percebe. — Eles geralmente não levam mais tempo?

— Resultados preliminares podem ficar disponíveis dentro de dois dias — explica o agente Budapest. — Esses foram bastante definitivos e mostram que Simon morreu de uma grande dose de óleo de amendoim ingerido pouco antes da crise alérgica. O que os pais acharam estranho, considerando como ele sempre foi cuidadoso com o que comia e bebia. Todos vocês disseram à diretora Gupta que Simon bebeu um copo d'água antes de entrar em colapso, certo?

Todos nós concordamos com a cabeça, e o agente Budapest continua:

— O copo contém traços de óleo de amendoim, então parece claro que Simon morreu por causa daquela bebida. O que estamos tentando descobrir agora é como o óleo de amendoim conseguiu entrar no copo.

Ninguém fala. Addy encontra meu olhar e depois vira o rosto, com a testa um pouco franzida.

— Alguém se lembra onde Simon pegou o copo? — pergunta o agente Budapest, e pousa a caneta sobre um bloco em branco diante de si.

— Eu não estava prestando atenção — responde Bronwyn. — Estava escrevendo a redação.

— Eu também — fala Addy, embora eu pudesse jurar que ela nem sequer tinha começado.

Nate alonga o corpo e encara o teto.

— Eu me lembro — digo. — Ele pegou o copo de uma pilha perto da pia.

— A pilha estava de cabeça para baixo ou virada para cima?

— De cabeça para baixo — respondo. — Simon puxou o copo de cima.

— Você notou algum líquido saindo quando ele pegou o copo? Simon balançou o copo?

Eu me recordo.

— Não, ele apenas encheu de água.

— E depois bebeu?

— Sim — digo, mas Bronwyn me corrige.

— Não — diz ela. — Não imediatamente. Ele falou por um tempo. Lembra? — Bronwyn se volta para Nate. — Ele perguntou se Nate colocou os celulares nas nossas mochilas. Aqueles que fizeram a gente ficar de detenção com o Sr. Avery.

— Os celulares. Certo. — O agente Budapest rabisca alguma coisa no bloco. Ele não disse aquilo como uma pergunta, mas Bronwyn explica mesmo assim.

— Alguém pregou uma peça na gente — diz ela. — É por isso que estávamos na detenção. O Sr. Avery encontrou telefones nas nossas mochilas, mas eles não eram nossos. — Bronwyn se volta para a diretora Gupta com uma expressão ofendida. — Não foi justo mesmo. Eu queria perguntar se isso é uma coisa que vai ficar no nosso currículo permanente?

Nate revira os olhos.

— Não fui eu. Alguém enfiou um celular na minha mochila também.

A diretora Gupta franze a testa.

— Esta é a primeira vez que ouço falar disso.

Eu dou de ombros quando ela me encara. Aqueles celulares foram a última coisa na minha cabeça nos últimos dias.

O agente Budapest não pareceu surpreso.

— O Sr. Avery mencionou esse fato quando eu me encontrei com ele mais cedo. Ele disse que nenhum dos alunos foi pegar os telefones, então pensou que deve ter sido um trote afinal de contas. — O policial enfia a caneta entre o indicador e o dedo médio, e bate na mesa de maneira ritmada. — Este é o tipo de brincadeira que Simon poderia ter feito com todos vocês?

— Não vejo motivo — responde Addy. — Havia um celular na mochila dele também. Além disso, eu mal o conhecia.

— Você esteve no conselho do baile dos calouros com ele — comenta Bronwyn.

Addy pestaneja, como se só agora se lembrasse de que isso era verdade.

— Algum de vocês já teve problemas com Simon? — pergunta o agente Budapest. — Eu ouvi falar sobre o aplicativo que ele criou... o Falando Nisso, certo? — Ele está olhando para mim, então concordo com a cabeça. — Vocês já estiveram nele alguma vez?

Todo mundo balança a cabeça, a não ser Nate.

— Um monte de vezes — responde ele.

— Por quais motivos? — indaga o agente Budapest.

Nate dá um risinho irônico.

— Por umas merdas... — Ele começa, mas é interrompido pela diretora Gupta.

— Olhe o linguajar, Sr. Macauley.

— Por umas besteiras — corrige Nate. — Quem estou pegando, na maioria das vezes.

— Isso lhe incomoda? Ser motivo de fofocas?

— Não mesmo.

Ele parece estar sendo sincero. Acho que aparecer em um aplicativo de fofocas não é grande coisa comparado a ser preso. Se é que isso é verdade. Simon nunca postou, então ninguém parece saber exatamente qual é o lance com Nate.

É meio patético que Simon fosse nossa fonte mais confiável de notícias.

O agente Budapest olha para o restante de nós.

— Mas vocês três não? — Todos balançamos a cabeça novamente. — Vocês algum dia se preocuparam com aparecer no aplicativo do Simon? Sentiram como se alguma coisa estivesse pairando sobre vocês ou algo assim?

— Eu, não — respondo, mas a voz não sai tão confiante quanto eu gostaria.

Desvio o olhar do agente Budapest e flagro Addy e Bronwyn com expressões opostas: Addy está pálida como um fantasma, e Bronwyn, vermelha como um tijolo. Nate observa as duas por alguns segundos, reclina a cadeira para trás e olha para o agente Budapest.

— Todo mundo tem segredos — diz ele. — Certo?

Minha série de exercícios entra noite adentro, mas meu pai faz todo mundo esperar até que eu termine para que todos possamos jantar juntos. Meu irmão, Lucas, agarra o estômago e cambaleia até a mesa com um olhar sofrido quando finalmente nos sentamos às sete horas.

O assunto da conversa é o mesmo da semana inteira: Simon.

— Era de imaginar que a polícia fosse se envolver em algum momento — diz o Pai, enquanto coloca no prato uma pequena montanha de purê de batata com a colher. — Algo não está certo na forma como aquele rapaz morreu. — Ele deu um muxoxo de desdém. — Óleo de amendoim no sistema hidráulico, talvez? Os advogados vão fazer a festa com isso.

— Os olhos dele estavam esbugalhados e saindo da cabeça *assim*? — pergunta Lucas, fazendo uma careta. Meu irmão tem 12 anos, e a morte de Simon não é nada além de sangue de videogame para ele.

Minha avó estende o braço e dá um tapa nas costas da mão de Lucas. Ela mal chega a 1,50 metro de altura, tem uma cabeça cheia de cachos brancos, mas não brinca em serviço.

— Cale a boca, a não ser que seja para falar daquele pobre rapaz com respeito.

A Vovó mora conosco desde que nos mudamos para cá, vindo do Mississippi, há cinco anos. Fiquei surpreso de ela ter nos acompanhado; nosso avô morreu há anos, mas a Vovó tinha muitos amigos e clubes que a mantinham ocupada por lá. Agora que moramos aqui há algum tempo, eu entendo. Nossa casa em estilo colonial, que é bem simples, custa três vezes o que a casa no Mississippi custava, e sem o dinheiro da Vovó não conseguiríamos bancá-la. Mas é possível jogar beisebol o ano inteiro em Bayview, e a cidade tem um dos melhores programas de ensino médio do país. Em algum momento, o Pai espera que eu faça essa hipoteca gigante e o emprego que ele odeia valerem a pena.

Talvez eu consiga. Depois que o meu arremesso melhorou em 8 quilômetros por hora no decorrer do verão, acabei em quarto lugar nas previsões que a ESPN faz para a seleção da liga de beisebol do ano seguinte. Também estou sendo sondado para um monte de universidades e não me importaria de ir para lá primeiro. Mas o beisebol não é o mesmo que o futebol americano ou o basquete. Se um cara consegue uma vaga nos times pequenos saindo do ensino médio, ele geralmente vai.

O Pai aponta para mim com a faca.

— Você tem um jogo de exibição no sábado. Não se esqueça.

Como se eu pudesse. O horário está pendurado pela casa inteira.

— Kevin, talvez fosse melhor um fim de semana de folga? — murmura minha mãe, mas sem convicção. Ela sabe que essa é uma batalha perdida.

— A melhor coisa que Cooperstown pode fazer é seguir com a vida — responde o Pai. — Ficar de corpo mole não vai reviver aquele garoto. Que Deus o tenha.

Os olhinhos vivos da Vovó se voltam para mim.

— Espero que você perceba que nenhum de vocês podia ter feito alguma coisa por Simon, Cooper. A polícia tem que colocar os pingos nos is, só isso.

Não sei, não. O agente Budapest não parou de me perguntar sobre o sumiço das canetas de adrenalina e quanto tempo fiquei sozinho na sala da enfermeira. Quase como se ele pensasse que eu pudesse ter feito alguma coisa com elas antes de a Sra. Grayson aparecer. Mas o policial não chegou a dizer isso. Se ele acha que alguém aprontou com Simon, não sei por que não está investigando Nate. Se qualquer um me perguntasse — o que ninguém fez —, eu gostaria de saber como um cara assim sabia sobre as tais canetas de adrenalina, para início de conversa.

Nós mal acabamos de recolher a louça da mesa quando a campainha toca e Lucas dispara para a porta aos berros:

— Eu atendo! — Alguns segundos depois, ele grita de novo: — É Keely!

A Vovó fica de pé com dificuldade e usa a bengala com cabo de caveira, que Lucas escolheu no ano passado, quando se conformou com o fato de que não podia andar mais por conta própria.

— Achei que vocês dois não tivessem planos hoje à noite, Cooper.

— Não tínhamos — murmuro, quando Keely entra na cozinha com um sorriso e me abraça forte pelo pescoço.

— Como vai você? — sussurra ela no meu ouvido, e os lábios macios roçam na minha bochecha. — Pensei em você o dia inteiro.

— Ok — respondo.

Ela recua, mete a mão no bolso, mostra rapidamente uma embalagem de celofane e me dá um sorriso. Red Vines, que com certeza não faz parte da minha dieta nutricional, mas são meus doces de alcaçuz prediletos no mundo todo. Essa garota me entende. E meus pais também, que exigem alguns minutos de conversa educada até saíram para o campeonato de boliche deles.

Meu celular apita, e eu o puxo do bolso.

Oi, gato.

Eu abaixo a cabeça para esconder o sorriso que subitamente surge no canto da boca e respondo à mensagem: *Oi.*

Vamos nos ver hoje à noite?

Agora não dá. Te ligo depois?

Ok, saudades.

Keely está falando com minha mãe, os olhos acesos com interesse. Ela não está fingindo. Keely não apenas é linda; ela é o que a Vovó chama de "feita inteirinha de açúcar." Uma garota genuinamente doce. Todo cara em Bayview queria ser eu.

Saudades também.

CAPÍTULO 4

Addy
Quinta-feira, 27 de setembro, 19h30

Eu deveria estar fazendo o dever de casa antes que Jake passe aqui, mas, em vez disso, estou sentada à penteadeira do quarto, massageando a pele próxima ao meu couro cabeludo. A maciez na têmpora esquerda dá a impressão de que vai se transformar em uma daquelas enormes espinhas horríveis que aparecem de tantos em tantos meses. Sempre que estou com uma dessas, sei que é tudo que as pessoas conseguem ver.

Vou ter que usar o cabelo solto por um tempo, que é a maneira preferida de Jake, de qualquer forma. Meu cabelo é a única coisa em que tenho cem por cento de confiança, o tempo todo. Estive no Glenn's Diner na semana passada com minhas amigas, sentada ao lado de Keely em frente ao grande espelho, e ela esticou o braço e passou a mão pelo meu cabelo enquanto sorria para os reflexos. *Podemos trocar, por favor? Só por uma semana*, pediu ela.

Eu sorri para Keely, mas desejei que estivesse sentada no outro lado da mesa. Odeio quando Keely e eu estamos lado a lado. Ela é tão linda, com aquela pele marrom, cílios longos e lábios de Angelina Jolie. Keely é a protagonista de um filme, e eu sou a melhor amiga figurante cujo nome a pessoa esquece antes que os créditos comecem a subir.

A campainha toca, mas sei que não devo esperar que Jake suba a escada imediatamente. Minha mãe vai sequestrá-lo por pelo menos dez minutos. Ela não se cansa de ouvir sobre o caso de Simon e conversaria sobre a reunião de hoje com o agente Budapest a noite inteira se eu deixasse.

Divido o cabelo em partes e passo a escova em cada lado. A mente continua voltando para Simon. Ele tinha sido uma presença constante no nosso grupo desde o primeiro ano, mas nunca foi um de nós. Tinha apenas uma amiga de verdade, uma garota meio gótica chamada Janae. Eu achava que os dois estavam juntos até que Simon começou a chamar todas as minhas amigas para sair. Claro que nenhuma nunca disse sim. Embora ano passado, antes de começar a namorar Cooper, Keely ficou superbêbada numa festa e deixou Simon beijá-la por cinco minutos num closet. Ela levou anos para se livrar dele depois daquilo.

Eu não sei no que Simon estava pensando, para ser sincera. Keely só curte um único tipo: atleta. Ele devia ter corrido atrás de alguém como Bronwyn. Ela é bonitinha o suficiente, de um jeito discreto, com olhos cinzentos interessantes e um cabelo que provavelmente ficaria ótimo se algum dia o soltasse. Além disso, Simon e ela devem ter se esbarrado o tempo todo nas turmas avançadas.

Só que hoje eu tive a impressão de que Bronwyn não gostava muito de Simon. Ou não gostava nada. Quando o agente Budapest falou como Simon morreu, Bronwyn pareceu... sei lá. Que não estava triste.

Há uma batida na porta, e eu a vejo se abrir pelo espelho. Continuo escovando o cabelo enquanto Jake entra. Ele arranca os tênis e desaba na minha cama com um cansaço exagerado, de braços abertos ao lado do corpo.

— Sua mãe me exauriu, Ads. Eu nunca encontrei alguém que conseguisse fazer a mesma pergunta de tantas maneiras.

— Nem me fale — digo, levantando para me juntar a ele.

Jake passa o braço por mim, e eu me enrosco em seu corpo, com a cabeça no ombro e a mão no peito. Nós sabemos como nos encaixar perfeitamente, e isso me relaxa pela primeira vez desde que fui chamada à sala da diretora Gupta.

Passo os dedos por seu bíceps. Jake não é tão definido quanto Cooper, que é praticamente um super-herói com toda a malhação de nível profissional que ele faz, mas para mim Jake é o equilíbrio perfeito entre musculoso e magro. E ele é rápido, o melhor *running back* que o Colégio Bayview viu em anos. Ele não atrai tanta atenção quanto Cooper, mas algumas universidades estão interessadas, e Jake tem uma boa chance de conseguir uma bolsa.

— A Sra. Kelleher me chamou — revela ele.

Minha mão para a subida pelo braço de Jake enquanto encaro o tom vivo de azul do algodão de sua camiseta.

— A mãe do Simon? Por quê?

— Ela me pediu para carregar o caixão no enterro. Vai ser no domingo — responde Jake, dando de ombros. — Eu disse que sim. Não posso recusar, posso?

Eu às vezes me esqueço de que Simon e Jake foram amigos no ensino fundamental, antes de Jake se tornar um atleta e Simon virar... o que quer que ele fosse. No primeiro ano do ensino médio, Jake entrou para o time principal de futebol americano e começou a andar com Cooper — que já era uma lenda em Bayview, depois de quase ter levado seu time do ensino fundamental para o torneio nacional de beisebol infantil como arremessador. No segundo ano, os dois eram basicamente os reis da nossa turma, e Simon era apenas um garoto esquisito qualquer que Jake conhecia.

Eu desconfio de que Simon tenha lançado o Falando Nisso para impressionar Jake. Simon descobriu que alguns rivais no futebol estavam por trás do assédio sexual de algumas calouras através de mensagens anônimas de texto e postou isso num aplicativo chamado Depois da Aula. Aquilo atraiu um monte de atenção por algumas semanas, e Simon também. Aquela deve ter sido a primeira vez que alguém em Bayview o notou.

Jake provavelmente deu um tapinha nas costas de Simon uma vez e se esqueceu daquilo, só que Simon seguiu em frente e criou o próprio aplicativo. Fofoca como serviço de utilidade pública não vai muito longe, então ele começou a postar coisas mais triviais e mais pessoais do que o escândalo das mensagens de conteúdo sexual. Ninguém mais pensou que ele era um herói, mas àquela altura todos estavam ficando com medo de Simon, e acho que, para ele, aquilo quase dava no mesmo.

Jake, porém, geralmente defendia Simon quando nossos amigos o criticavam por causa do Falando Nisso, *Não é como se ele estivesse mentindo*, observava Jake. *Parem de fazer coisas na encolha e ninguém vai ter problemas.*

Às vezes Jake consegue ser bem direto no seu raciocínio. É fácil quando nunca se cometeu um erro.

— Nós ainda vamos para a praia amanhã de noite se não houver problema — diz ele agora, enroscando meu cabelo nos dedos. Jake fala como se aquilo dependesse de mim, mas ambos sabemos que ele é o responsável por nossa vida social.

— É claro — murmuro. — Quem vai?

Não diga TJ.

— Cooper e Keely devem ir, embora ela não tenha certeza se ele está a fim. Luis e Olivia. Vanessa, Tyler, Noah, Sarah…

Não diga TJ.

— … e TJ.

Argh. Não sei se é a minha imaginação ou se TJ, que costumava viver à margem do nosso grupo como o garoto novo, virou o centro das atenções, quando na verdade eu gostaria que ele sumisse de vez.

— Ótimo — digo sem emoção, e subo o rosto para beijar o maxilar de Jake. É aquele momento do dia quando está um pouco áspero, o que é uma novidade neste ano.

— Adelaide! — A voz da minha mãe surge pela escada. — Estamos saindo.

Justin e ela vão a algum lugar no centro quase toda noite, geralmente a restaurantes, mas às vezes a boates. Justin só tem 30 anos e ainda curte toda aquela cena noturna. Minha mãe também curte quase do mesmo jeito, especialmente quando as pessoas confundem e acham que ela é da mesma idade de Jake.

— Ok! — respondo, e ouço a porta bater.

Após um minuto, Jake se debruça para me beijar e a mão entra embaixo da minha camiseta.

Um monte de gente acha que Jake e eu transamos desde o primeiro ano, mas não é verdade. Ele quis esperar até o baile dos calouros. Foi um grande evento; Jake alugou um quarto de hotel de luxo que ele encheu com velas e flores, e comprou uma lingerie fantástica da Victoria's Secret para mim. Eu não teria me incomodado com alguma coisa um pouco mais espontânea, eu acho, mas sei que tenho muita sorte de ter um namorado que se importe a ponto de planejar cada detalhezinho.

— Tudo bem com isso aqui? — Os olhos de Jake vasculham meu rosto. — Ou você prefere ficar apenas de bobeira?

As sobrancelhas se erguem, como se fosse uma pergunta de verdade, mas a mão continua descendo.

Eu nunca recuso Jake. É como minha mãe disse quando me levou pela primeira vez para tomar a pílula: se você diz não muitas vezes, logo outra pessoa vai aparecer para dizer sim. De qualquer forma, eu quero tanto quanto ele. Eu vivo por esses momentos de intimidade com Jake; acho que eu entraria dentro dele se fosse possível.

— Está mais do que bem — asseguro, e puxo Jake para cima de mim.

Nate
Quinta-feira, 27 de setembro, 20h

Eu moro *naquela* casa. Aquela pela qual as pessoas passam de carro e dizem *eu não acredito que alguém de fato vive ali*. Nós moramos naquela casa, mas o termo "morar" talvez seja um exagero. Passo o máximo de tempo fora dali, e meu pai está semimorto.

A casa fica no limite de Bayview, o tipo de rancho ferrado que os ricos compram para demolir. A chaminé está se desintegrando desde que tenho 10 anos. Sete anos mais tarde, todo o resto se juntou a ela: a pintura está descascada, as persianas caídas, os degraus de concreto na frente, com rachaduras escancaradas. O jardim está ruim do mesmo jeito. A grama quase chega aos joelhos, e depois da seca do verão ela ficou amarelada. Eu costumava cortá-la, até que me toquei que cuidar de jardim é um desperdício de tempo que nunca acaba.

Quando entro, vejo meu pai desmaiado no sofá com uma garrafa vazia de destilado na frente. Ele considera um golpe de sorte ter caído de uma escada enquanto consertava um telhado há alguns anos, na época em que ainda era um alcoólatra operante. Acabou ganhando o valor do seguro contra acidentes de trabalho e passou a ser suficientemente inválido e a receber aposentadoria do governo, que, para um cara como meu pai, é como tivesse ganhado na loteria. Agora ele pode beber sem ser interrompido enquanto o pagamento continua caindo na conta.

O dinheiro não é muito, de qualquer forma. Gosto de TV por assinatura, manter minha moto rodando e, de vez em quando, comer algo mais do que macarrão com queijo. E é por isso que arrumei um trabalho de meio expediente e passo quatro horas distribuindo sacos plásticos cheios de analgésicos por San Diego, depois das aulas. Obviamente não é algo que eu deveria estar fazendo, especialmente após ter sido preso por traficar maconha no verão e estar em liberdade condicional. Mas nada paga tão bem e exige tão pouco esforço.

Vou para a cozinha, abro a porta da geladeira e tiro os restos de comida chinesa. Há uma foto presa por um ímã, rachada como uma janela quebrada. Meu pai, minha mãe e eu aos 11 anos, bem antes de ela ir embora.

Minha mãe era bipolar e não prestava muita atenção na medicação, então não é como se eu tivesse tido uma infância fantástica enquanto ela esteve aqui. A memória mais antiga que tenho é de minha mãe deixando cair um prato e depois se sentando no chão, em meio aos cacos, chorando sem parar. Uma vez eu saltei do ônibus quando ela estava jogando todas as nossas coisas pela janela. Várias vezes, minha mãe se encolhia num canto da cama e não se mexia durante dias.

Só que as fases maníacas eram uma viagem. No meu aniversário de 8 anos, ela me levou a uma loja de departamentos, me entregou um carrinho e disse para eu enchê-lo com o que quisesse. Quando eu tinha 9 anos e curtia répteis, minha mãe me surpreendeu ao montar um terrário na sala de estar com um dragão-barbudo. Nós o chamamos de Stan por causa de Stan Lee, e eu ainda tenho o bicho. Esses animais vivem para sempre.

Meu pai não bebia tanto naquela época, e assim os dois conseguiram me colocar na escola e em atividades esportivas. Aí minha mãe interrompeu completamente a medicação e começou a tomar outras substâncias que mexem com a sua cabeça. Sim, eu sou o babaca que trafica drogas após elas terem destruído a própria mãe. Mas para deixar claro: eu não vendo nada além de maconha e analgésicos. Minha mãe teria ficado na boa se tivesse se mantido longe da cocaína.

Durante um tempo, ela voltava de poucos em poucos meses. Depois, uma vez por ano. A última vez que a vi foi quando eu tinha 14 anos e meu pai começou a desmoronar. Minha mãe não parava de falar sobre a fazenda comunitária para onde tinha se mudado no Oregon e como lá era ótimo, que ela me levaria e eu poderia ir à escola com todos os garotos hippies, plantar frutinhas silvestres orgânicas e seja lá que diabos eles faziam.

Ela comprou para mim um sundae enorme no Glenn's Diner, como se eu ainda tivesse 8 anos, e me contou tudo a respeito da fazenda comunitária. *Você vai gostar de lá, Nathaniel. Todo mundo é tão tolerante. Ninguém te rotula como fazem aqui.*

Parecia uma mentira mesmo na época, mas melhor do que Bayview. Então eu fiz a mala, coloquei Stan na caixinha de transporte e esperei por ela nos degraus da frente. Devo ter passado metade da noite sentado lá, um verdadeiro trouxa da porra, até que finalmente me toquei de que minha mãe não ia aparecer.

Acabou que aquela ida ao Glenn's Diner foi a última vez que a vi na vida.

Enquanto a comida chinesa esquenta, eu cuido de Stan, que ainda tem uma pilha de frutas e legumes murchos e alguns grilos vivos de hoje de manhã. Eu levanto a tampa do terrário, e ele pisca para mim de cima da pedra. Stan é muito tranquilo e não dá muitos gastos, que é a única razão para ter conseguido se manter vivo nesta casa por oito anos.

— Qual é, Stan?

Eu o coloco no ombro, pego a comida e desmorono em uma poltrona diante do meu pai em coma. Ele está com a TV ligada na liga de beisebol, e eu desligo porque (a) odeio beisebol e (b) porque o jogo me faz lembrar de Cooper Clay, que me faz lembrar de Simon Kelleher e de toda aquela cena revoltante na detenção. Eu jamais gostei do garoto, mas aquilo foi horrível. E, pensando bem, Cooper foi quase tão inútil quanto a loura. Bronwyn foi a única que fez alguma coisa além de balbuciar que nem uma idiota.

Minha mãe gostava de Bronwyn. Ela sempre a notava nas atividades escolares. Como no Auto de Natal do quarto ano do fundamental, quando eu fui um pastor e Bronwyn foi a Virgem Maria. Alguém roubou o Menino Jesus antes de começarmos, provavelmente para sacanear Bronwyn porque ela levava tudo a sério demais, mesmo naquela época. Ela foi até a plateia, pegou uma bolsa emprestada, embrulhou num cobertor e levou nos braços como se nada tivesse acontecido. *Aquela garota não leva para casa desaforo de ninguém*, disse minha mãe em tom de aprovação.

Ok. Para falar a verdade, *eu* roubei o Menino Jesus, e foi para zoar com Bronwyn, com certeza. Teria sido mais engraçado se ela tivesse surtado.

A jaqueta apita, e eu procuro nos bolsos pelo telefone certo. Quase gargalhei na detenção segunda-feira quando Bronwyn disse que ninguém tinha dois telefones. Eu tenho três: um para as pessoas que conheço, outro para os fornecedores e um terceiro para os clientes. E mais aparelhos para poder trocá-los. Mas eu não seria idiota a ponto de levar qualquer um deles para a aula do Sr. Avery.

Meus telefones de trabalho estão sempre programados para vibrar, então sei que é uma mensagem pessoal. Eu pego meu iPhone jurássico e vejo uma mensagem de texto de Amber, uma garota que conheci numa festa mês passado. *Tá a fim?*

Eu hesito. Amber é gostosa e nunca fica por muito tempo, mas ela esteve aqui há apenas algumas noites. As coisas começam a se complicar quando deixo uma transa casual acontecer mais de uma vez por semana. Mas estou inquieto e uma distração cairia bem.

Chega aí, respondo.

Estou prestes a guardar o telefone quanto surge outra mensagem. É de Chad Posner, um cara do colégio com quem saio às vezes. *Viu isso?* Clico no link da mensagem e abro uma página do Tumblr com a manchete "Falando Nisso."

Eu tive a ideia de matar Simon enquanto assistia ao *Dateline*.

Obviamente andei pensando no assunto por um tempo. Não é o tipo de coisa que a pessoa faça assim, do nada. Mas *como* sair impune sempre me deteve. Não me engano achando que cometi o crime perfeito. Tenho beleza demais para acabar na prisão.

No programa, um cara matou a esposa. Assunto típico do *Dateline*, certo? É sempre o marido. Mas na verdade um monte de gente ficou contente de vê-la morta. Ela provocou a demissão de um colega de trabalho, passou a perna no pessoal do conselho municipal e teve um caso com um amigo do marido. A mulher era um pesadelo, basicamente.

O cara do *Dateline* não foi muito inteligente. Contratou alguém para matar a esposa e os registros do celular foram fáceis de rastrear. Mas, antes de esses dados surgirem, ele tinha uma cortina de fumaça decente por causa de todos os outros suspeitos. Este é o tipo de pessoa que se pode matar e sair impune: alguém que todo mundo quer ver morto.

Sejamos francos: todo mundo no Colégio Bayview odiava Simon. A diferença é que eu tive coragem suficiente para fazer algo a respeito disso.

De nada.

O telefone quase escapa da minha mão. Outra mensagem de Chad Posner chegou enquanto eu estava lendo. *As pessoas são perturbadas.*

Eu respondo: *Onde você achou isso?*

Posner escreve *Uma pessoa qualquer mandou o link por e-mail,* acompanhado do *emoji* chorando de tanto rir. Ele acha que isso é uma brincadeira de mau gosto de alguém. O que é o que a maioria das pessoas pensaria se elas não tivessem passado uma hora com um policial perguntando, de dez maneiras diferentes, como óleo de amendoim foi parar no copo de Simon Kelleher. Junto com três outras pessoas que pareciam completamente culpadas.

Nenhuma tinha tanta experiência quanto eu em manter uma expressão séria enquanto a merda está batendo no ventilador ao redor. Pelo menos nenhum delas é tão boa nisso quanto eu.

CAPÍTULO 5

Bronwyn
Sexta-feira, 28 de setembro, 18h45

A noite de sexta-feira é um alívio. Maeve e eu nos instalamos no quarto dela para uma maratona de *Buffy, a caça-vampiros* na Netflix. É a nossa última obsessão, e eu estava ansiosa por isso a semana inteira, mas hoje à noite estamos prestando metade da atenção. Maeve está enroscada no banco embaixo da janela, teclando no laptop, e eu estou esparramada na cama com *Ulisses*, de James Joyce, aberto no Kindle. Esse livro está na primeira posição na lista dos 100 melhores romances da Biblioteca Moderna, e estou determinada a terminá-lo antes do fim do semestre, mas está indo bem devagar. E não consigo me concentrar.

Hoje, no colégio, todo mundo só conseguia falar sobre a postagem no Tumblr. Um bando de garotos recebeu o link por e-mail ontem à noite de um endereço "Falando Nisso" do Gmail, e lá pela hora do almoço todo mundo tinha lido a mensagem. Yumiko ajuda na sala da diretoria às sextas e ouviu os professores falando sobre tentar rastrear quem fez aquilo através do endereço de IP.

Duvido de que eles tenham sucesso. Ninguém com um mínimo de cérebro enviaria algo como aquilo usando tecnologia própria.

Desde a detenção na segunda-feira, as pessoas foram cuidadosas e extremamente gentis comigo, mas hoje foi diferente. As conversas sempre paravam quando eu me aproximava. Yumiko finalmente falou:

— Não é que as pessoas pensem que *você* mandou o e-mail. Elas só acham que é esquisito que vocês tenham sido interrogados pela polícia ontem à noite, e aí surge isso.

Como se isso fosse me fazer sentir melhor.

— Imagine só. — A voz de Maeve me assusta e me traz de volta ao quarto. Minha irmã coloca o laptop de lado e tamborila os dedos de leve na janela. — Nesta época, no ano que vem, você estará em Yale. O que você acha que vai fazer lá em uma sexta-feira à noite? Festa do grêmio?

Eu reviro os olhos para ela.

— Claro, porque a pessoa recebe um transplante de personalidade juntamente com a carta de aceitação. De qualquer forma, eu ainda tenho que entrar.

— Você vai entrar. Como não?

Eu me remexo inquieta na cama. *De várias maneiras.*

— Nunca se sabe.

Maeve continua tamborilando os dedos no vidro.

— Se você está sendo modesta por minha causa, pode parar. Estou bem à vontade no papel da acomodada da família.

— Você não é acomodada — contesto.

Ela apenas sorri e faz um gesto com a mão. Maeve é uma das pessoas mais inteligentes que conheço, mas, até o primeiro ano do ensino médio, ela estava doente demais para frequentar o colégio com consistência. Minha irmã foi diagnosticada com leucemia aos 7 anos e só ficou completamente livre da doença há dois, quando fez 14 anos.

Quase a perdemos em duas ocasiões. Uma vez, quando eu estava no quarto ano, ouvi um padre no hospital perguntar para os meus pais se eles começariam a tomar as "providências." Eu entendi o que ele quis dizer. Abaixei a cabeça e rezei: *Por favor, não leve a minha irmã. Eu farei tudo certinho se ela ficar aqui. Vou ser perfeita. Prometo.*

Depois de tantos anos entrando e saindo do hospital, Maeve nunca aprendeu realmente como participar da vida. Eu faço isso por nós duas: entro para os clubes, venço os prêmios e tiro as notas para conseguir frequentar Yale, como nossos pais fizeram. Tudo isso deixa os dois felizes e evita que Maeve se esforce demais.

Minha irmã volta a olhar pela janela com a expressão distante de sempre. Ela mesma parece um devaneio: pálida e etérea, o cabelo castanho-escuro como o meu, mas os olhos cor de âmbar surpreendentes. Estou prestes a perguntar o que está pensando quando ela subitamente se senta com as costas retas e coloca as mãos em volta dos olhos enfiando a cara na janela.

— Aquele é Nate Macauley? — pergunta Maeve.

Eu dou um muxoxo de desdém sem me mexer, e ela diz:

— Estou falando sério. Olhe.

Eu me levanto e me debruço ao lado de Maeve. Só consigo distinguir uma silhueta tênue de uma moto na entrada de garagem.

— Mas que diabos...

Maeve e eu nos entreolhamos, e ela dispara um sorrisinho malicioso para mim.

— *O que foi?* — pergunto num tom que saiu mais agressivo do que eu queria.

— *O que foi?* — imita ela. — Você acha que eu não me lembro de você suspirando por ele no ensino fundamental? Eu estava doente, não morta.

— Não brinque com isso. *Meu Deus.* E aquilo foi há milhares de anos. — A moto de Nate ainda está na entrada da garagem, sem se mover. — O que você acha que ele está fazendo aqui?

— Só tem um jeito de descobrir. — A voz da Maeve é irritantemente cantada, e ela ignora o olhar feio que recebe de mim quando me levanto.

Meu coração dispara até lá embaixo. Nate e eu nos falamos mais no colégio nesta semana do que desde o quinto ano, o que, é bem verdade, ainda não é muita coisa. Toda vez que o vejo tenho a impressão de que ele mal pode esperar para estar em outro lugar qualquer. Mas eu continuo esbarrando nele.

A abertura da porta da frente aciona um refletor em frente à garagem que parece colocar Nate num palco. Vou até ele com os nervos à flor da pele, e sinto uma enorme vergonha de estar com a habitual roupa de ficar de bobeira com Maeve em casa: chinelos, um casaco com capuz e shorts de ginástica. Não que *Nate* esteja fazendo muito esforço. Eu já vi aquela camiseta da Guinness pelo menos duas vezes esta semana.

— Oi, Nate — cumprimento. — E aí?

Nate tira o capacete, e os olhos azul-escuros passam por mim até a nossa porta da frente.

— Oi. — Ele não diz mais nada por um tempo constrangedor.

Eu cruzo os braços e espero. Finalmente Nate encara o meu olhar com um sorriso irônico que faz meu estômago dar uma lenta pirueta

— Eu não tenho um bom motivo para estar aqui.

— Você quer entrar? — pergunto, sem pensar.

Nate hesita.

— Aposto que seus pais iam amar isso.

Ele não sabe da missa a metade. O estereótipo que o papai menos gosta é o traficante colombiano, e ele não gostaria de ouvir sequer uma insinuação de envolvimento com esse tipo da minha parte. Mas me vejo dizendo: — Eles não estão em casa. — E aí acrescento rapidamente: — Estou de bobeira com a minha irmã.

— Antes que Nate pense que foi alguma espécie de cantada.

— Ah, ok.

Nate sai da moto e me segue, como se o convite não fosse grande coisa, então eu tento agir com a mesma indiferença. Maeve está apoiada na bancada da cozinha quando entramos, embora eu tivesse certeza de que ela estava espiando pela janela do quarto há dez segundos.

— Você já conhece minha irmã, Maeve?

Nate balança a cabeça.

— Não. Como vai?

— Beleza — responde Maeve, olhando para ele com sincero interesse.

Eu não tenho ideia do que fazer a seguir, quando ele tira a jaqueta e a joga sobre a cadeira da cozinha. Como devo… *fazer sala* para Nate Macauley? Não é nem minha responsabilidade, certo? Foi ele que surgiu do nada. Eu deveria fazer o que faço normalmente. Só que o que faço normalmente é ficar sentada no quarto da minha irmã, vendo séries retrô de vampiros enquanto meio que leio *Ulisses*.

Estou completamente perdida aqui.

Nate não nota meu incômodo e passa pelas portas francesas que levam à sala de estar. Maeve me dá uma cotovelada enquanto o seguimos e murmura:

— *Que boca tan hermosa.*

— Cale a boca — reclamo.

O papai nos estimula a falar espanhol dentro de casa, mas duvido de que era isso que ele tivesse em mente. E, até onde sabemos, Nate é fluente na língua.

Ele para no grande piano e olha para nós.

— Alguém toca?

— A Bronwyn — responde Maeve antes de eu sequer abrir a boca. Fico parada na porta, de braços cruzados, enquanto ela se senta na poltrona de couro favorita do papai, diante da porta de correr que leva para a piscina. — Ela é muito boa.

— Ah, é? — pergunta Nate no mesmo momento que digo:

— Não sou, não.

— Você é — insiste Maeve.

Franzo os olhos e minha irmã arregala os dela em falsa inocência.

Nate passa pela enorme estante de livros de nogueira que cobre uma parede, e pega uma foto minha e de Maeve com o mesmo sorriso de janelinha nos dentes diante do castelo da Cinderela na Disneylândia. Ela foi tirada seis meses antes do diagnóstico de Maeve, e por um longo tempo foi a única foto de férias que tivemos. Ele examina a imagem, depois dá uma olhadela para mim com um sorrisinho. Maeve estava certa a respeito da boca de Nate; ela é sexy.

— Você deveria tocar alguma coisa.

Bem, é mais fácil do que falar com ele.

Eu vou até o banco, me sento e ajusto a partitura diante de mim. É "Variações do Cânone", que eu venho ensaiando há meses. Tenho aulas desde os 8 anos e sou tecnicamente bem competente, mas nunca fiz as pessoas *sentirem* alguma coisa. "Variações do Cânone" é a primeira obra que me fez querer tentar. Tem algo na maneira como ela cresce, começando suave e amena, e depois ganhando volume e intensidade até ser quase raivosa. Esta é a parte mais difícil, porque em dado momento as notas se tornam agressivas, beirando o destoante, e eu não consigo reunir forças para tocá-las.

Não toco "Variações do Cânone" há mais de uma semana. A última vez que me atrevi, errei tantas notas que até Maeve fez cara feia. Ela parece ter se lembrado, porque olhou de lado para Nate e disse:

— Esta é uma música realmente difícil.

Como se tivesse se arrependido subitamente de me colocar para passar vergonha. Mas que se dane. Esta situação toda é surreal demais para ser levada a sério. Se eu acordasse amanhã e Maeve me dissesse que sonhei com tudo isso, eu acreditaria completamente.

Então começo, e imediatamente a música parece diferente. Mais solta, com menos esforço para chegar às partes mais difíceis. Por alguns minutos, eu me esqueço das pessoas na sala e curto ver as notas, que geralmente me derrubam, fluírem facilmente, até mesmo o crescendo — eu não o ataco com tanta energia quanto é necessário, mas sou mais rápida e segura do que o normal, e não erro uma única nota. Quando termino, dou um sorriso triunfante para Maeve, e só então, quando os olhos dela se dirigem para Nate, que me lembro de que tenho uma plateia formada por duas pessoas.

Ele está apoiado na estante de livros, de braços cruzados, e para variar não parece entediado ou prestes a me zoar.

— Isso foi a melhor coisa que ouvi na vida — elogia Nate.

Addy
Sexta-feira, 28 de setembro, 19h

Meu Deus, a minha mãe. Ela está *realmente* flertando com o agente Budapest, aquele com o rosto rosado e sardento e com umas entradas no cabelo.

— Claro que Adelaide fará qualquer coisa para ajudar — garante minha mãe, com uma voz sensual, passando o dedo pela borda da taça de vinho.

Justin está jantando com os pais, que odeiam minha mãe e nunca a convidam. Esse é o castigo dele, embora talvez Justin não saiba disso.

O agente Budapest chegou na hora em que estávamos terminando de comer o prato vegetariano tailandês que minha mãe sempre pede quando minha irmã, Ashton, vem nos visitar. Agora ele não sabe para onde olhar, então concentra os olhos no arranjo de flores secas na parede da sala de estar. Minha mãe redecora a casa a cada seis meses, e o último tema é "chique decadente", com uma estranha pegada praiana. Rosas de cem pétalas e conchas até onde os olhos enxergam.

— Só uma questão complementar se não se importa, Addy — explica ele.

— Ok — concordo.

Estou surpresa de ele estar aqui, uma vez que pensei que já tínhamos respondido a todas as perguntas do agente Budapest. Mas acho que a investigação continua firme e forte. Hoje o laboratório do Sr. Avery estava cercado por fitas amarelas, e policiais entravam e saíam do colégio o dia inteiro. Cooper disse que o Colégio Bayview provavelmente vai ficar em maus lençóis por ter óleo de amendoim na água ou algo assim.

Eu olho de relance para minha mãe. Os olhos estão fixos no agente Budapest, mas com aquela expressão distante que eu conheço bem. Mentalmente ela já se despediu; provavelmente está planejando os looks do fim de semana. Ashton entra na sala de estar e se instala na poltrona à minha frente.

— O senhor está falando com todos os jovens que estavam na detenção naquele dia? — pergunta ela.

O agente Budapest pigarreia.

— A investigação está em andamento, mas estou aqui porque tenho uma pergunta específica para Addy. Você esteve na sala da enfermeira no dia em que Simon morreu, correto?

Eu hesito e lanço uma olhadela para Ashton, depois volto a olhar para o agente Budapest.

— Não.

— Você esteve — retruca o agente Budapest. — Está no registro da enfermeira.

Eu olho para a lareira, mas sinto o olhar penetrante de Ashton. Enrolo uma mecha de cabelo no dedo e o puxo nervosamente.

— Eu não me lembro disso.

— Você não se lembra de ir à sala da enfermeira na segunda-feira?

— Bem, eu vou muitas vezes — respondo rapidamente. — Por causa de dores de cabeça e coisas assim. Provavelmente fui lá por causa disso. — Franzo a testa, como se estivesse pensando bem, e finalmente encaro o olhar do agente Budapest. — Ah, certo. Eu estava menstruada e sentindo cólicas horríveis, então, sim. Eu precisava de Tylenol.

O agente Budapest é daqueles que ficam ruborizados. Ele fica vermelho quando sorrio educadamente e solto o cabelo.

— Por que o senhor quer saber? — pergunta Ashton.

Ela ajeita uma almofada atrás do corpo de maneira que o desenho de estrelas-do-mar, feito com conchas de verdade, não machuque as costas.

— Bem, uma das coisas que estamos apurando é o motivo de aparentemente não ter nenhuma caneta de adrenalina na sala da enfermeira durante o ataque alérgico do Simon. A enfermeira jura que havia várias canetas naquela manhã, mas elas sumiram à tarde.

Ashton se ajeita e diz:

— O senhor não pode estar pensando que Addy pegou as canetas!

Minha mãe se volta para mim com um olhar levemente surpreso, mas não fala nada.

Se o agente Budapest nota que minha irmã assumiu o papel de responsável ali, ele não menciona o fato.

— Ninguém está dizendo isso. Mas você por acaso viu se as canetas estavam na sala, então, Addy? De acordo com o registro da enfermeira, você esteve lá às 13 horas.

Meu coração está disparado de uma maneira incômoda, mas mantenho o tom de voz sob controle.

— Nem sei como é a aparência de uma caneta de adrenalina.

Ele me faz dizer tudo de que me lembro da detenção, *novamente*, e depois dispara um bando de perguntas sobre a postagem no Tumblr. Ashton está completamente interessada e alerta, debruçada para a frente e interrompendo o tempo todo, enquanto minha mãe vai à cozinha duas vezes para encher a taça de vinho. Não paro de olhar para o relógio, porque Jake e eu temos que ir à praia em breve; nem comecei a retocar a maquiagem. A espinha não vai se cobrir sozinha.

Quando o agente Budapest finalmente se apronta para ir embora, ele me entrega um cartão de visitas.

— Ligue se você se lembrar de mais alguma coisa, Addy — diz ele. — Nunca se sabe o que pode ser importante.

— Ok — respondo, enquanto enfio o cartão no bolso detrás das calças jeans.

O oficial se despede de minha mãe e de Ashton quando abro a porta para ele. Ashton se apoia no batente da porta ao meu lado, e nós vemos o agente Budapest entrar na patrulhinha e sair devagar, de marcha a ré, da nossa garagem.

Eu noto o carro de Justin esperando para entrar logo atrás do policial, e aquilo me faz entrar em ação novamente. Eu não quero ter que falar com ele e *ainda não* retoquei a maquiagem, então fujo para o segundo andar com Ashton me seguindo. Meu quarto é o maior da casa (a não ser pelo de casal) e era o de Ashton até eu assumi-lo quando ela se casou. Minha irmã ainda fica à vontade ali, como se nunca tivesse ido embora.

— Você não me contou sobre o lance do Tumblr — comenta ela ao se esparramar na minha colcha branca de ilhós e abrir o último número da *US Weekly*. Ashton é ainda mais loura do que eu, mas seu cabelo está cortado em camadas na altura do queixo, um corte que nossa mãe odeia. Eu acho bonito. Se Jake não amasse tanto meu cabelo, eu consideraria um corte assim.

Eu me sento à penteadeira e passo corretivo na espinha que havia encontrado mais cedo.

— Alguém está sendo escroto, só isso.

— Você realmente não lembrava de ter estado na sala da enfermeira? Ou apenas não queria responder? — pergunta Ashton.

Eu me atrapalho com a tampa do corretivo, mas escapo de responder quando meu telefone berra "Only Girl" da Rihanna como tom de mensagem de texto, na mesinha de cabeceira. Ashton pega o aparelho e avisa:

— Jake está quase aqui.

— Cruzes, Ash. — Olho sério para ela, pelo espelho. — Você não deveria olhar o meu telefone assim. E se fosse uma mensagem particular?

— Desculpe — responde Ashton num tom de quem totalmente não pedia desculpas. — Tudo bem com Jake?

Eu me viro na cadeira para encará-la, de testa franzida.

— Por que não estaria?

Ashton ergue a mão para mim.

— Foi apenas uma pergunta, Addy. Não estou insinuando nada. — O tom dela fica sério. — Não há motivo para pensar que você vai acabar como eu. Não é como se Charlie e eu tivéssemos sido namorados de colégio.

Eu pestanejo para ela, surpresa. Tipo, venho pensando há algum tempo que as coisas não vão bem entre Ashton e Charlie — por um lado, ela passou subitamente a aparecer aqui muitas vezes, e, por outro, ele deu muito em cima de uma dama de honra piranha no casamento do nosso primo, no mês passado —, mas Ashton nunca chegou e admitiu que havia um problema antes.

— As coisas estão… há, muito ruins?

Ela dá de ombros, solta a revista e fica cutucando as unhas.

— É complicado. Casamento é bem mais difícil do que qualquer um diz. Agradeça por você ainda não ter que tomar decisões de vida. — Ela franze a boca. — Não deixe que a mamãe te influencie e distorça tudo. Apenas curta ter 17 anos.

Não posso. Tenho medo de que tudo seja arruinado. Que já esteja arruinado.

Eu queria poder contar isso para Ashton. Seria um alívio tão grande fugir. Eu geralmente conto tudo para Jake, mas não posso contar *isso*. E, depois dele, literalmente não há ninguém no mundo em quem eu confie. Em nenhum dos meus amigos, certamente não na minha mãe, e não na minha irmã. Porque, embora a minha irmã provavelmente esteja bem intencionada, ela é extremamente passiva-agressiva em relação a Jake.

A campainha toca, e a boca de Ashton se contorce num meio sorriso.

— Deve ser o Sr. Perfeito — diz ela, com sarcasmo, bem na hora.

Eu a ignoro, desço correndo a escada e abro a porta com o sorrisão que não consigo conter quando estou com Jake. E lá está ele, no seu agasalho de futebol, com o cabelo castanho desgrenhado pelo vento, dando exatamente o mesmo sorrisão de volta.

— Oi, gata.

Eu estou prestes a beijá-lo quando vislumbro outra figura atrás dele e travo.

— Você não se importa se dermos carona para o TJ, né?

Um riso nervoso surge na minha garganta, e eu o contenho.

— Claro que não. — Eu consigo meu beijo, mas o momento está arruinado.

TJ olha para mim, depois para o chão.

— Foi mal. Meu carro quebrou, e eu ia ficar em casa, mas Jake insistiu...

Jake dá de ombros.

— Era meu caminho para cá mesmo. Não há motivo para perder o passeio por causa de defeito no carro. — Os olhos dele descem do meu rosto para os tênis de lona, e ele pergunta: — Você vai com isso, Ads?

Não é exatamente uma crítica, mas estou usando o moletom universitário de Ashton, e Jake nunca gostou de mim em roupas muito largas.

— Vai estar frio na praia — respondo hesitantemente, e ele sorri.

— Eu te mantenho aquecida. Vá colocar algo mais bonitinho, hein?

Dou um sorriso tenso e volto para dentro, subo a escada arrastando os pés porque sei que não estive ausente por tempo suficiente para Ashton ter saído do meu quarto. De fato, ela ainda está folheando a *US Weekly* na minha cama e franze as sobrancelhas quando me dirijo ao closet.

— De volta tão cedo?

Puxo um par de leggings e desabotoo o jeans.

— Estou trocando de roupa.

Ashton fecha a revista e me observa em silêncio até eu trocar o moletom dela por um suéter justo.

— Você não vai estar aquecida o suficiente nisso aí. Está frio hoje à noite. — Ela contém um riso de descrença quando tiro os tênis e coloco um par de sandálias de tiras e saltinho. — Você vai calçar isso para ir à *praia*? Essa mudança de roupa foi ideia de Jake?

Eu jogo as roupas descartadas no cesto e ignoro minha irmã.

— Tchau, Ash.

— Addy, espera.

O tom sarcástico sumiu da voz de Ashton, mas não me importo. Desço a escada e estou lá fora antes que ela possa me impedir, e entro na brisa que me provoca arrepios imediatamente.

Jake me dá um sorriso de aprovação e abraça meus ombros para a curta caminhada até o carro.

Odeio o passeio inteiro. Odeio ficar sentada ali, agindo normalmente, quando quero vomitar. Odeio ficar ouvindo Jake e TJ falar do jogo de amanhã. Odeio quando toca a música mais nova do Fall Out Boy e TJ diz "adoro essa música", porque agora não posso mais gostar dela. Mas, principalmente, odeio o fato de que, pouco mais de um mês depois da minha inesquecível primeira vez com Jake, eu fiquei bêbada que nem uma cachaceira e transei com TJ Forrester.

Quando chegamos à praia, Cooper e Luis já estão acendendo a fogueira, e Jake dá um resmungo de frustração ao colocar a marcha em ponto morto.

— Eles fazem errado toda vez — reclama ele, que pula do carro na direção dos outros. — Pessoal, vocês estão próximos demais da água!

TJ e eu saímos do carro mais lentamente, sem nos olharmos. Eu já estou congelando e abraço o corpo para me aquecer.

— Você quer o meu casa… — TJ começa a falar, mas não deixo que termine.

— *Não* — interrompo. Vou na direção da praia e quase tropeço com essa sandália idiota quando chego à areia.

TJ está ao meu lado com o braço esticado para me equilibrar.

— Addy, ei. — A voz dele está baixa, e o hálito de hortelã passa brevemente pela minha bochecha. — A situação não precisa ser tão complicada, sabe? Eu não vou falar nada.

Eu não deveria estar puta com ele. Não foi culpa de TJ. Fui eu que fiquei insegura depois de ter transado com Jake e comecei a pensar que ele estava perdendo o interesse sempre que levava tempo demais para responder a uma mensagem de texto. Fui eu que flertei com TJ quando nos esbarramos nesta mesmíssima praia no verão, quando Jake estava de férias. Fui eu que desafiei

TJ a arrumar uma garrafa de rum e bebi quase metade com um gole de Coca Zero.

Em dado momento naquele dia, eu ri tanto que saiu refrigerante pelo meu nariz, o que teria deixado Jake enojado. TJ apenas falou, de seu jeito sarcástico:

— Uau, Addy, que atraente. Isso me deixou com muito tesão por você neste exato momento.

E foi então que o beijei. E sugeri que voltássemos para a casa dele.

Então, de fato, nada daquilo foi culpa de TJ.

Nós chegamos à beira da praia, e observo Jake apagar o fogo para reacendê-lo onde quer. Dou uma olhadela para TJ e vejo as covinhas aparecerem quando ele acena para a galera.

— Só esqueça que aquilo aconteceu — diz TJ, baixinho.

Ele parece sincero, e meu peito se enche de esperança. Talvez a gente realmente consiga manter aquilo entre nós. Bayview é um colégio fofoqueiro, mas pelo menos o Falando Nisso não paira mais sobre a cabeça de todo mundo.

E, sendo cem por cento sincera, tenho que admitir — isto é um alívio.

CAPÍTULO 6

Cooper
Sábado, 29 de setembro, 16h15

Olho feio para o rebatedor. Estamos com a contagem cheia, e ele cometeu falta nos dois últimos lançamentos. O rebatedor está me dando trabalho, o que não é bom. Em um jogo de exibição como este, em que encaro um jogador de segunda base destro com estatísticas meias-bocas, eu já deveria ter acabado com ele.

O problema é que estou distraído. Foi uma semana e tanto.

O Pai está na arquibancada, e posso imaginar exatamente o que ele está fazendo. Tirou o boné e o está torcendo com as mãos enquanto olha fixamente para o monte do arremessador. Como se abrir um buraco em mim com o olhar fosse ajudar.

Eu coloco a bola na luva e dou uma olhadela para Luis, que é meu receptor durante a temporada regular. Ele também está no time de futebol do Colégio Bayview, mas recebeu permissão de faltar ao jogo de hoje para que pudesse estar aqui. Luis sinaliza uma bola rápida, mas faço que não com a cabeça. Já lancei cinco, e aquele cara sacou todas elas. Continuo balançando a cabeça para Luis até ele me dar o sinal que quero. Ele se ajeita ligeiramente, e nós já jogamos tanto tempo juntos que consigo ler seus pensamentos naquele movimento. *É o seu fim, cara.*

Posiciono os dedos na bola e reteso o corpo em preparação para arremessá-la. Não é meu arremesso mais consciente. Se eu errar, vai sair uma bola frouxa e aquele cara vai detoná-la.

Eu puxo o braço para trás e lanço com a maior força possível. O arremesso vai diretamente para o meio da base do rebatedor, que dá uma tacada ansiosa e triunfante. Então, a bola pega um efeito, sai da zona de strike e entra na luva de Luis. O estádio explode e comemora, e o rebatedor balança a cabeça, como se não fizesse a menor ideia do que aconteceu.

Ajeito o boné e tento não parecer satisfeito. Venho trabalhando nesse *slider* o ano inteiro.

Elimino o próximo rebatedor com três bolas rápidas. A última chega a 150 quilômetros por hora, o arremesso mais rápido que já fiz. Nada mal para um canhoto. Minhas estatísticas depois de duas entradas são três eliminações, dois *groundouts* e uma bola área longa, que teria eliminado dois adversários se o campista direito não tivesse mergulhado para pegá-la. Eu queria poder refazer aquele arremesso — minha bola curva acabou não saindo curva —, mas, tirando isso, estou bem contente com o jogo.

Estou no Petco — o estádio dos Padres — para um evento de exibição exclusivo, ao qual meu pai insistiu que eu viesse, embora o funeral de Simon seja daqui a uma hora. Os organizadores aceitaram que eu arremessasse primeiro e fosse embora mais cedo, então pulo minha rotina pós-jogo de sempre, tomo um banho e saio do vestiário com Luis para encontrar o Pai.

Eu o vejo quando alguém chama meu nome.

— Cooper Clay?

O homem que se aproxima de mim parece ser bem-sucedido. É a única forma que penso para descrevê-lo. Roupas elegantes, corte de cabelo moderno, um bronzeado na medida certa e um sorriso confiante quando estende a mão para mim.

— Josh Langley, dos Padres. Falei com seu técnico algumas vezes.

— Sim, senhor. Prazer em conhecer — cumprimento.

Meu pai sorri, como se alguém tivesse acabado de lhe entregar as chaves de um Lamborghini. Ele consegue se apresentar para Josh sem babar, mas é por pouco.

— Que *slider* dos diabos você mandou ali — elogia Josh. — Saiu bem da base do rebatedor.

— Obrigado, senhor.

— Boa velocidade na bola rápida também. Você realmente melhorou esse fundamento desde a primavera, não foi?

— Eu tenho malhado bastante — respondo. — Ganhando força no braço.

— Foi uma grande evolução em pouco tempo — comenta Josh, e por um segundo a declaração paira no ar entre nós como uma pergunta, mas aí ele dá um tapinha no meu ombro. — Bem, continue assim, rapaz. É bom ter um garoto local sob observação. Facilita o trabalho. Menos viagens.

Josh dá um sorriso, acena uma despedida com a cabeça para meu pai e Luis, e vai embora.

Foi uma grande evolução em pouco tempo. É verdade. De 140 quilômetros por hora para 150 em poucos meses é fora do comum.

O Pai não cala a boca na volta para casa, variando entre reclamar do que fiz de errado e manifestar alegria por causa de Josh Langley. No final das contas, ele acaba ficando de bom humor, mais feliz a respeito do olheiro dos Padres do que irritado por alguém quase ter me rebatido.

— A família de Simon vai estar lá? — pergunta meu pai, quando para no Colégio Bayview. — Ofereça nossas condolências se eles estiverem.

— Não sei — respondo. — Pode ser que seja apenas um lance do colégio.

— Tirem os bonés, pessoal — pede o Pai.

Luis enfia o dele no bolso do casaco de futebol, e o Pai tamborila no volante com impaciência enquanto hesito.

— Ora, vamos, Cooper, pode ser ao ar livre, mas ainda é um velório. Deixe o boné no carro.

Eu obedeço e saio, mas, quando passo a mão no cabelo amassado pelo boné e fecho a porta do passageiro, minha vontade era ainda estar com ele. Eu me sinto exposto, e as pessoas já me encararam demais nesta semana. Se dependesse de mim, eu iria para casa e passaria uma noite tranquila, vendo beisebol com meu irmão e a Vovó, mas não posso perder o velório de Simon quando fui uma das últimas pessoas a vê-lo com vida.

Nós nos dirigimos à multidão, no campo de futebol americano, e mando uma mensagem para Keely a fim de descobrir onde estão os nossos amigos. Ela me informa que estão perto da frente, então, nós passamos por baixo das arquibancadas e tentamos vê-los da lateral do campo. Keely está encostada em um poste, observando o campo de futebol com as mãos enfiadas nos bolsos do casaco maior do que ela.

— Foi mal — lamento, e então percebo quem é. — Ah, ei, Leah. Você está indo para o campo?

Aí eu desejo que pudesse engolir minhas palavras, porque é impossível que Leah Johnson esteja ali para chorar a perda de Simon. Ela na verdade tentou se matar no ano passado por causa dele. Após Simon ter escrito que ela transou com um bando de calouros, Leah foi assediada nas redes sociais por meses. Ela acabou cortando os pulsos no banheiro e ficou afastada do colégio pelo restante do ano.

Leah dá um muxoxo de desdém.

— Até parece. Já foi tarde. — Ela olha fixamente para a cena diante de nós e chuta a terra com a ponta da botina. — Ninguém gostava de Simon, mas estão todos com velas na mão, como se ele fosse uma espécie de mártir em vez de um babaca fofoqueiro.

Leah não está errada, mas agora não parece ser o momento para ser tão sincera. Ainda assim, não vou tentar defender Simon para ela.

— Acho que as pessoas querem prestar suas homenagens — arrisco dizer.

— Hipócritas — murmura ela, enquanto enfia ainda mais as mãos nos bolsos. A expressão muda, e Leah puxa o celular com um olhar malicioso. — Vocês sabem da última?

— Que última? — pergunto, com uma sensação de desânimo.

Às vezes a melhor coisa a respeito do beisebol é o fato de a pessoa não poder verificar o celular enquanto está jogando.

— Tem outro e-mail com uma atualização do Tumblr.

Leah desliza o dedo no celular algumas vezes e passa o aparelho para mim. Eu o pego relutantemente e olho para a tela, com Luis lendo por cima do meu ombro.

É hora de explicar algumas coisas.

Simon tinha uma grave alergia a amendoim — então por que não passar uma pasta no seu sanduíche e resolver a questão?

Eu venho observando Simon Kelleher há meses. Tudo que ele comia vinha embrulhado em 2 centímetros de celofane. Simon levava aquela maldita garrafa d'água para todos os lugares, e era tudo que ele bebia.

Mas Simon não passava dez minutos sem tomar um gole daquilo. Imaginei que, se ela não estivesse presente, ele se voltaria para a boa e velha água da bica. Então, sim, eu roubei a garrafa.

Passei muito tempo pensando onde eu poderia colocar óleo de amendoim em algo que Simon bebesse. Um lugar contido, sem um bebedouro. A sala de detenção do Sr. Avery parecia o local ideal.

Eu me senti mal vendo Simon morrer. Não sou sociopata. Naquele momento, quando ele ficou com aquela cor horrível e lutou para respirar — se eu pudesse ter impedido, eu teria.

Só que eu não podia. Porque, afinal, eu peguei a caneta de adrenalina do Simon. E todas as canetas da sala da enfermeira.

Meu coração dispara, e meu estômago dá um nó. A primeira postagem foi bem ruim, mas esta — esta foi escrita como se a pessoa estivesse mesmo na sala quando Simon teve o ataque. Como se fosse um de nós.

Luis dá um muxoxo de desdém.

— Que confusão do caralho.

Leah está me observando com atenção, e eu faço uma careta quando devolvo o telefone.

— Espero que descubram quem está escrevendo essa parada. É muito doentio.

Ela dá de ombros.

— Sei lá. — Leah começa a recuar. — Divirtam-se bastante com o *luto*, galera. Fui.

— Tchau, Leah.

Eu contenho a vontade de segui-la, e nós seguimos em frente com dificuldade até chegarmos à linha de dez jardas. Começo a passar pela multidão dando ombradas, e finalmente encontro Keely e o restante dos nossos amigos. Quando chego perto dela, Keely me entrega uma vela, acende com a própria e me dá o braço.

A diretora Gupta vai ao microfone e bate com o dedo nele.

— Que semana terrível para o nosso colégio — começa ela. — Mas como é inspirador ver todos vocês reunidos aqui, na noite de hoje.

Eu deveria estar pensando em Simon, mas minha cabeça está cheia demais com outras coisas. Keely, que está apertando meu braço com força. Leah, que disse as coisas que a maioria das pessoas apenas pensa. A nova postagem do Tumblr — feita logo antes do velório de Simon. E Josh Langley com o sorriso radiante: foi um grande salto em pouco tempo.

Esta é a verdade sobre diferenciais competitivos. Algumas vezes eles são bons demais para ser verdade.

Nate
Domingo, 30 de setembro, 12h30

Minha agente de liberdade condicional não é das piores. Ela está na casa dos 30 anos, não é feia e tem senso de humor. Mas enche o saco por causa do colégio.

— Como foi sua prova de História?

Estamos sentados na cozinha para nossa reunião dominical de sempre. Stan está à mesa, mas ela não tem problema quanto a isso pois gosta dele. Meu pai está no segundo andar, algo que sempre cuido para que aconteça antes de a agente Lopez aparecer. Parte da função dela é garantir que eu esteja sendo adequadamente supervisionado. Ela sacou qual era a do meu pai na primeira vez que o viu, mas também sabe que eu não tenho mais para onde ir e que a tutela estatal pode ser pior do que a negligência de um alcoólatra. É mais fácil fingir que meu pai é um responsável adequado quando não está desmaiado na sala de estar.

— Normal — respondo.

A agente de liberdade condicional espera por mais. Quando não acrescento nada, ela pergunta:

— Você estudou?

— Eu ando meio distraído — lembro a ela. A agente Lopez ouviu a história de Simon pelos colegas policiais, e nós passamos a primeira meia hora após sua chegada falando sobre o que aconteceu.

— Eu compreendo. Mas acompanhar o ritmo do colégio é importante, Nate. Faz parte do acordo.

Ela cita "O Acordo" toda semana. San Diego está ficando mais rígida com relação aos delitos juvenis envolvendo drogas, e a agente Lopez acha que tive sorte de ficar em liberdade condicional. Um relatório ruim da parte dela pode me colocar de volta diante de um juiz puto da vida. Outro flagrante com drogas pode me levar à prisão juvenil. Então, todo domingo de manhã, antes de ela chegar, eu recolho toda a droga que não vendi e os celulares descartáveis, e enfio no barracão do vizinho senil. Só para garantir.

A agente Lopez estende a mão para Stan, que rasteja metade do caminho até perder o interesse. Ela pega e pousa o dragão-barbudo sobre o braço.

— Tirando isso, como foi sua semana? Conte algo de positivo que ocorreu.

A agente sempre diz isso, como se a vida fosse cheia de paradas maneiras que eu pudesse estocar e contar todo domingo.

— Eu cheguei a 3 mil dólares no *Grand Theft Auto*.

Ela revira os olhos. Faz muito isso na minha casa.

— Outra coisa qualquer. Que avanço você fez em direção aos seus objetivos?

Meu Deus. Meus *objetivos*. Ela me fez escrever uma lista na primeira reunião. Não há nada com que eu realmente me importe ali, apenas coisas que sei que a agente Lopez quer ouvir a respeito do colégio ou de empregos. E sobre amigos, que a esta altura ela sacou que eu não tenho. Tenho pessoas com quem vou às festas, para quem vendo e com quem trepo, mas não chamaria nenhuma delas de amigo.

— Foi uma semana devagar em termos de objetivo.

— Você deu uma olhada na papelada que eu deixei para você sobre a Alateen?

Não. Não olhei. Não preciso de um panfleto para me dizer como é ruim quando seu único pai é um bêbado, e certamente não preciso conversar sobre isso com um bando de choramingões em algum porão de igreja.

— Sim — minto. — Andei pensando a respeito.

Tenho certeza de que a agente Lopez enxerga a mentira, pois não é idiota. Mas ela não insiste.

— Que bom ouvir isso. Compartilhar experiências com outros jovens cujos pais estão sofrendo pode ser transformador para você.

Ela não desiste, é preciso reconhecer. Nós podemos estar cercados pelos mortos-vivos no apocalipse zumbi, e ela ainda tentaria ver o lado bom da situação. *Seu cérebro ainda está na cabeça, certo? Que grande superação das expectativas!* A agente simplesmente me adoraria ouvir dizer, pelo menos uma vez, uma coisa positiva de verdade. Tipo como passei a noite de sexta-feira com Bronwyn Rojas, que está a caminho das grandes universidades, e não dei vexame. Mas essa não é uma conversa que eu preciso ter com a agente Lopez.

Não sei por que fui parar lá. Estava inquieto, encarando o Vicodin que sobrou depois de uma entrega, e imaginando se deveria tomar alguns para descobrir a razão de todo o alvoroço. Jamais embarquei nessa porque tenho certeza de que acabaria em coma, na sala de estar ao lado do meu pai, até que alguém nos expulsasse por não pagar a hipoteca.

Então, fui à casa de Bronwyn em vez disso. Não esperava que ela saísse. Ou que me convidasse para entrar. Ouvi-la tocar piano teve um efeito estranho em mim. Eu quase me senti… em paz.

— Como todo mundo está lidando com a morte de Simon? Já realizaram o funeral?

— É hoje. O colégio mandou um e-mail. — Eu dou uma olhadela no relógio do micro-ondas. — Em mais ou menos meia hora.

Ela ergueu as sobrancelhas.

— Nate, você deve ir. Seria algo positivo para você. Preste sua homenagem, dê uma espécie de desfecho para esse evento traumático.

— Não, obrigado.

A agente Lopez pigarreia e dá um olhar maroto para mim.

— Deixe eu tentar de outra maneira. Vá para a porra do funeral, Nate Macauley, ou não farei vista grossa para o seu índice irregular de assiduidade escolar da próxima vez que preencher meus relatórios. Eu vou com você.

E foi assim que acabei no funeral de Simon Kelleher, com minha agente de liberdade condicional.

Chegamos atrasados, e a Igreja de Santo Antônio já está lotada, então mal conseguimos espaço no último banco. O velório não começou ainda, mas ninguém está falando. Quando o velho à nossa frente tosse, o som ecoa pelo ambiente. O cheiro de incenso me faz lembrar de quando minha mãe costumava me levar à missa todo domingo. Eu não venho à igreja desde o ensino fundamental, mas parece exatamente a mesma coisa: tapete vermelho, madeira escura envernizada, janelas altas com vitrais.

A única diferença é que o local está apinhado de policiais.

Não de uniforme. Mas eu noto, e a agente Lopez também. Depois de um tempo, alguns deles olham para mim, e fico paranoico que ela tenha me conduzido para alguma espécie de armadilha. Mas não tenho nada comigo. Por que eles não param de olhar para mim?

Não apenas para mim. Eu acompanho o olhar dos policiais até Bronwyn, que está lá na frente com os pais, e para Cooper e a loura, sentados no meio com os amigos. Sinto um arrepio na nuca, mas não no bom sentido. Meu corpo fica tenso, pronto para fugir até que a agente Lopez coloca a mão no meu braço. Ela não diz nada, mas fico quieto no lugar.

Um monte de gente discursa — ninguém que eu conheça, a não ser a gótica que costumava seguir Simon para cima e para baixo. Ela lê um poema esquisito e divagante, com a voz trêmula o tempo todo.

O passado e o presente definham... já os enchi e esvaziei,
Passo a encher minha própria dobra do futuro.

Vocês que me escutam aí em cima! Algum segredo para me
    contar?
Me encare enquanto assopro o discreto poente,
(Seja sincero, ninguém está te ouvindo, só vou ficar mais um
    minuto.)

Me contradigo?
Tudo bem, então, me contradigo,
(Sou vasto, contenho multidões.)...

Você vai falar antes que eu vá embora? Ou virá quando já for
    tarde demais?...

Vou-me feito vento, agito meus cabelos brancos contra o sol
    fugitivo,
Esparramo minha carne em redemoinhos e a deixo flutuar em
    retalhos rendados.

Me entrego à terra para crescer da relva que amo,
Se me quiser de novo, me procure sob a sola de suas botas.

Vai ser difícil você saber quem sou ou o que estou querendo
    dizer,
Mas, mesmo assim, vou dar saúde,

Vou filtrar e dar fibra a seu sangue.

Não me cruzando na primeira não desista,
Não me vendo num lugar procure em outro,
Em algum lugar, eu paro e espero você.*

— "Canção de Mim Mesmo" — murmura a agente Lopez,
quando a garota termina. — Escolha interessante.

Há música, mais leituras, e finalmente o velório acaba. O padre diz que o enterro será uma cerimônia íntima reservada à família. Por mim, beleza. Jamais quis tanto ir embora de um lugar
na minha vida, e já estou pronto para vazar antes que aquela pro-
cissão toda percorra a nave da igreja, mas a Agente Lopez coloca
a mão no meu braço novamente.

Um bando de veteranos do colégio conduz o caixão de Simon
para fora. Umas vinte pessoas vestidas em tons escuros seguem
em fila atrás deles, com um homem e uma mulher de mãos dadas
no fim. Ela tem um rosto fino e anguloso como Simon, e olha
fixamente para o chão, mas, ao passar pelo nosso banco, a mulher ergue o olhar, encontra o meu e contém um pranto furioso.

Mais pessoas lotam as coxias da igreja, e alguém se enfia no
banco comigo e a agente Lopez. É um dos agentes à paisana, um
sujeito mais velho com corte escovinha. Noto de cara que ele não
é amador como o agente Budapest. Ele sorri para mim, como se
a gente se conhecesse.

— Nate Macauley? — pergunta ele. — Tem alguns minutos,
rapaz?

---

* Folhas de relva (1855). Canção de Mim Mesmo. Tradução e posfácio de
Rodrigo Garcia Lopes. São Paulo: Iluminuras, 2005. (N. do T.)

CAPÍTULO 7

Addy
Domingo, 30 de setembro, 14h05

Protejo os olhos contra o sol do lado de fora e vasculho a multidão até ver Jake. Ele e os demais carregadores colocam o caixão de Simon em uma espécie de maca de metal, depois se afastam para os diretores do funeral conduzirem o aparato na direção do carro funerário. Eu baixo os olhos, sem querer ver o corpo de Simon ser colocado como uma mala grande, na traseira de um carro e alguém toca no meu ombro.

— Addy Prentiss? — Uma mulher mais velha, vestida em um tailleur azul de linhas retas, me oferece um sorriso educado e profissional. — Sou a detetive Laura Wheeler da polícia de Bayview. Gostaria de dar prosseguimento à conversa que você teve semana passada com o agente Budapest sobre a morte de Simon Kelleher. Você poderia vir à delegacia comigo por alguns minutos?

Encaro a mulher e umedeço os lábios. Quero perguntar o motivo, mas ela está tão calma e segura, como se fosse a coisa mais natural do mundo me abordar após um funeral, que parece falta de educação questioná-la. Jake, então, surge ao meu lado, lindo em seu terno, e oferece um sorriso amigável e curioso para a detetive Wheeler. Meus olhos vão de um para o outro e gaguejo:

— Não é... quero dizer... não dá para falarmos aqui?

A detetive Wheeler faz uma careta.

— Muito cheio de gente, não acha? E estamos logo ali na esquina. — Ela oferece um meio sorriso para Jake. — Detetive Laura Wheeler, polícia de Bayview. Preciso pegar Addy emprestada por um tempinho para elucidar algumas questões relacionadas à morte de Simon Kelleher.

— Claro — responde ele, como se isso resolvesse a situação.

— Mande uma mensagem se precisar de carona depois, Addy. Luis e eu vamos ficar no centro da cidade. Estamos morrendo de fome e vamos falar da estratégia ofensiva para o jogo do próximo sábado. Vamos ao Glenn's, provavelmente.

Então, é isso, eu acho. Acompanho a detetive Wheeler pelo caminho de paralelepípedos que leva à calçada atrás da igreja, embora eu não queira. Talvez isso seja o que Ashton quer dizer quando fala que eu não penso por mim mesma. São três quarteirões até a delegacia, e nós passamos em silêncio por uma loja de ferragens, pelo correio e por uma sorveteria onde uma menininha está dando um chilique, querendo chocolate granulado em vez de sorvete arco-íris. Fico pensando se deveria falar com a detetive Wheeler que minha mãe ficará preocupada se eu não for direto para casa.

Passamos pelos detectores de metal na frente da delegacia, e a detetive me conduz aos fundos, para o interior de uma sala pequena e superaquecida. Nunca estive dentro de uma delegacia antes e pensei que ela seria mais… sei lá. Que teria uma aparência de autoridade. A delegacia me lembra a sala de reunião no gabinete da diretora Gupta, só que com uma iluminação pior. A luz fluorescente piscante acima de nós realça todos os traços do rosto da detetive Wheeler e deixa sua pele com um tom amarelo feio. Eu imagino o que essa luz faz com a minha.

A detetive Wheeler me oferece algo para beber, e, quando nego, ela sai da sala por alguns minutos e volta com uma bolsa tipo carteiro pendurada no ombro, e uma mulher pequena, de cabelos escuros, atrás. Ambas se sentam diante de mim à mesa pequena de metal, e a detetive Wheeler pousa a bolsa no chão.

— Addy, esta é Lorna Shaloub, a agente da juventude do Distrito Escolar de Bayview. Ela está aqui na figura de um adulto que se faz presente, em seu nome. Agora, isto não é uma detenção para interrogatório. Você não tem que responder às minhas perguntas e está livre para ir embora a qualquer momento. Entendeu?

Não exatamente. Eu não entendi a partir da "figura de um adulto que se faz presente", mas digo "claro", embora deseje mais do que nunca que simplesmente tivesse ido para casa. Ou que Jake tivesse vindo comigo.

— Ótimo. Espero que fique aqui comigo. Creio que, de todos os jovens envolvidos, você provavelmente foi quem se entregou mais na situação sem má intenção.

Eu olho surpresa para ela.

— Sem má o quê?

— Sem má intenção. Quero lhe mostrar uma coisa.

Ela enfia a mão na bolsa e retira um laptop. A Sra. Shaloub e eu esperamos enquanto a Detetive Wheeler abre o notebook e pressiona algumas teclas. Eu mastigo as bochechas, imaginando se ela vai me mostrar as postagens do Tumblr. Talvez a polícia ache que algum de nós as escreveu como uma espécie de piada horrível. Se me perguntarem quem, acho que eu diria que foi Bronwyn. Porque a coisa toda parece que foi escrita por alguém que acha que é dez vezes mais inteligente do que o resto.

A detetive Wheeler vira o laptop para mim. Não tenho certeza do que estou vendo, mas parece ser um tipo de blog, com a logo do Falando Nisso em primeiro plano. Faço uma expressão indagativa, e ela diz:

— Este é o painel de administrador que Simon usava para gerenciar o conteúdo do Falando Nisso. O texto embaixo da data da última segunda-feira são as postagens mais recentes.

Eu me debruço na mesa e começo a ler.

Esta é a primeira vez na vida deste aplicativo que mostramos a boazinha BR, detentora do mais perfeito histórico escolar do colégio. Só que ela não tirou aquele 10 em química só por causa do velho e bom esforço, a não ser que seja assim que você defina o roubo de testes do Google Drive do Senhor C. Alguém ligue para Yale...

Na outra ponta do espectro, NM, nosso criminoso favorito, está de volta ao que ele faz de melhor: garantir que o colégio esteja tão chapado quanto quiser. Tenho certeza de que isso é uma violação da liberdade condicional, N.

Quando junho chegar, a Liga Nacional de Beisebol mais CC vai ser igual a um monte de notas bem verdinhas, certo? Parece inevitável que o canhotinho de Bayview fará muito sucesso nos times grandes... Mas eles não têm regras rígidas contra doping? Porque o desempenho de CC certamente ganhou um empurrãozinho durante a temporada de exibição.

AP e JR são o casal perfeito. Princesa do baile e o craque *running back*, apaixonados por três anos seguidos. A não ser por aquele desvio romântico que A tomou no verão com TF na casa de praia dele. Mais embaraçoso agora que os caras são amigos. Será que eles trocam figurinhas?

Não consigo respirar. Está revelado para todo mundo ver. Como? Simon está morto; ele não pode ter publicado isso. Será que alguém assumiu o lugar dele? A pessoa que posta no Tumblr? Mas isso sequer importa: como, por quê, quando — tudo que importa é que o post *existe*. Jake vai ver isso, se já não viu. Todas as coisas que li antes de chegar às minhas iniciais, que me chocaram quando saquei sobre quem elas eram e o que significavam, saem do meu cérebro. Nada existe além do meu erro horrível e estúpido ali, em preto e branco, na tela, para o mundo todo ver.

Jake vai *saber*. E jamais me perdoará.

Estou quase dobrada ao meio, com a cabeça na mesa, e de início não consigo distinguir as palavras da detetive Wheeler. Então, algumas conseguem furar o bloqueio.

— ... entendo que você se sinta numa armadilha... evitar que isto seja publicado... se você nos contar o que aconteceu, nós podemos lhe ajudar, Addy...

Apenas uma frase penetrou na cabeça.

— Isso não foi publicado?

— A postagem entrou na fila no dia que Simon morreu, mas nunca foi ao ar — responde a detetive Wheeler, calmamente.

Salvação. Jake não viu isso. Ninguém viu. A não ser... esta policial e talvez outros. Meu interesse e o interesse dela são duas coisas diferentes.

A detetive Wheeler se debruça à frente, com um sorriso nos lábios que não se reflete no olhar.

— Você já deve ter reconhecido as iniciais, mas essas outras notícias são sobre Bronwyn Rojas, Nate Macauley e Cooper Clay. Os quatro que estiveram na sala com Simon quando ele morreu.

— Isto é... uma coincidência esquisita — consigo dizer.

— E não é mesmo? — concorda a detetive Wheeler. — Addy, você já sabe como Simon morreu. Nós analisamos a sala do Sr. Avery e não descobrimos nenhuma maneira como aquele óleo de amendoim possa ter entrado no copo de Simon, a não ser que alguém tenha colocado ali após ele enchê-lo na bica. Havia apenas seis pessoas na sala, uma das quais está morta. Seu professor saiu por um longo período de tempo. Todos vocês que permaneceram com Simon tinham motivos para querer mantê-lo em silêncio. — A voz dela não fica mais alta, porém preenche meus ouvidos, como o zumbido de uma colmeia. — Você percebe aonde quero chegar com isso? O ato pode ter sido realizado em grupo, mas não significa que você compartilha da mesma responsabilidade. Há uma grande diferença entre ter uma ideia e levá-la adiante.

Encaro a Sra. Shaloub. Ela parece *presente*, tenho que admitir, mas não parece presente para *ficar* do meu lado.

— Não entendo o que a senhora quer dizer.

— Você mentiu sobre ter estado na sala da enfermeira, Addy. Alguém lhe forçou a fazer aquilo? Retirar as canetas de adrenalina para que Simon não pudesse ser ajudado depois?

Meu coração bate enquanto eu tiro uma mecha de cabelo dos ombros e a enrolo nos dedos.

— Não menti. Eu me esqueci.

Meu Deus, e se ela me fizer passar por um detector de mentiras? Eu nunca passarei.

— Jovens da sua idade estão sob muita pressão hoje em dia — diz a detetive Wheeler em um tom quase amável, mas os olhos estão insensíveis como nunca. — Todas essas redes sociais… é como se você não pudesse cometer um erro, não é? Elas te seguem por toda a parte. O tribunal é bem indulgente com jovens impressionáveis que agem às pressas quando têm muito a perder, especialmente quando eles nos ajudam a descobrir a verdade. A família de Simon merece a verdade, você não acha?

Eu encolho os ombros e puxo o cabelo. Não sei o que fazer. Jake saberia — mas Jake não está aqui. Eu olho para a Sra. Shaloub ajeitando o cabelo atrás das orelhas, e subitamente a voz de Ashton me surge na cabeça. *Você não tem que responder a qualquer pergunta.*

Certo. A detetive Wheeler disse isso no início, e as palavras expulsam tudo mais do meu cérebro com um alívio e clareza surpreendentes.

— Eu vou sair agora.

Digo isso com confiança, mas ainda não estou cem por cento certa de que posso fazer isso. Eu me levanto e espero que a detetive Wheeler me detenha, mas ela não se opõe. Apenas franze os olhos e diz:

— É claro. Como eu lhe disse, isto não é uma detenção para interrogatório. Mas, por favor, compreenda, a ajuda que eu posso lhe garantir agora não será a mesma quando você sair desta sala.

— Eu não preciso da sua ajuda — retruco, e, então, saio pela porta e, depois, da delegacia.

Ninguém me detém. Porém, assim que estou lá fora, não sei para onde ir e o que fazer.

Eu me sento em um banco e pego o telefone com as mãos trêmulas. Não posso ligar para Jake, não para isso. Mas quem sobra? Minha mente está em branco, como se a detetive Wheeler tivesse passado uma borracha apagando tudo. Construí todo o meu mundo em volta de Jake, e agora que esse mundo está quebrado, eu me dou conta, tarde demais, de que deveria ter dedicado tempo a outras pessoas que se importariam que uma policial com penteado de coroa e um tailleur elegante tenha acabado de me acusar de assassinato. E quando digo "se importar", não é ao estilo *ai-meu-Deus-você-soube-o-que-aconteceu-com-Addy*.

Minha mãe se importaria, mas não posso encarar tanto desdém e crítica neste exato momento.

Desço até os *As* na lista de contatos e aperto um nome. É minha única opção, e faço uma prece silenciosa de agradecimento quando ela atende.

— Ash? — De alguma forma, consigo não chorar ao ouvir a voz da minha irmã. — Preciso de ajuda.

Cooper
Domingo, 30 de setembro, 14h30

Quando o detetive Chang me mostra a página não publicada de Simon no *Falando Nisso*, eu leio a menção de todo mundo primeiro. A de Bronwyn me choca; a de Nate, não; não faço ideia de quem diabos seja esse "TF" com quem Addy supostamente ficou — e tenho quase certeza de que sei o que me aguarda. Meu coração dispara quando espio minhas iniciais: *Porque o desempenho de CC certamente ganhou um empurrãozinho durante a temporada de exibição.*

Hum. A pulsação diminui quando me recosto na cadeira. Não era isso que eu esperava.

Embora, talvez, eu não devesse estar surpreso. Melhorei muito, rápido demais — até mesmo o olheiro dos Padres comentou a respeito.

O detetive Chang aborda o assunto com rodeios durante um tempo e faz insinuações até que eu compreenda que ele acha que nós quatro que estivemos na sala planejamos tudo aquilo para evitar que Simon postasse a atualização. Eu tento imaginar o caso — eu, Nate e as duas garotas tramando um assassinato por óleo de amendoim na sala de detenção do Sr. Avery. É tão idiota que nem sequer renderia um bom filme.

Sei que estou calado por muito tempo.

— Nate e eu jamais sequer nos falamos antes da semana passada — digo finalmente. — E é claro, diacho, que nunca falei com as garotas sobre isso.

O detetive Chang quase se debruça até a metade da mesa.

— Você é um bom rapaz, Cooper. Seu histórico é irretocável até agora, e tem um futuro brilhante. Você cometeu um erro e foi flagrado. É assustador. Eu entendo. Mas não é tarde demais para fazer a coisa certa.

Não tenho certeza de qual erro ele está se referindo: meu suposto doping, o suposto assassinato ou algo de que não falamos ainda. Mas, até onde sei, eu não fui flagrado fazendo nada. Apenas acusado. Bronwyn e Addy provavelmente estão recebendo o mesmo discurso em algum lugar. Acho que Nate receberia um diferente.

— Eu não trapaceei — digo para o detetive Chang. — E não machuquei Simon.

Não machuqueeiii. Eu ouço o sotaque voltando.

Ele tenta uma abordagem diferente.

— De quem foi a ideia de usar os celulares forjados para levar todos vocês, juntos, para a detenção?

Eu me debruço à frente, com as palmas apoiadas no veludo negro das calças sociais. Praticamente não as uso nunca, e elas estão me dando coceira e calor. O coração dispara novamente.

— Preste atenção. Eu não sei quem fez isso, mas... não é algo que você deveria investigar? Tipo, havia digitais nos telefones? Porque, para mim, parece que talvez tenham incriminado a gente.

O outro cara na sala, um representante qualquer do Distrito Escolar de Bayview que não disse uma palavra, concorda com a cabeça, como se eu tivesse dito algo profundo. Mas a expressão do detetive não muda.

— Cooper, nós examinamos aqueles telefones assim que começamos a suspeitar de que houve um crime. Não há prova forense que sugira que qualquer outra pessoa esteja envolvida. Nosso foco é em vocês quatro, e é aí que espero que ele permaneça.

O que finalmente me faz dizer:

— Quero ligar para os meus pais.

A parte de "querer" não é verdade, mas não consigo sair dessa enrascada. O detetive Chang dá um suspiro, como se tivesse se desapontado comigo, mas diz:

— Tudo bem. Você está com seu celular?

Quando concordo com a cabeça, ele fala:

— Você pode fazer a ligação aqui.

O Detetive Chang permanece na sala enquanto ligo para o Pai, que entende a situação mais rápido do que eu.

— Me passe aquele detetive com quem você está falando — vocifera ele. — Agora mesmo. E Cooperstown... espere, Cooper! Espere. Não diga mais porra nenhuma para *ninguém*.

Passo meu telefone para o Detetive Chang, que leva o aparelho ao ouvido. Não consigo ouvir tudo que o Pai está dizendo, mas ele fala suficientemente alto para eu ter uma ideia geral. O detetive Chang tenta inserir algumas palavras — no sentido de como é perfeitamente legal interrogar menores de idade na Califórnia sem a presença dos pais —, mas, na maior parte do tempo, ele deixa o Pai reclamar. Em dado momento, o detetive diz "não, ele está livre para ir embora", e meus ouvidos se aguçam. Não me ocorreu que eu podia *sair*.

Ele me devolve o celular, e a voz do Pai estala no ouvido.

— Cooper, está aí? Venha para casa, porra. Eles não vão acusá-lo de nada, e você não vai responder a mais nenhuma pergunta se não estiver comigo e um advogado do seu lado.

Um advogado. Será que eu realmente preciso de um cara desses? Desligo e encaro o detetive Chang.

— Meu pai me mandou ir embora.

— Você tem esse direito — responde ele.

Eu queria ter sabido disso desde o início. Talvez ele tenha me dito. Sinceramente, não me lembro.

— Mas, Cooper, essas conversas estão acontecendo na delegacia inteira com seus amigos. Um deles vai concordar em cooperar conosco, e quem fizer isso será tratado de maneira bem diferente do restante de vocês. Acho que deveria ser você. Eu gostaria de lhe dar essa chance.

Quero dizer para o detetive que ele entendeu tudo errado, mas o Pai me mandou parar de falar. Porém, não consigo ir embora sem dizer alguma coisa. Então, acabo apertando a mão do detetive Chang e dizendo:

— Obrigado pela sua atenção, senhor.

Pareço o maior puxa-saco do século. São anos de condicionamento entrando em ação.

CAPÍTULO 8

Bronwyn
Domingo, 30 de setembro, 15h07

Não tenho como agradecer o fato de meus pais terem estado comigo na igreja quando o detetive Mendoza me chamou e pediu que eu fosse à delegacia. Achei que seriam perguntas complementares às do agente Budapest. Eu não estava preparada para o que veio a seguir, e não teria sabido o que fazer. Meus pais assumiram a situação e se recusaram a me deixar responder às perguntas dele. E ainda extraíram um monte de informações do detetive sem dar nada em troca. Foi muito magistral.

Mas. Agora eles sabem o que eu fiz.

Bem. Ainda não. Eles sabem o rumor. No momento, estamos indo para casa de carro após sair da delegacia. Eles ainda estão reclamando da injustiça daquela situação toda. Minha mãe está, pelo menos. Meu pai está prestando atenção às ruas, mas mesmo seus movimentos para ligar a seta do carro são excepcionalmente agressivos.

— Quero dizer — o tom da minha mãe é urgente, o que indica que ela mal está começando —, é horrível o que aconteceu com Simon. Claro que os pais querem respostas. Mas pegar uma postagem de fofoca escolar e transformá-la em uma acusação como aquela é simplesmente ridículo. Eu não compreendo como alguém pode pensar que Bronwyn *mataria* um rapaz porque ele estava prestes a postar uma mentira.

— Não é uma mentira — confesso, porém baixinho demais para ela me ouvir.

— A polícia não tem nada. — Meu pai soa como se estivesse avaliando uma empresa que pensa em adquirir e considera deficiente. — Provas circunstanciais frágeis. Obviamente não houve nenhum trabalho forense de verdade ou não estariam jogando verde desta forma. Eles estão desesperados.

O carro da frente para de repente por causa de um semáforo amarelo, e o papai xinga baixinho em espanhol ao frear.

— Bronwyn — começa ele —, eu não quero que você se preocupe com isso. Vamos contratar um advogado excepcional, mas é puramente uma formalidade. Sou capaz de processar o departamento de polícia quando tudo isso acabar. Especialmente se qualquer detalhe do caso vier a público e prejudicar sua reputação.

Minha garganta parece estar pronta para empurrar palavras através do lodo.

— Eu colei. — Sou quase inaudível. Pressiono a palma da mão no rosto ardendo e forço a voz a sair mais alta. — Eu roubei o teste mesmo. Desculpe.

Minha mãe gira o corpo no assento.

— O que você disse, querida? O que foi?

— Eu roubei.

As palavras saem rolando de mim, confessando como usei o computador no laboratório logo depois do Sr. Camino e percebi que ele não tinha se desconectado da conta no Google Drive. Um arquivo com todas as perguntas das provas de Química para o ano todo estava bem ali. Baixei o arquivo para um pendrive quase sem pensar no que estava fazendo. E usei para tirar notas perfeitas pelo restante do ano.

Não faço ideia de como Simon descobriu. Mas, como sempre, ele estava certo.

Os minutos seguintes no carro são horríveis. Mamãe vira no assento e me encara com uma expressão de traída. Papai não pode fazer o mesmo, mas não para de olhar pelo retrovisor, como se esperasse ver alguma coisa diferente. Consigo notar a mágoa nos olhares de ambos: *você não é quem pensávamos que era.*

Para meus pais, tudo se resume à meritocracia. Papai foi um dos diretores financeiros mais jovens na Califórnia antes de nós sequer nascermos, e o consultório de dermatologia da mamãe é tão bem-sucedido que ela não consegue aceitar novos pacientes há anos. Eles vêm martelando a mesma mensagem na minha cabeça desde o jardim da infância: *trabalhe pesado, faça o melhor de si, e o resto virá.* E sempre veio, até a Química.

Acho que eu não sabia o que fazer a respeito daquilo.

— Bronwyn. — A mamãe ainda está me encarando, e a voz sai baixa e contida. — Meu Deus. Eu nunca teria imaginado que você faria algo assim. Isso é terrível, mas, o pior de tudo, é que isso te dá um motivo.

— Eu não fiz nada com Simon! — vocifero.

As linhas de expressão em volta de sua boca relaxam ligeiramente enquanto ela balança a cabeça para mim.

— Estou desapontada com você, Bronwyn, mas não cometi *esse* exagero. Só estou citando os fatos como eles são. Se você não é capaz de dizer inequivocamente que Simon estava mentindo, a situação pode ficar bem complicada. — Ela esfrega os olhos com a mão. — Como ele sabe que você roubou o teste? Tem provas?

— Não sei. Simon não… — Eu faço uma pausa, pensando em todas as atualizações do Falando Nisso que li ao longo dos anos. — Simon nunca *provou* nada realmente. A questão é… que todo mundo acreditava nele porque ele nunca estava errado. As coisas sempre apareciam com o tempo.

E eu que pensei que tinha escapado desde que peguei os arquivos do Sr. Camino, em março passado. O que não entendo é, se Simon sabia, por que não atacou o assunto imediatamente?

Eu sabia que o que fiz foi errado, é óbvio. Até mesmo pensei que pudesse ser ilegal, embora tecnicamente eu não tenha invadido a conta do Sr. Camino, uma vez que ela já estava aberta. Mas aquela parte mal pareceu ser verdade. Maeve usa suas habilidades sinistras com computadores para invadir sistemas por diversão o tempo todo, e, se eu tivesse pensado a respeito, provavelmente poderia ter pedido a ela para conseguir os arquivos por mim. Ou até mesmo mudar minha nota. Mas a coisa não foi premeditada. O arquivo estava diante de mim naquele momento, e eu o peguei.

Depois decidi usá-lo meses depois e me convenci de que não tinha problema porque uma aula difícil não deveria arruinar meu futuro inteiro. O que é meio irônico, de um jeito terrível, dado o que acabou de acontecer na delegacia.

Imagino se tudo que Simon escreveu sobre Cooper e Addy é verdade também. O detetive Mendoza nos mostrou todas as menções e insinuou que alguma outra pessoa poderia já estar confessando e fazendo um acordo. Sempre pensei que o talento de Cooper fosse uma bênção dos céus e que Addy era obcecada demais por Jake para sequer olhar para outro cara, mas eles provavelmente também nunca imaginariam que eu faria o que fiz.

Sobre Nate, eu não tenho dúvidas. Ele nunca fingiu ser outra coisa além do que é exatamente.

Papai estaciona na garagem, desliga o motor, tira as chaves da ignição e se vira para me encarar.

— Tem mais alguma coisa que você não nos contou?

Eu me recordo da salinha claustrofóbica na delegacia, com meus pais ao meu lado, enquanto o detetive Mendoza atirava perguntas como granadas. *Você competia com Simon? Algum dia esteve na casa dele? Sabia que ele estava escrevendo uma postagem sobre você?*

Você tinha algum motivo, além da postagem, para ter antipatia ou rancor dele?

Meus pais disseram que eu não tinha que responder a nenhuma das perguntas do detetive, mas eu respondi àquela. *Não*, disse na ocasião.

— Não — repito agora, sustentando o olhar do meu pai.

Se ele sabe que estou mentindo, não demonstra.

Nate
Domingo, 30 de setembro, 17h15

Chamar a carona que a agente Lopez me deu após o funeral do Simon de "tensa" seria pouco.

Antes de mais nada, a carona foi horas depois. Primeiro, o agente Escovinha me levou para a delegacia e perguntou, de meia dúzia de maneiras diferentes, se eu matei Simon. A agente Lopez perguntou se podia estar presente durante o interrogatório, e ele concordou, o que por mim não foi problema. Embora a situação tenha ficado um pouco esquisita quando ele leu a acusação de tráfico de drogas feita por Simon.

Acusação que, embora seja verdade, o agente Escovinha não pode provar. Até mesmo eu sei disso. Fiquei calmo quando ele me contou que as circunstâncias envolvendo a morte de Simon deram justa causa à polícia para vasculhar minha casa em busca de drogas, e que eles já tinham um mandado. Eu tirei tudo hoje de manhã, então sabia que a polícia não encontraria nada.

Graças a Deus eu e a agente Lopez nos encontramos aos domingos. Caso contrário, eu provavelmente estaria na prisão.

Devo muitíssimo a ela por causa disso, embora ela não saiba. E por me apoiar durante o interrogatório, o que eu não esperava. Eu menti na cara dela todas as vezes que nos encontramos, e tenho certeza de que ela sabe disso. Mas, quando o agente Escovinha começou a se irritar, ela segurou a onda dele. Com o tempo, tive a impressão de que eles só têm circunstâncias frágeis e uma teoria que estão tentando forçar para alguém admitir sob pressão.

Respondi algumas poucas perguntas. Aquelas que eu sabia que não iam me colocar em apuros. Todo o resto foi alguma versão de *não sei* e *não me lembro*. Às vezes até foi verdade.

A agente Lopez não disse uma palavra, do momento que saímos da delegacia até parar na entrada da minha casa. Agora ela está me dando um olhar que deixa evidente que não consegue ver um lado positivo no que acabou de acontecer.

— Nate, não vou perguntar se o que vi naquele site é verdade. Esta é uma conversa para você e um advogado, se algum dia a situação chegar a esse ponto. Mas é preciso que você entenda uma coisa. Se, deste dia em diante, você traficar drogas de alguma forma, qualquer que seja, *eu não posso te ajudar*. Ninguém pode. Isto não é brincadeira. Você está lidando com um possível crime capital. Há quatro adolescentes envolvidos nesta investigação, e cada um deles, *a não ser você*, é apoiado por pais que são materialmente estáveis e estão presentes na vida dos filhos, ou até mesmo ricos e influentes. Você é o desajustado, o bode expiatório óbvio disso tudo. Estou sendo clara?

Meu Deus. Ela não está pegando leve.

— Sim.

Eu sabia disso. Vim pensando nisso até chegar em casa.

— Muito bem. A gente se vê no próximo domingo. Ligue se precisar de mim antes disso.

Saio do carro sem agradecer à agente Lopez. É um gesto babaca, mas não consigo ser agradecido. Entro na cozinha de teto rebaixado e sou imediatamente atingido pelos cheiros: vômito velho penetra meu nariz e garganta, e me dá ânsia. Eu procuro pela fonte — creio que hoje é meu dia de sorte, porque meu pai conseguiu chegar à pia. Ele simplesmente não se incomodou em abrir a torneira depois. Coloco uma mão no rosto e uso a outra para mirar um jato d'água, mas não adianta. O troço endureceu a esta altura e não vai sair a não ser que eu esfregue.

Nós temos uma esponja em algum lugar. Provavelmente no armário embaixo da pia. Em vez de procurar, dou um chute. O que é bastante satisfatório, então, repito aquilo umas cinco ou dez vezes, cada vez com mais força até a madeira barata rachar e quebrar. Estou ofegante, respirando golfadas de ar fedendo a vômito, e tão de saco cheio de tudo isso, caralho, que seria capaz de matar alguém.

Algumas pessoas são tóxicas demais para viver. Simplesmente são.

Um som conhecido de arranhão vem da sala de estar — Stan, passando as garras no vidro do terrário, querendo comida. Eu aperto meia embalagem de detergente na pia e miro outro jato d'água em cima. Cuido do resto depois.

Depois, pego uma caixa com grilos vivos na geladeira, deixo cair dentro da jaula de Stan e vejo-os pular de um lado para o outro, sem noção do que o destino lhes reserva. Minha respiração desacelera, e a cabeça fica lúcida, mas isso não é exatamente uma boa notícia. Se não estou pensando numa merda sem tamanho, tenho que pensar em outra.

Assassinato coletivo. É uma teoria interessante. Acho que tenho que agradecer pelo fato de a polícia não ter tentado jogar toda a culpa em mim. Não ter pedido para os outros três concordarem com a cabeça e ganharem uma saída livre da prisão. Tenho certeza de que Cooper e a loura teriam adorado cooperar.

Bronwyn, talvez, não topasse.

Fecho os olhos e apoio as mãos em cima do terrário de Stan, pensando na casa de Bronwyn. Como era limpa e iluminada, e como ela e a irmã falavam entre si como se todas as partes interessantes da conversa fossem as coisas que as duas não diziam. Deve ser legal, após ser acusado de assassinato, voltar para um lugar como aquele.

Quando saio de casa e subo na moto, eu me convenço de que não sei para onde vou. Piloto sem rumo por quase uma hora. Quando acabo na entrada de garagem da casa de Bronwyn, está na hora do jantar para pessoas normais, e não espero que ninguém saia.

Porém, estou errado. Alguém sai. É um homem alto de colete de lã e camisa xadrez, de óculos e cabelo curto e preto. Ele parece com um homem acostumado a dar ordens, e se aproxima de mim com um passo calmo e calculado.

— Nate, certo? — As mãos estão na cintura, e um relógio grande reluz no pulso. — Sou Javier Rojas, o pai de Bronwyn. Infelizmente, você não pode estar aqui.

Ele não parece puto, apenas focado. Mas também soa como se nunca tivesse falado tão sério na vida.

Eu tiro o capacete para o encarar.

— Bronwyn está?

Essa é a pergunta mais inútil de todos os tempos. É óbvio que ela está, e é óbvio que o pai não vai me deixar vê-la. Eu nem sei por que quero fazer isso, só sei que não posso. E que quero perguntar para Bronwyn: *É verdade? O que você fez? O que você não fez?*

— Você não pode estar aqui — repete Javier Rojas. — Tenho certeza de que você não quer mais envolvimento da polícia tanto quanto eu.

Ele está fazendo um bom trabalho em fingir que eu não seria seu pior pesadelo mesmo que não estivesse envolvido em uma investigação de assassinato ao lado da filha.

É isso, eu acho. Os limites estão traçados. Sou o desajustado, o bode expiatório óbvio disso tudo. Não há muito mais a dizer, então dou meia-volta com a moto e rumo para casa.

CAPÍTULO 9

Addy
Domingo, 30 de setembro, 17h30

Ashton destranca a porta do apartamento no centro de San Diego. É uma quitinete de quarto e sala, porque ela e Charlie não podem bancar nada maior. Especialmente com a dívida de um ano inteiro de faculdade de Direito que será difícil de quitar, ainda mais agora que o negócio de design gráfico de Ashton não decolou e que Charlie decidiu fazer documentários sobre a natureza em vez de ser advogado.

Mas não é sobre isso que estamos aqui para conversar.

Ashton faz café na cozinha, que é minúscula, mas uma graça: armários brancos, bancadas de granito preto reluzente, eletrodomésticos de aço inoxidável e luminárias em estilo retrô.

— Onde está Charlie? — pergunto, enquanto ela coloca leite e açúcar no meu café, que fica pálido e doce do jeito que gosto.

— Foi fazer escalada — responde Ashton, franzindo os lábios ao me passar a caneca.

Charlie tem um monte de hobbies de que Ashton não participa, e todos são caros.

— Vou ligar para ele e perguntar se ele conhece um advogado para você. Talvez um dos seus antigos professores conheça alguém.

Ashton insistiu em me levar para comer alguma coisa depois de sairmos da delegacia, e eu contei tudo a ela no restaurante — bem, quase tudo. A verdade sobre o rumor de Simon, pelo menos. Ashton tentou ligar para nossa mãe ao vir para cá, mas caiu na caixa postal e ela deixou uma mensagem enigmática do tipo *ligue-para-mim-assim-que-ouvir-este-recado*.

Mensagem que minha mãe ignorou. Ou não viu. Talvez eu deva dar a ela o benefício da dúvida.

Nós levamos o café à varanda de Ashton e nos instalamos em cadeiras vermelhas brilhantes em ambos os lados de uma mesinha. Fecho os olhos, tomo um gole grande do líquido quente e doce, e me forço a relaxar. Não funciona, mas continuo bebendo devagar até acabar. Ashton pega o telefone e deixa uma mensagem sucinta para Charlie, depois tenta ligar para nossa mãe novamente.

— Ainda na caixa postal — suspira ela, e acaba com o próprio café.

— Ninguém em casa além de nós — digo, e, por algum motivo, isso me faz rir. Um pouquinho histericamente. Talvez eu esteja pirando.

Ashton apoia os cotovelos na mesa e entrelaça os dedos embaixo do queixo.

— Addy, você tem que contar para Jake o que aconteceu.

— Simon não publicou a atualização — comento baixinho, mas Ashton balança a cabeça.

— Esse post vai vazar. Talvez por fofoca, talvez quando a polícia falar com ele para pressionar você. Mas é algo que você precisa lidar no relacionamento, aconteça o que acontecer. — Ashton hesita e ajeita o cabelo atrás das orelhas. — Addy, tem alguma parte de você que *quer* que Jake descubra?

A indignação toma conta de mim. Ashton não dá uma trégua nessa perseguição contra Jake mesmo no meio de uma crise.

— Por que eu iria querer uma coisa dessas?

— Ele manda em tudo, não manda? Talvez você tenha se cansado disso. Eu teria.

— *Certo*, porque você é a especialista em relacionamentos — disparo. — Não vejo você e Charlie juntos há mais de um mês.

Ashton franze os lábios.

—A questão não sou eu. Você precisa contar para Jake, e logo. É melhor que ele não fique sabendo dessa história por outra pessoa.

Perco todo o ímpeto de discutir porque sei que minha irmã está certa. Esperar só vai piorar a situação. E já que a mamãe não retornou nossa ligação, é melhor arrancar o curativo de uma vez.

— Você me leva à casa dele?

De qualquer modo, recebi um bando de mensagens de Jake, perguntando como foram as coisas na delegacia. Eu provavelmente deveria estar me concentrando no aspecto criminal de toda a situação, mas, como sempre, minha mente está consumida por ele. Eu pego o telefone, abro as mensagens e mando uma: *Posso contar pessoalmente?*

Jake responde de imediato. "Only Girl" berra, o que parece inadequado para a conversa que está prestes a vir.

Claro.

Enxáguo as canecas enquanto Ashton pega as chaves e a bolsa. Entramos no corredor, Ashton tranca a porta ao sairmos, e dá um puxão na maçaneta para verificar se está trancada. Eu acompanho minha irmã ao elevador, com os nervos à flor da pele. Eu não deveria ter tomado aquele café. Mesmo que *tenha sido* em grande parte leite.

Passamos do meio do caminho para Bayview quando Charlie liga. Tento não prestar atenção à conversa cortada e concisa de Ashton, mas é impossível em um espaço tão confinado.

— Não estou pedindo para *mim* — diz ela em dado momento. — Será que você pode ser uma pessoa mais altruísta de vez em quando?

Eu me remexo no banco, pego o celular e vejo as mensagens. Keely mandou uma meia dúzia de recados sobre fantasias de Halloween, e Olivia está se martirizando se deve voltar ou não com Luis. De novo. Ashton finalmente desliga e fala, com bom humor forçado:

— Charlie vai fazer umas ligações sobre o advogado.

— Ótimo. Agradeça a ele por mim.

Sinto que deveria dizer mais, porém não sei o quê, e nós ficamos em silêncio. Ainda assim, eu prefiro passar horas no carro silencioso da minha irmã a ficar cinco minutos na casa de Jake, que surge diante de nós rápido demais.

— Não sei quanto tempo vai levar — digo para Ashton, quando ela para na entrada de garagem. — E talvez eu precise de uma carona para casa.

Meu estômago fica nauseado. Se eu não tivesse feito o que fiz com TJ, Jake insistiria em participar do que quer que aconteça a seguir. A situação inteira ainda seria assustadora, mas eu não teria que enfrentá-la sozinha.

— Estarei no Starbucks da Rua Clarendon — avisa Ashton, quando saio do carro. — Mande uma mensagem quando terminar.

Neste momento, eu fico arrependida de ter sido ríspida com minha irmã e de ter lhe dado aquela alfinetada sobre Charlie. Se ela não tivesse me pegado na delegacia, eu não sei o que teria feito. Mas Ashton sai de ré com o carro antes que eu consiga dizer qualquer coisa, e começo minha marcha lenta até a porta da frente da casa de Jake.

A mãe dele atende quando toco a campainha, e sorri de forma tão normal que quase penso que tudo vai ficar bem. Sempre gostei da Sra. Riordan. Ela era uma publicitária fodona até Jake entrar no ensino médio. Foi quando ela decidiu mudar de vida e se concentrar na família. Acho que, no fundo, minha mãe queria ser como a Sra. Riordan, com uma carreira glamorosa que não precisa seguir mais, e com um marido bonito e bem-sucedido.

O Sr. Riordan, no entanto, é capaz de ser intimidante. Ele é o tipo de homem que só aceita as coisas do seu jeito. Sempre que menciono isso, Ashton começa a murmurar que filho de peixe, peixinho é.

— Oi, Addy. Eu estou de saída, mas Jake está esperando você lá embaixo.

— Obrigada — agradeço ao passar por ela e entrar na sala.

Ouço a porta da casa ser trancada quando a Sra. Riordan sai, e a porta do carro bater enquanto desço as escadas até Jake. A família Riordan tem um porão decorado que é basicamente o domínio de Jake. O cômodo é enorme, e eles instalaram uma mesa de sinuca, uma TV gigante e um monte de poltronas e sofás estofados então nossos amigos ficam de bobeira aqui mais do que em qualquer outro lugar. Como sempre, Jake está esparramado no maior sofá com um controle de Xbox na mão.

— Ei, gata. — Ele pausa o jogo e endireita o corpo quando me vê. — Como foi lá?

— Não foi bom — confesso, e começo a tremer.

O rosto de Jake está cheio de uma preocupação que eu não mereço. Ele fica de pé e tenta me puxar para me sentar ao seu lado, mas eu resisto dessa vez. Em vez disso, sento na poltrona ao lado do sofá.

— Acho que é melhor eu sentar aqui enquanto conto uma coisa.

Jake franze a testa. Ele volta a se sentar, na borda do sofá desta vez, com os cotovelos apoiados nos joelhos enquanto me encara intensamente.

— Você está me assustando, Ads.

— Está sendo um dia assustador — revelo, enquanto enrolo uma mecha de cabelo no dedo. Minha garganta está seca como poeira. — A detetive queria falar comigo porque acha que eu... Ela acha que todos nós que estivemos na detenção com Simon naquele dia... o matamos. A polícia acredita que colocamos óleo de amendoim de propósito na água para que ele morresse.

Enquanto as palavras saem, me ocorre que eu talvez não devesse falar sobre essa parte, mas estou acostumada a contar tudo para Jake.

Ele me encara, perplexo, e solta uma risada curta.

— Meu Deus, isso não tem graça, Addy. — Jake quase nunca me chama pelo nome.

— Não estou brincando. Eles acham que fizemos isso porque Simon estava prestes a publicar um post no Falando Nisso sobre nós quatro. Um post que contaria coisas horríveis que nunca queríamos ver reveladas. — Estou tentada a contar primeiro as outras fofocas para ele (*viu, não sou a única pessoa horrível!*), mas não conto. — Há uma coisa sobre mim no site, uma verdade, que tenho que contar a você. Eu devia ter contado quando aconteceu, mas fiquei assustada demais.

Encaro fixamente o chão, e meus olhos se concentram em um fio solto no tapete azul felpudo. Se eu o puxasse, aposto que a parte inteira se desfiaria.

— Continue — encoraja Jake, num tom que não consigo interpretar.

Meu Deus. Como meu coração pode estar disparado assim e eu ainda estar viva? Ele deveria ter irrompido do peito a esta altura.

— No fim do último ano letivo, quando você esteve em Cozumel com seus pais, eu esbarrei com TJ na praia. Nós tomamos uma garrafa de rum e acabamos ficando muito bêbados. Eu fui para a casa dele e, há, nós ficamos.

Lágrimas escorrem pelas minhas bochechas e pingam nas clavículas.

— Ficaram como? — pergunta Jake, categórico.

Eu hesito e imagino se há alguma forma de fazer com que a situação soe menos terrível do que é. Mas aí Jake repete "ficaram *como?*" com tanto vigor que as palavras saem de mim.

— Nós transamos. — Choro tanto que mal consigo colocar as palavras para fora. — Desculpe, Jake. Eu cometi um erro estúpido e horrível, e estou muito, muito arrependida.

Jake não diz nada por um minuto. Quando fala, sua voz sai gelada:

— Você está arrependida, né? Que ótimo. Está tudo bem então. Desde que você esteja *arrependida*.

— Estou mesmo — começo a falar, mas, antes que eu continue, Jake se levanta de supetão e esmurra a parede atrás dele.

Não consigo evitar o grito assustado que escapa de mim. O gesso racha e provoca uma chuva de pó branco no tapete azul. Jake balança o punho e soca a parede com mais força.

— *Porra*, Addy. Você trepa com meu amigo meses atrás, mente pra mim todo esse tempo e está *arrependida?* Qual é o seu problema? Eu te trato como uma *rainha*.

— Eu sei. — Choramingo ao olhar para as manchas de sangue que os nós dos dedos de Jake deixaram na parede.

— Você me deixou andar com um cara que está se acabando de rir pelas minhas costas enquanto você pula da cama dele para a minha, como se nada tivesse acontecido. Fingindo que se importa comigo, porra.

Jake quase nunca fala palavrão na minha frente, e se fala, pede desculpas depois.

— Eu me importo! Jake, eu te amo. Eu sempre te amei, desde a primeira vez que te vi.

— Então por que você fez isso? *Por quê?*

Eu me fiz essa pergunta por meses e não encontrei nenhuma resposta além de desculpas capengas. *Eu estava bêbada, foi uma estupidez, me senti insegura.* Acho que essa última é a mais próxima da verdade; anos não sendo suficiente finalmente cobraram seu preço.

— Cometi um erro. Faria qualquer coisa para consertá-lo. Se pudesse apagá-lo, eu o apagaria.

— Mas não dá para apagar, não é? — pergunta Jake. Ele fica em silêncio por um minuto, com a respiração acelerada. Não ouso dizer mais uma palavra. — Olhe para mim. — Eu mantenho a cabeça nas mãos o máximo possível. — *Olhe* para mim, Addy. Você me deve isso, porra.

Eu devo, sim, mas queria não dever. O rosto de Jake — aquele rosto lindo que eu amo desde antes de estar tão bonito quanto agora — está contorcido de raiva.

— Você arruinou tudo. Sabe disso, não sabe?

— Eu sei.

A resposta sai como um gemido, como se eu fosse um animal preso em uma armadilha. Se pudesse roer minha própria perna para escapar da situação, eu a roeria.

— Vá embora. Vá embora da minha casa, porra. Não consigo olhar pra você.

Não sei como subo as escadas, nem como saio porta afora. Assim que estou na entrada da garagem, fuço a mochila, tentando achar meu celular. Não há como ficar ali chorando enquanto espero por Ashton. Preciso andar até a Rua Clarendon e encontrá-la. Então, um carro do outro lado da rua buzina baixinho, e, no meio da confusão de lágrimas, eu vejo minha irmã baixar o vidro da janela.

Ashton faz uma expressão triste quando me aproximo.

— Imaginei que isso fosse acontecer. Vamos, entre. A mamãe está esperando por nós.

PARTE DOIS

PIQUE-ESCONDE

CAPÍTULO 10

Bronwyn
Segunda-feira, 1° de outubro, 7h30

Eu me apronto para o colégio na segunda-feira do mesmo jeito de sempre. De pé às seis, para poder correr por meia hora. Mingau de aveia com frutas silvestres e suco de laranja às seis e meia, um banho de dez minutos. Seco o cabelo, escolho as roupas, passo filtro solar. Dou uma olhada no *New York Times* por dez minutos. Verifico os e-mails, coloco livros na mochila e garanto que o celular esteja plenamente carregado.

A única coisa diferente é a reunião das sete e meia com minha advogada.

O nome dela é Robin Stafford, e, de acordo com meu pai, é uma advogada criminalista brilhante e muito bem-sucedida. Mas não é *superfamosa*. Não é o tipo de profissional automaticamente associada a ricos culpados tentando pagar para se livrar de alguma encrenca. Ela é pontual e me dá um sorriso afetuoso quando Maeve a conduz até a cozinha.

Eu não conseguiria dizer a idade da minha advogada ao olhar para ela, mas a biografia que meu pai me mostrou ontem à noite diz que Robin Stafford tem 41 anos. Ela usa um tailleur cor de creme que se destaca na pele negra, joias de ouro discretas e sapatos que parecem caros, mas não no nível Jimmy Choo.

A advogada se senta à ilha da cozinha, diante de meus pais e de mim.

— Bronwyn, é um prazer. Vamos conversar sobre o que você deve esperar hoje e como deve lidar com o colégio.

Claro. Porque esta é a minha vida agora. O colégio é uma coisa com a qual devo *lidar*.

Ela entrelaça as mãos diante de si.

— Não acredito que a polícia realmente ache que vocês quatro planejaram isso juntos, mas creio que eles esperam assustar e pressionar um de vocês a dar informações úteis. O que indica que a evidência que a polícia tem é frágil, na melhor das hipóteses. Se nenhum de vocês apontar culpados e as histórias se alinharem, eles não têm para onde levar esta investigação, e acredito que, no fim das contas, o caso será arquivado como morte acidental.

O torno que vinha apertando meu peito a manhã inteira se solta um pouco.

— Mesmo que Simon estivesse prestes a postar aquelas coisas horríveis sobre nós? E que haja todo aquele lance do Tumblr rolando?

Robin deu de ombros de maneira elegante.

— No fim das contas, aquilo não é nada além de fofocas e trolagem. Sei que vocês, jovens, levam isso a sério, mas no mundo legal as postagens não significam nada, a não ser que provas concretas surjam para corroborá-las. A melhor coisa que você pode fazer é não falar sobre o caso. Certamente não com a polícia, mas também não com a administração do colégio.

— E se eles perguntarem?

— Diga que você arrumou uma advogada e não pode responder a perguntas sem ela estar presente.

Eu me imaginei tendo essa conversa com a diretora Gupta. Não sei o que o colégio ouviu falar do caso, mas exercer meu direito constitucional de ficar calada seria tremendamente suspeito.

— Você é amiga dos outros jovens que estavam na detenção naquele dia? — pergunta Robin.

— Não exatamente. Eu e Cooper temos algumas aulas juntos, mas...

— Bronwyn. — Minha mãe interrompe com frieza na voz. — Você é tão amiga de Nate Macauley que ele apareceu aqui ontem à noite. Pela *terceira* vez.

Robin se endireita na cadeira, e eu fico corada. Esse foi um grande tópico de discussão na noite passada após meu pai ter feito Nate ir embora. Papai achou que ele se aproximou do nosso endereço de uma forma meio sinistra, então eu tive que dar algumas explicações.

— Por que Nate esteve aqui três vezes, Bronwyn? — pergunta Robin, com um ar interessado e educado.

— Não é nada demais. Ele me deu carona para casa no dia que Simon morreu. Depois passou aqui na sexta-feira para ficar de papo por um tempo. E não sei o que ele veio fazer ontem à noite, já que ninguém me deixou falar com ele.

— É o "ficar de papo" enquanto seus pais não estão em casa que me perturba... — começa a falar minha mãe, mas Robin a interrompe.

— Bronwyn, qual é a natureza do seu relacionamento com Nate?

Eu não faço ideia. Talvez você pudesse me ajudar a analisá-lo? Isso faz parte do seu serviço?

— Eu mal o conheço. Não falava com ele há anos antes da semana passada. Estamos os dois nesta situação esquisita e... ajuda estar cercado de outras pessoas que estão passando pela mesma coisa.

— Recomendo manter distância dos demais — aconselha Robin, que ignora o olhar feio da mamãe na minha direção. — Não há necessidade de fornecer mais munição para as teorias da polícia. Se seu celular e e-mail forem examinados, eles mostrarão comunicações recentes com esses outros três estudantes?

— Não — respondo sinceramente.

— Isso é uma ótima notícia. — Ela dá uma olhadela para o relógio, um fino Rolex de ouro. — Bem, por ora, é tudo que podemos abordar se você quiser chegar ao colégio na hora, que é o que deve fazer. Tudo como de costume. — Robin me dá aquele sorriso afetuoso novamente. — Vamos conversar mais detalhadamente depois.

Eu me despeço dos meus pais, sem conseguir encará-los, e chamo Maeve enquanto pego as chaves do Volvo. Passo o trajeto inteiro me preparando para que algo horrível aconteça assim que chegarmos ao colégio, mas está tudo estranhamente normal. Não há policiais esperando por mim. Ninguém está me olhando de maneira diferente do que eles vêm fazendo desde que saiu a primeira postagem no Tumblr.

Ainda assim, só estou meio atenta ao falatório de Kate e Yumiko após a chamada, e meus olhos vasculham o corredor. Só há uma pessoa com quem quero falar, embora seja exatamente de quem eu deveria me manter longe.

— Vejo vocês mais tarde, ok? — murmuro, e intercepto Nate após ele entrar na escada dos fundos.

Se Nate está surpreso em me ver, não demonstra.

— Bronwyn. Como vai a família?

Eu me apoio na parede ao lado de Nate e abaixo a voz.

— Quero me desculpar por meu pai ter feito você ir embora ontem à noite. Ele está meio surtado com tudo isso.

— Não é à toa. — Nate abaixa a voz também. — Você já foi revistada?

Arregalo os olhos, e ele dá uma risada cruel.

— Não imaginei que fosse. Eu fui. Você provavelmente não deveria estar falando comigo, certo?

Eu não consigo evitar olhar ao redor para a escadaria vazia. Já estou paranoica, e Nate não está ajudando. Eu tenho que continuar me lembrando que nós, aliás, não conspiramos para cometer nenhum assassinato.

— Por que você foi me visitar?

Os olhos de Nate vasculham os meus, como se ele estivesse prestes a dizer algo profundo sobre a vida e a morte e a presunção de inocência.

— Ia pedir desculpas por ter roubado o menino Jesus de você.

Eu recuo um pouco. Não faço ideia do que ele está falando. Nate está fazendo alguma espécie de alegoria religiosa?

— O quê?

— No Auto de Natal do quarto ano, no São Pio. Roubei Jesus, e você teve que carregar uma bolsa embrulhada num cobertor. Desculpe por aquilo.

Olho estupefata para ele por um segundo, enquanto a tensão sai de mim e me deixa de corpo mole e ligeiramente tonta. Dou um soco no ombro de Nate, que leva um susto tão grande que chega a rir.

— Eu sabia que tinha sido você. Por que fez aquilo?

— Pra te tirar do sério. — Ele sorri para mim, e, por um segundo, eu esqueço tudo, a não ser o fato de que Nate Macauley ainda tem um sorriso adorável. — E também queria falar com você sobre… tudo isso. Mas acho que é tarde demais. Você já deve estar com advogado a essa altura, certo?

O sorriso dele desaparece.

— Sim, mas… eu quero falar com você também.

Toca o sinal, e puxo o telefone. Depois me lembro de Robin ter perguntado sobre registros de comunicação entre nós quatro, e enfio o aparelho de volta na mochila. Nate percebe o gesto e solta outro riso sem graça.

— É, trocar números é uma ideia de merda. A não ser que você queira usar isso.

Ele enfia a mão na mochila e me entrega um celular de flip, que eu pego cautelosamente.

— O que é isso?

— Um telefone reserva. Eu tenho alguns.

Passo o polegar pela capa e me vem a ideia do possível uso do celular, e Nate acrescenta rapidamente:

— É um telefone novo. Ninguém vai ligar para ele ou coisa do gênero. Mas eu tenho o número. Vou te ligar. Você pode atender ou não. É com você. — Ele faz uma pausa e acrescenta: — Só não deixe, tipo, o aparelho por aí. Se eles conseguirem um mandado para confiscar seu telefone e computador, isto é tudo que eles podem tocar. Não podem vasculhar a casa inteira.

Tenho certeza de que minha advogada caríssima me diria para não aceitar conselhos legais vindos de Nate Macauley. E ela provavelmente teria algo a comentar sobre o fato de que ele tem um estoque aparentemente inesgotável dos mesmos telefones descartáveis que nos levaram à detenção na semana passada. Mas eu coloco o aparelho na mochila mesmo assim.

Cooper
Segunda-feira, 1° de outubro, 11h

É quase um alívio estar no colégio. Melhor do que ficar em casa, onde o Pai passou horas reclamando que Simon é mentiroso, que a polícia é incompetente, que o colégio devia estar respondendo por causa dessa situação e que os advogados vão custar uma fortuna que não temos.

Ele não perguntou se nada daquilo era verdade.

Estamos em um limbo esquisito agora. Tudo é diferente, mas parece a mesma coisa. A não ser por Jake e Addy, que estão andando por aí, como se quisessem matar e morrer, respectivamente. Bronwyn me dá o sorriso menos convincente de todos os tempos no corredor, com lábios tão franzidos que quase desaparecem. Não vi Nate em lugar algum.

Todos estamos esperando que algo aconteça, eu suponho.

Depois da aula de educação física, algo acontece, mas não tem nada a ver comigo. Meus amigos e eu estamos a caminho do vestiário após jogar futebol, ficando para trás de todo mundo, e Luis não para de falar sobre uma caloura nova de quem ele não tira o olho. O professor de educação física abre a porta para deixar um bando de moleques entrar, quando Jake subitamente gira o corpo, pega TJ pelo ombro e dá um soco no seu rosto.

É claro. O "TF" no Falando Nisso é TJ Forrester. A falta do *J* me confundiu.

Eu seguro os braços de Jake e o puxo para trás antes que ele consiga dar outro soco, mas Jake está tão furioso que quase escapa de mim antes de Luis vir ajudar. Mesmo assim, nós dois mal conseguimos contê-lo.

— Seu *babaca* — vocifera Jake para TJ, que cambaleia, mas não cai.

TJ leva a mão ao nariz arruinado, que sangra e provavelmente está quebrado. Ele não faz esforço algum para revidar.

— Jake, pare com isso, cara — digo, enquanto o professor de educação física corre até nós. — Você vai ser suspenso.

— Vale a pena — retruca Jake, com amargura.

Então, em vez de a grande notícia de hoje ser sobre Simon, é sobre Jake Riordan ter sido mandado para casa por ter socado TJ Forrester depois da aula de educação física. E, como Jake se recusou a falar com Addy antes de ir embora, e ela está praticamente às lágrimas, todo mundo tem certeza do motivo.

— Como ela pôde fazer isso? — murmura Keely na fila do almoço, enquanto Addy arrasta os pés, como uma sonâmbula.

— Nós não sabemos a história toda — saliento.

Acho que é uma boa Jake não estar aqui, uma vez que Addy se senta conosco durante o almoço, como sempre. Não sei se ela teria coragem, caso contrário. Mas Addy não fala com ninguém, e ninguém fala com ela. Eles deixam isso bem claro. Vanessa, que sempre foi a mais venenosa do grupo, dá as costas para Addy quando ela se senta ao seu lado. Até mesmo Keely não faz nenhum esforço em incluir Addy na conversa.

Bando de hipócritas. Luis apareceu no aplicativo de Simon pela mesma merda, e Vanessa tentou bater uma punheta para mim numa festa à beira da piscina no mês passado, então, os dois não deveriam estar julgando ninguém.

— Como vai, Addy? — pergunto, e ignoro os olhares feios do restante da mesa.

— Não seja educado, Cooper. — Ela mantém a cabeça baixa, e a voz tão miúda que mal consigo escutá-la. — É pior se a pessoa for educada.

— Addy. — Toda a frustração e medo que venho sentindo entram na minha voz, e, quando ela ergue o olhar, uma onda de compreensão passa por nós. Há um milhão de coisas que deveríamos estar conversando, mas não podemos dizer nenhuma delas. — Vai ficar tudo bem.

Keely põe a mão no meu braço e pergunta:

— O que *você* acha?

E me dou conta de que perdi uma conversa inteira.

— Sobre o quê?

Ela me balança levemente.

— Sobre o Halloween! Quem nós vamos ser na festa de Vanessa?

Estou desorientado, como se eu tivesse acabado de ser jogado dentro de um reluzente mundo de videogame, onde tudo é muito brilhante e eu não compreendo as regras.

— Cruzes, Keely, sei lá. Qualquer coisa. O Halloween é quase daqui a um mês.

Olivia estala a língua em desaprovação.

— Bem típico dos homens. Vocês não fazem ideia de como é difícil encontrar uma fantasia que seja sexy, mas não seja de vadia.

Luis mexe as sobrancelhas na direção dela.

— Vá de vadia, então — sugere ele, e Olivia dá um soco em seu braço.

O refeitório está abafado demais, quase quente, e eu seco a testa úmida enquanto troco outro olhar com Addy. Keely me cutuca.

— Me dá o seu telefone.

— O quê?

— Quero ver aquela foto que tiramos na semana passada, em Seaport Village? A mulher no vestido com franjas. Ela estava fantástica. Talvez eu consiga fazer algo parecido.

Eu dou de ombros, pego o telefone, desbloqueio e passo para ela. Keely aperta meu braço ao abrir as fotos.

— Você ficaria muito gato num daqueles ternos de mafioso.

Ela passa o celular para Vanessa, que solta um "ohhh!" emocionado e exagerado. Addy empurra a comida no prato sem nunca levar o garfo à boca, e estou prestes a perguntar se ela quer que eu pegue outra coisa qualquer quando meu telefone toca.

Vanessa fica com o celular e dá um muxoxo de desdém:

— Quem resolve ligar durante o *almoço*? Todo mundo que você conhece já está aqui! — Ela olha para a tela e depois para mim. — Ah, Cooper. Quem é *Kris*? Será que Keely tem que ficar com ciúmes?

Eu demoro a responder por alguns segundos, depois respondo rápido demais:

— Só, há, um cara que conheço. Do beisebol.

Meu rosto inteiro fica quente e irritadiço quando pego o telefone da mão de Vanessa e mando a ligação para a caixa postal. Queria muito atendê-la, mas agora não é o momento.

Ela ergue a sobrancelha.

— Um cara que se chama *Chris* com um *K*?

— É. Ele é… alemão.

Meu Deus. Pare de falar. Coloco o telefone no bolso e me volto para Keely cujos lábios estão ligeiramente abertos, como se estivesse prestes a fazer uma pergunta.

— Eu ligo para ele depois. Então, um vestido de franjas, hein?

Estou prestes a ir para casa após o último sinal quando o treinador Ruffalo me para no saguão.

— Você não se esqueceu da nossa reunião, certo?

Bufo de frustração porque sim, me esqueci. O Pai está saindo mais cedo do trabalho para nos reunirmos com um advogado, mas meu treinador quer falar sobre o recrutamento universitário. Estou dividido, porque tenho certeza de que o Pai gostaria que eu fosse às duas reuniões ao mesmo tempo. Como não é possível, eu acompanho o treinador Ruffalo e calculo que será rápido. O gabinete dele é próximo ao ginásio e tem cheiro de vinte anos de atletas passando por ali. Em outras palavras, não cheira bem.

— Meu telefone não para de tocar por sua causa, Cooper — diz o técnico, enquanto me sento diante dele, numa cadeira torta de metal que range com meu peso. — A UCLA, Louisville e Illinois estão oferecendo bolsas de estudos integrais. Estão exigindo um comprometimento para novembro, embora eu tenha respondido que não dá para você tomar uma decisão antes da primavera. — Ele nota a minha expressão e acrescenta: — É bom manter opções abertas. Obviamente, o recrutamento pela liga profissional é uma possibilidade real, mas, quanto mais interesse houver em nível universitário, mais atraente você será para os grandes times.

— Sim, senhor.

Não é com a estratégia de recrutamento que estou preocupado. É como essas universidades reagirão se o lance no aplicativo de Simon for revelado. Ou se toda essa situação degringolar e eu continuar a ser investigado pela polícia. Será que todas essas ofertas vão sumir ou sou inocente até que provem o contrário? Não sei se devo falar tudo isso para o treinador Ruffalo.

— É só que... é meio difícil organizar todas as ofertas.

Ele pega uma pilha de papéis grampeados e sacode para mim.

— Eu fiz isso por você. Aqui está uma lista de cada universidade com quem mantive contato e a oferta atual. Destaquei aquelas que acho que se encaixam melhor ou que serão mais impressionantes para os grandes times. Eu não colocaria necessariamente a Universidade Estadual da Califórnia ou sua filial de Santa Barbara na lista de candidatos, mas ambas são locais e estão oferecendo visitações às instalações. Se você quiser marcar em algum fim de semana, me avise.

— Ok. Eu... eu tenho alguns lances de família, então, talvez fique meio ocupado por um tempo.

127

— Claro, claro. Sem pressa, sem pressão. Tudo depende de você, Cooper.

As pessoas sempre dizem isso, mas não parece verdade. Sobre nada.

Eu agradeço e vou para o corredor quase vazio. Estou com o telefone na mão e a lista na outra, e estou tão perdido em meus pensamentos enquanto olho para os dois que quase atropelo alguém no caminho.

— Foi mal — me desculpo ao perceber a figura frágil que abraça uma caixa. — Hã... ei, Sr. Avery. Precisa de ajuda para carregar isso?

— Não, obrigado, Cooper.

Eu sou bem mais alto do que ele e, quando olho para baixo, não vejo nada além de pastas na caixa. Acho que consigo levá-las. O Sr. Avery franze os olhos lacrimosos quando vê meu telefone.

— Eu não gostaria de interromper suas *mensagens*.

— Eu estava apenas... — Paro de falar, uma vez que explicar que estou atrasado para a reunião com o advogado não vai me render pontos.

O Sr. Avery funga o nariz e ajusta a pegada na caixa.

— Eu não compreendo vocês, jovens. Tão obcecados com suas telas e *fofocas*.

Ele faz uma careta, como se a palavra tivesse um gosto ruim, e não sei o que dizer. Será que ele está falando de Simon? Imagino se a polícia se deu ao trabalho de interrogá-lo neste fim de semana, ou se ele foi desqualificado por não ter um motivo. Que eles saibam, de qualquer forma.

O Sr. Avery se sacode, como se também não soubesse do que está falando.

— Deixe para lá. Se me dá licença, Cooper.

Tudo que ele tem a fazer para passar por mim é dar um passo para o lado, mas acho que este trabalho é meu.

128

— Certo — digo ao sair do caminho.

Vejo-o arrastar os pés pelo corredor, e decido deixar minhas coisas no armário e ir para o carro. Já estou bastante atrasado, na verdade.

Estou parado no semáforo vermelho antes da minha casa quando o telefone apita. Eu baixo os olhos esperando ler uma mensagem de Keely, porque, de alguma forma, acabei prometendo que nos veríamos hoje à noite para planejar as fantasias de Halloween. Mas é uma mensagem da minha mãe.

Encontre conosco no hospital. A Vovó teve um ataque cardíaco.

CAPÍTULO 11

Nate
Segunda-feira, 1° de outubro, 23h50

Dei várias ligações para os meus fornecedores, na manhã de hoje, para contar que ficarei inativo por um tempo. Depois joguei fora aquele telefone. Ainda tenho alguns. Eu geralmente pago em dinheiro por um monte de celulares no Walmart e alterno entre eles por alguns meses, antes de substituí-los.

Então, após assistir ao máximo de filmes japoneses de horror que consigo aguentar e já ser quase meia-noite, eu pego um novo aparelho e ligo para aquele que dei para Bronwyn. Ele toca seis vezes antes de ela atender nervosa à beça.

— Alô?

Fico tentado a disfarçar a voz e perguntar se posso comprar um saco de heroína para zoar com Bronwyn, mas ela provavelmente jogaria o telefone fora e jamais falaria comigo de novo.

— Ei.

— Está tarde — diz Bronwyn, em tom de acusação.

— Você estava dormindo?

— Não — admite ela. — Não consigo.

— Nem eu.

Nenhum de nós diz alguma coisa por um minuto. Estou esparramado na cama com dois travesseiros finos atrás de mim, olhando fixamente para a imagem pausada na tela de créditos em japonês. Eu desligo o filme e navego pelo guia de programação.

— Nate, você se lembra da festa de aniversário de Olivia Kendrick no quinto ano?

Eu me lembro, sim. Foi a última festa de aniversário no São Pio a que fui na vida, antes de meu pai me tirar do colégio porque nós não podíamos mais pagar. Olivia convidou a turma inteira e fez uma caça ao tesouro no quintal e no bosque dos fundos. Bronwyn e eu estávamos na mesma equipe, e ela encarou as pistas como se fosse um emprego e estivesse atrás de uma promoção. Vencemos, e nós cinco ganhamos um cartão de vale-presente de 25 dólares da loja do iTunes.

— Sim.

— Acho que aquela foi a última vez que nos falamos antes de tudo isso.

— Talvez.

Eu me lembro melhor do que Bronwyn imagina, provavelmente. No quinto ano, meus amigos começaram a notar as garotas, e, em dado momento, todos eles tiveram namoradas por, tipo, uma semana. Uma bobagem de criança onde eles chamavam uma menina para sair, ela dizia sim, e depois eles se ignoravam. Enquanto andávamos pelo bosque de Olivia, eu vi o rabo de cavalo de Bronwyn balançando na minha frente e imaginei o que ela diria se eu a pedisse em namoro. Só que não fiz isso.

— Para onde você foi depois do São Pio? — pergunta ela.

— Granger.

O São Pio durou até o oitavo ano, então, só fui estar novamente no mesmo colégio de Bronwyn no ensino médio. Àquela altura, ela já tinha virado uma das melhores alunas da escola.

Bronwyn faz uma pausa, como se esperasse que eu continuasse, e dá uma risadinha.

— Nate, por que você me ligou se só vai dar respostas monos-silábicas para tudo?

— Talvez você não esteja fazendo as perguntas certas.

— Ok. — Outra pausa. — Você fez aquilo?

Não preciso perguntar o que ela quer dizer.

— Sim e não.

— Você terá que ser mais específico.

— Sim, eu vendi drogas durante a liberdade condicional *por* vender drogas. Não, não coloquei óleo de amendoim no copo de Simon Kelleher. Você?

— Mesma coisa — diz Bronwyn baixinho. — Sim e não.

— Então você roubou o teste?

— Sim.

A voz dela treme, e, se Bronwyn começar a chorar, eu não sei o que farei. Vou fingir que a ligação caiu, talvez. Mas ela se controla e continua:

— Estou realmente envergonhada. E com muito medo de que as pessoas descubram.

Bronwyn parece toda preocupada mesmo, então eu não deve-ria rir, mas não consigo evitar.

— Pelo visto você não é perfeita. E daí? Bem-vinda ao mundo de verdade.

— Eu conheço o mundo de verdade. — A voz dela é fria. — Eu não vivo numa bolha. Estou arrependida pelo que fiz, só isso.

Bronwyn provavelmente está arrependida sim, mas essa não é a verdade completa. A realidade é mais confusa do que isso. Ela teve meses para confessar se realmente estivesse atormentada pelo que fez, mas não confessou. Não sei por que é tão difícil para as pessoas admitirem que, às vezes, são simplesmente babacas que fazem merda porque não esperam ser descobertas.

— Você parece mais preocupada com o que os outros vão pensar — digo.

132

— Não há nada de errado em se preocupar com o que os outros pensam. Isso mantém a pessoa longe de viver em *liberdade condicional*.

Meu telefone principal apita. Ele está ao lado da cama, na mesinha de cabeceira arranhada que cambaleia toda vez que toco nela porque está sem a pontinha de uma perna e sou preguiçoso demais para consertá-la. Eu rolo para ler uma mensagem de Amber: *Tá a fim?* Estou prestes a dizer para Bronwyn que tenho que ir quando ela suspira.

— Foi mal. Golpe baixo. É só que... é mais complicado do que isso, para mim. Eu desapontei meus pais, mas é pior para o meu pai. Ele está sempre lutando contra os estereótipos porque não é daqui. Ele construiu esta grande reputação, e eu posso arruinar tudo com uma única jogada imbecil.

Estou prestes a contar para ela que ninguém pensa assim. A família dela parece bem intocável do meu ponto de vista. Mas acho que todo mundo tem que lidar com problemas, e eu não conheço os dela.

— De onde seu pai é? — pergunto em vez disso.

— Ele nasceu na Colômbia, mas se mudou para cá aos 10 anos.

— E sua mãe?

— Ah, a família dela está aqui desde sempre. Quarta geração de irlandeses ou algo assim.

— A minha também — digo. — Mas minha reputação indo por água abaixo não surpreende ninguém.

Bronwyn suspira.

— Isto é surreal, não é? Que alguém possa imaginar que um de nós realmente *matou* Simon.

— Você está acreditando na minha palavra? — pergunto. — Estou em *liberdade condicional*, lembra?

— É, mas eu estava lá quando você tentou ajudar Simon. Teria que ser um ator muito bom para fingir aquilo.

— Se sou suficientemente sociopata para matar Simon, eu posso fingir qualquer coisa, certo?

— Você não é um sociopata.

— Como você sabe? — provoco como se estivesse zoando, mas realmente quero saber a resposta.

Sou o cara que foi revistado. *O desajustado e o bode expiatório óbvio disso tudo*, como a agente Lopez deixou claro. Alguém que mente sempre que é conveniente e que faria isso num piscar de olhos para salvar a própria pele. Não sei como tudo isso vira confiança para alguém com quem não falo há seis anos.

Bronwyn não responde imediatamente, e eu paro de navegar na programação ao encontrar o Cartoon Network para ver um trechinho de um programa novo qualquer com um moleque e uma cobra. Não parece promissor.

— Eu me lembro de como você costumava cuidar de sua mãe — diz ela, finalmente. — Quando ela aparecia no colégio e agia… você sabe. Como se estivesse doente ou algo assim.

Como se estivesse doente ou algo assim. Acho que Bronwyn talvez esteja se referindo à ocasião em que minha mãe gritou com a irmã Flynn durante a reunião de pais e responsáveis, e acabou arrancando todos os nossos desenhos das paredes. Ou à forma como ela chorava no meio-fio enquanto esperava para me pegar após o treino de futebol. Tem muita coisa para escolher.

— Eu realmente gostava da sua mãe — revela Bronwyn, com hesitação, quando não respondo. — Ela costumava falar comigo como se eu fosse adulta.

— Minha mãe falava palavrões para você, quer dizer — falo, e Bronwyn ri.

— Sempre pensei que era mais como se ela estivesse falando palavrões *comigo*.

Algo na forma como Bronwyn diz isso me afeta. Como se ela conseguisse enxergar a pessoa embaixo de toda aquela merda.

— Minha mãe gostava de você.

Penso sobre Bronwyn na escada hoje, com o cabelo ainda naquele rabo de cavalo reluzente e o rosto radiante. Como se tudo fosse interessante e valesse sua atenção. *Se minha mãe estivesse aqui, ela gostaria de você agora.*

— Sua mãe costumava me dizer… — Bronwyn faz uma pausa. — Ela disse que você só me provocava tanto porque era a fim de mim.

Eu dou uma olhadela para a mensagem de Amber, ainda sem resposta.

— Talvez eu fosse. Não me lembro.

Como eu disse. Minto sempre que é conveniente.

Bronwyn fica quieta por um minuto.

— Eu tenho que ir. Vou tentar dormir um pouco.

— É. Eu também.

— Acho que veremos o que acontece amanhã, né?

— Acho que sim.

— Bem, tchau. E, hã, Nate? — Ela fala rapidamente, com pressa. — Eu era a fim de *você* naquela época. Se é que essa informação vale de alguma coisa. Não deve valer de nada, provavelmente. Mas, de qualquer forma, para você saber. Então, boa noite.

Depois que Bronwyn desliga, eu coloco o celular na mesinha de cabeceira e pego o outro. Releio a mensagem de Amber e digito *Chega aí.*

Bronwyn é ingênua se acha que sou mais complexo do que aparento ser.

Addy
Quarta-feira, 3 de outubro, 7h50

Ashton continua me obrigando a ir ao colégio. Minha mãe não está nem aí. Segundo ela, eu arruinei todas as nossas vidas, então, não importa muito o que eu faça. Minha mãe não fala essas palavras exatamente, mas estão impressas no seu rosto sempre que olha para mim.

— Cinco mil dólares só para falar com um advogado, Adelaide — reclama ela comigo, durante o café da manhã na quarta-feira. — Espero que você saiba que esse dinheiro está saindo da sua poupança para a faculdade.

Eu reviraria os olhos se tivesse forças. Nós duas sabemos que eu não tenho uma poupança para a faculdade. Ela ficou pendurada no telefone com meu pai em Chicago há dias, enchendo o saco dele pelo dinheiro. Meu pai não tem muita grana sobrando, graças à sua segunda família, mais jovem, porém provavelmente vai mandar pelo menos metade do valor para calar a boca da minha mãe e se sentir bem por ser um pai participativo.

Jake continua sem falar comigo, e sinto tanta falta dele que parece que uma explosão nuclear abriu um buraco em mim e não deixou nada além de cinzas flutuando dentro de ossos quebradiços. Mandei dezenas de mensagens que não estão apenas sem resposta; estão sem visualização. Ele me excluiu do Facebook e deixou de me seguir no Instagram e no Snapchat. Está fingindo que não existo, e começo a achar que ele tem razão. Se não sou a namorada de Jake, quem sou eu?

Ele deveria ter ficado suspenso a semana inteira por bater em TJ, mas os pais armaram uma confusão, argumentando que a morte de Simon deixou todo mundo nervoso, então, pelo visto Jake volta hoje. A ideia de vê-lo me deixa tão enjoada que decidi ficar em casa. Ashton teve que me arrancar da cama. Ela está ficando conosco indefinidamente, por enquanto.

— Você não vai definhar e morrer por causa disso, Addy — diz Ashton, em tom de sermão, enquanto me empurra para o banho. — Ele não vai te apagar do mundo. Meu Deus, você cometeu um erro idiota. Não é como se você tivesse assassinado alguém.

Ela dá uma risadinha sarcástica e acrescenta:

— Bem, acho que isso ainda resta saber.

Ah, o humor ácido em nossa casa agora. Quem imaginava que as irmãs Prentiss tinham talento para serem sequer um pouco engraçadas?

Ashton me leva de carro ao Colégio Bayview e me deixa na entrada.

— Mantenha a cabeça erguida — aconselha ela. — Não permita que aquele controlador hipócrita te deixe deprimida.

— Cruzes, Ash. Eu realmente traí Jake, sabe. Ele não está sem razão.

Ela franze bem os lábios.

— Ainda assim.

Saio do carro e tento reunir coragem para enfrentar o dia. O colégio costumava ser tão fácil. Eu fazia parte de tudo sem sequer me esforçar. Agora mal me seguro na beirada de quem eu era, e, quando vejo um reflexo em uma janela, eu mal reconheço a garota que devolve o olhar. Ela está usando as minhas roupas — o tipo de top colante e calças jeans justas que Jake gosta —, mas o rosto encovado e o olhar sem vida não combinam com o visual.

Meu cabelo pelo menos está um escândalo. Só isso conta a meu favor.

Apenas uma pessoa parece estar pior do que eu no colégio: Janae. Ela deve ter perdido 5 quilos desde que Simon morreu, e sua pele está horrível. O rímel escorre o tempo todo, então, creio que ela chora no banheiro entre as aulas tanto quanto eu. É surpreendente que a gente não tenha se esbarrado ainda.

Assim que entro no corredor, vejo Jake no armário dele. Fico pálida e tão zonza que chego a cambalear ao andar na sua direção. A expressão dele é calma e preocupada enquanto gira o segredo da tranca. Por um segundo, torço para que tudo fique bem, que o tempo longe do colégio tenha ajudado Jake a se acalmar e me perdoar.

— Oi, Jake — cumprimento.

O rosto dele muda instantaneamente: de neutro para furioso. Ele escancara a porta do armário com uma expressão de desprezo, retira um monte de livros e o enfia na mochila. Depois bate a porta, coloca a mochila nos ombros e me dá as costas.

— Você algum dia vai voltar a falar comigo? — pergunto.

Minha voz está miúda, ofegante. Patética.

Jake se vira e me lança um olhar tão cheio de ódio que dou um passo para trás.

— Não se eu puder evitar.

Não chore. Não chore. Todo mundo está me olhando quando Jake vai embora. Eu percebo Vanessa dando um sorrisinho irônico a alguns armários de distância. Ela está *adorando* esta situação. Como pude algum dia pensar que Vanessa era minha amiga? Ela provavelmente vai correr atrás de Jake em breve, se é que já não o fez. Tropeço na frente do meu próprio armário e estendo a mão até a tranca. Levo alguns segundos para que as letras escritas com marcador preto façam sentido.

PUTA.

Risadas abafadas me cercam enquanto meus olhos acompanham o traço que corta o *A.* É um garrancho distinto e torto. Eu fiz dezenas de pôsteres pedindo apoio para os Bayview Wildcats com Vanessa e impliquei com os *As* esquisitos que ela faz. Vanessa nem tentou esconder. Acho que ela queria que eu soubesse.

Eu me esforço para andar, e não correr, até o banheiro mais próximo. Há duas garotas paradas diante do espelho, ajeitando a maquiagem, e eu passo correndo por elas até a última cabine. Desmorono no vaso sanitário e choro em silêncio, com a cabeça enfiada nas mãos.

O primeiro sinal toca, mas fico onde estou, com lágrimas descendo pelas bochechas até que acabem. Abraço meus joelhos e abaixo a cabeça. Permaneço imóvel quando o segundo sinal toca e as garotas entram e saem do banheiro novamente. Trechos de conversas flutuam pelo ambiente, e, sim, alguns são sobre mim. Eu enfio os dedos nos ouvidos e tento não escutar.

No meio do terceiro período, eu me desenrosco e fico de pé. Destranco a porta da cabine, vou ao espelho e afasto o cabelo do rosto. O rímel foi embora, mas estou ali há tanto tempo que meus olhos não estão mais inchados. Encaro o reflexo e tento reorganizar as ideias espalhadas. Não posso lidar com as aulas hoje. Eu poderia ir à sala da enfermeira e alegar que estou com dor de cabeça, mas não me sinto à vontade lá agora que sou suspeita de ter roubado as canetas de adrenalina. Isso só me deixa com uma opção: sair daqui e ir para casa.

Estou na escada dos fundos com a mão na porta quando passos pesados martelam os degraus. Eu me viro e vejo TJ Forrester descendo; seu nariz ainda está inchado, fazendo par com um olho roxo. Ele para quando me vê, a mão segurando firme o corrimão.

— Ei, Addy.

— Você não deveria estar na aula?

— Tenho consulta com o médico. — TJ coloca a mão no nariz e faz uma careta. — Talvez eu esteja com desvio de septo.

— É bem feito. — As palavras amargas saem antes que eu consiga detê-las.

TJ fica boquiaberto, depois fecha a boca, e o pomo de Adão sobe e desce.

— Eu não contei nada para Jake, Addy. Juro por Deus. Eu não queria que o segredo vazasse tanto quanto você. Isso também ferrou com tudo para mim. — Ele toca no nariz delicadamente.

Eu não estava pensando em Jake, na verdade; estava pensando em Simon. Mas é claro que TJ não saberia nada a respeito das postagens não publicadas. Como Simon soube, então?

— Nós éramos as únicas duas pessoas ali — insisto. — Você deve ter contado para *alguém*.

TJ balança a cabeça e faz uma careta, como se o movimento doesse.

— A gente estava se beijando numa praia pública antes de ir para a minha casa, lembra? Qualquer pessoa podia ter nos visto.

— Mas elas não teriam como saber...

Eu me interrompo porque me dou conta de que o post de Simon nunca disse que eu e TJ transamos. Ele apenas *insinuou*, com muita ênfase, mas só. Talvez eu tenha confessado demais. A ideia me enoja, embora eu não tenha certeza se conseguiria ter contado apenas uma meia verdade para Jake, de qualquer forma. Ele teria arrancado a verdade de mim, com o tempo.

TJ olha para mim com arrependimento nos olhos.

— Sinto muito que esta situação seja uma merda tão grande para você. Se serve de consolo, acho que Jake está sendo um babaca. Mas eu realmente não contei para ninguém. — Ele põe a mão no coração. — Juro pelo túmulo do meu avô. Sei que isso não significa nada para você, mas para mim, sim.

Eu finalmente concordo com a cabeça, e ele solta um longo suspiro e pergunta:

— Aonde você está indo?

— Para casa. Não aguento mais ficar aqui. Todos os meus amigos me odeiam. — Não sei por que estou contando isso a ele, tirando o fato de que não tenho mais ninguém para quem contar. — Duvido que sequer me deixem sentar com eles agora que Jake voltou.

É verdade. Cooper está fora hoje, foi visitar a avó doente e, provavelmente, foi encontrar com o advogado (embora ele não

140

tenha dito isso). Com a ausência de Cooper, ninguém vai ousar enfrentar a ira de Jake. Nem sequer querer fazer isso.

— Eles que se danem. — TJ me dá um sorriso torto. — Se seus amigos ainda estiverem sendo babacas amanhã, venha se sentar comigo. Já que querem falar, vamos dar um motivo a eles.

Isso não deveria me fazer sorrir, mas quase sorrio.

CAPÍTULO 12

Bronwyn
Quinta-feira, 4 de outubro, 12h20

Fui atraída por uma falsa sensação de complacência.

Acontece, eu acho, mesmo durante a pior semana da sua vida. Coisas horríveis e impactantes se empilham em cima da pessoa até ela estar prestes a sufocar e então... elas param. E, como mais nada acontece, a pessoa então começa a relaxar e pensa que está fora de perigo.

Esse é um erro de principiante que me dá um tapa na cara na quinta-feira durante o almoço, quando o falatório geralmente baixo do refeitório subitamente cresce e ganha corpo. A princípio, eu olho em volta, interessada, como qualquer um ficaria, e me pergunto por que todo mundo de repente pegou os celulares. Mas, antes que eu pegue o meu, noto as cabeças virando na minha direção.

— Ah.

Maeve é mais rápida do que eu, e seu leve suspiro ao examinar o celular está tão carregado de dó que perco as esperanças. Ela morde o lábio inferior e franze a testa.

— Bronwyn. É, há, outro Tumblr. Sobre... bem. Aqui.

Eu pego o telefone dela com o coração disparado e leio as mesmíssimas palavras que o Detetive Mendoza me mostrou no domingo, após o funeral de Simon. *Esta é a primeira vez na história deste aplicativo que a boazinha BR, detentora do mais perfeito histórico escolar do colégio, aparece por aqui.*

Está tudo ali. As menções a cada um de nós não publicadas por Simon, com um comentário adicional no rodapé:

Vocês acham que eu estava brincando a respeito de ter matado Simon? Leiam e chorem, molecada. Todo mundo na detenção com Simon na semana passada tinha um motivo muito especial para querer vê-lo morto. Prova A: a postagem acima, que ele estava prestes a publicar no Falando Nisso.

Agora eis o dever de casa: liguem os pontos. Será que está todo mundo mancomunado ou alguém está no controle? Quem é o manipulador e quem são as marionetes?

Vou dar uma pista para vocês começarem: todo mundo está mentindo.

Valendo!

Ergo os olhos e encontro os de Maeve. Ela sabe a verdade completa, mas eu não contei para Yumiko ou Kate. Porque pensei que talvez isso pudesse permanecer sob controle, em sigilo, enquanto a polícia conduzia a investigação em segundo plano e depois a engavetasse por falta de provas.

Eu sou muito ingênua mesmo. Que patética. É óbvio.

— Bronwyn? — Eu mal consigo ouvir Yumiko por causa do rugido nos ouvidos. — Isto é verdade?

— Que se *foda* esta merda de Tumblr. — Eu teria me surpreendido com o linguajar de Maeve se não tivesse ultrapassado meu limite de surpresa há dois minutos. — Aposto que posso invadir essa porcaria e descobrir quem está por trás disso.

— Maeve, não! — Minha voz sai tão alta. Eu baixo o tom e mudo para espanhol. — *No lo hagas... No queremos...*

Eu me obrigo a parar de falar enquanto Kate e Yumiko continuam me encarando. *Não faça isso... Nós não queremos...* Isso deve ser suficiente por enquanto.

Mas Maeve não cala a boca.

— Não me importa — diz ela furiosamente. — *Você* pode se importar, mas eu...

Salva pelo alto-falante. Mais ou menos. Sinto um *déjà-vu* quando uma voz sem corpo flutua pelo ambiente.

— *Atenção, por favor. Cooper Clay, Nate Macauley, Adelaide Prentiss e Bronwyn Rojas, queiram se apresentar à diretoria, por favor. Cooper Clay, Nate Macauley, Adelaide Prentiss e Bronwyn Rojas à diretoria.*

Eu não me lembro de ter me levantado, mas devo ter feito isso, porque cá estou, andando. Arrastando os pés como um zumbi, passando por olhares e sussurros, costurando entre as mesas até chegar à saída do refeitório. Sigo pelo corredor, passo por pôsteres do baile de três semanas atrás. Nosso comitê de planejamento está sendo negligente, o que atrairia mais desdém se eu não fizesse parte dele.

Quando chego ao gabinete, a recepcionista aponta para a sala de reunião com o gesto cansado de alguém que acha que eu já deveria saber como é o procedimento a essa altura. Sou a última a chegar — pelo menos acho que sou, a não ser que a polícia de Bayview ou integrantes do conselho escolar se juntem a nós.

— Feche a porta, Bronwyn — pede a diretora Gupta.

Eu obedeço e desvio dela para me sentar entre Nate e Addy, diante de Cooper.

A diretora Gupta apoia o queixo na ponta dos dedos.

— Tenho certeza de que não preciso dizer por que vocês estão aqui. Estamos de olho naquele Tumblr repugnante e recebemos a atualização de hoje ao mesmo tempo que vocês. Logo depois, recebemos um pedido do Departamento de Polícia de Bayview a fim de deixar o corpo estudantil disponível para entrevistas, a partir de amanhã. Pelo que entendi, baseada nas conversas com a polícia, o Tumblr de hoje é um reflexo preciso das postagens que Simon escreveu antes de morrer. Sei que a maioria de vocês está agora com representação judicial, o que obviamente o colégio respeita. Mas este é um lugar seguro. Se há alguma coisa que vocês gostariam de me contar que possa ajudar o colégio a entender a pressão que estão sentindo, agora é a hora.

Encaro a diretora enquanto meus joelhos começam a tremer. Ela está falando sério? Agora com certeza *não* é a hora. Ainda assim, sinto uma vontade quase irresistível de responder, de me explicar, até que uma mão embaixo da mesa pega a minha. Nate não olha para mim, mas seus dedos se entrelaçam aos meus, quentes e fortes, apoiados na minha perna, que treme. Ele está usando a camiseta da Guinness novamente, e o material está gasto nos ombros, como se tivesse passado por centenas de lavagens. Eu dou uma olhadela para Nate, que balança a cabeça de maneira quase imperceptível para mim.

— Não tenho mais nada a dizer além do que disse na semana passada — diz Cooper, com o sotaque carregado.

— Eu também não — acrescenta Addy rapidamente.

Os olhos dela estão vermelhos, e Addy parece exausta, seu rosto de fadinha está atormentado. Ela está tão pálida que noto as sardas claras no nariz pela primeira vez. Ou talvez Addy simplesmente não esteja usando maquiagem. Acho, com uma pontada de compaixão, que ela foi a que mais se abalou entre todos, de longe.

— Eu não acho que... — começa a diretora Gupta, quando a porta é aberta e a recepcionista enfia a cabeça dentro da sala.

— Polícia de Bayview na linha 1 — diz ela, e a diretora fica de pé.

— Com licença um momento.

Ela fecha a porta ao sair, e nós quatro permanecemos sentados em um silêncio tenso, ouvindo o zumbido do ar-condicionado. É a primeira vez que todos nós estamos em uma sala juntos desde que o agente Budapest nos interrogou semana passada. Eu quase rio ao lembrar de como não sabíamos de nada naquela ocasião, discutindo sobre detenções injustas e o conselho do baile dos calouros.

Embora, sinceramente, eu é que estava reclamando, em grande parte.

Nate solta a minha mão e inclina a cadeira para trás enquanto observa o ambiente.

— Bem, isto é constrangedor.

— Vocês estão bem? — As palavras saem depressa, o que me surpreende. Não sei qual era a minha intenção, mas não era essa. — Isto é surreal. Que eles... suspeitem de nós.

— Foi um acidente — diz Addy imediatamente, mas não parece que ela tem muita certeza disso. É mais como se estivesse testando uma teoria.

Cooper vira os olhos para Nate.

— Acidente esquisito. Como óleo de amendoim vai parar sozinho num copo?

— Talvez alguém tenha entrado na sala em dado momento e a gente não notou — arrisco, e Nate revira os olhos para mim. — Sei que parece ridículo, mas... temos que considerar tudo, certo? Não é impossível.

— Muitas pessoas odiavam Simon — acrescenta Addy. Pelo jeito que o maxilar dela está travado, Addy é uma delas. — Ele arruinou muitas vidas. Vocês se lembram de Aiden Wu? Na nossa turma, que se transferiu no segundo ano?

Eu sou a única que faço que sim com a cabeça, então Addy vira o olhar para mim.

— Minha irmã conhece a irmã dele da faculdade. Aiden não se transferiu simplesmente porque quis. Ele teve um colapso depois que Simon postou que ele se vestia de mulher.

— Sério? — pergunta Nate.

Cooper não para de passar a mão no cabelo.

— Você se lembra daquelas postagens de destaque que Simon costumava fazer quando lançou o aplicativo? — indaga Addy. — Coisas mais aprofundadas, quase tipo um blog?

Minha garganta se fecha.

— Eu me lembro.

— Bem, ele fez isso com Aiden — fala Addy. — Foi maldade pura.

Algo no tom dela me deixa incomodada. Nunca pensei que ouviria a pequena e frívola Addy Prentiss falar com tanto veneno na voz. Ou ter uma opinião própria.

Cooper se intromete às pressas, como se estivesse preocupado que ela fosse começar um discurso.

— Foi o que Leah Jackson falou no velório. Esbarrei com ela embaixo das arquibancadas. Ela disse que nós éramos todos hipócritas por tratá-lo como uma espécie de mártir.

— Bem, aí está — diz Nate. — Você estava certa, Bronwyn. O colégio inteiro provavelmente andava por aí com garrafas de óleo de amendoim nas mochilas, esperando por uma chance.

— Não um óleo de amendoim qualquer — comenta Addy, e todos nós nos voltamos para ela. — Teria que ser um óleo obtido por compressão a frio para uma pessoa com alergia reagir ao produto. Um óleo de amendoim tipo gourmet, basicamente.

Nate encara Addy com a testa franzida.

— Como você sabe disso?

Addy deu de ombros.

— Eu vi no Food Network uma vez.

147

— Talvez esse seja o tipo de coisa que você não deva falar quando Gupta voltar — sugere Nate, e um leve sorriso passa rapidamente pelo rosto de Addy.

Cooper olhou feio para Nate.

— Isto não é uma brincadeira.

Nate boceja, impassível.

— É o que parece, às vezes.

Engulo em seco. Minha mente ainda está agitada durante a conversa. Leah e eu éramos amigas antigamente — fomos parceiras na competição de simulação estudantil da ONU que nos levou às finais estaduais no início do primeiro ano. Simon quis participar também, mas nós lhe demos o prazo final de inscrição errado e ele perdeu a seleção. Não foi de propósito, mas Simon nunca acreditou nisso e ficou furioso com nós duas. Algumas semanas depois, ele começou a escrever sobre a vida sexual de Leah no Falando Nisso. Geralmente Simon postava alguma coisa uma vez e deixava de lado, mas, com Leah, ele continuou com as atualizações. Foi pessoal. Tenho certeza de que Simon teria feito o mesmo comigo se naquela época eu tivesse algum podre para ser explorado.

Quando Leah começou a sair dos trilhos, ela me perguntou se enganei Simon de propósito. Eu não fiz aquilo, mas, ainda assim, me sentia culpada, especialmente quando Leah cortou os pulsos. Depois que Simon começou essa campanha contra Leah, nada mais foi o mesmo para a garota.

Não tenho ideia do que passar por uma coisa daquelas faz com uma pessoa.

A diretora Gupta retorna à sala, fecha a porta ao entrar e se acomoda na cadeira.

— Desculpem-me, mas o assunto não podia esperar. Onde estávamos?

O silêncio cai por alguns segundos, até que Cooper pigarreia.

— Com todo respeito, senhora, acho que estávamos concordando que não podemos ter essa conversa.

Há uma coragem em sua voz que não estava ali antes, e em um instante eu sinto a energia da sala se aglutinar e mudar. Não confiamos uns nos outros, isso é bastante óbvio — mas confiamos menos ainda na diretora Gupta e no Departamento de Polícia de Bayview. Ela percebe isso também e empurra a cadeira.

— É importante que saibam que a porta está sempre aberta para vocês — diz a diretora, mas nós já estamos nos levantando e abrindo a porta nós mesmos.

Passo o restante do dia meio aérea e ansiosa, realizando automaticamente tudo que devo fazer no colégio e em casa. Não consigo relaxar até que o relógio passe da meia-noite e que o telefone secreto de Nate toque.

Ele me ligou todas as noites desde segunda-feira, sempre por volta do mesmo horário. Nate me disse coisas que eu não poderia imaginar sobre a doença da mãe e a bebedeira do pai. Eu contei sobre o câncer de Maeve e a pressão insuportável que sempre senti em ser boa em tudo por nós duas. Às vezes, não falamos nada no telefone. Ontem à noite, ele sugeriu que assistíssemos algo na Netflix, e ficamos até duas da manhã vendo um filme de horror péssimo que Nate escolheu. Adormeci com os fones ainda nas orelhas e talvez tenha roncado no ouvido dele em algum momento.

— É sua vez de escolher um filme — diz ele no lugar de um cumprimento.

Notei isso a respeito de Nate; ele não é de gentilezas. Só começa a falar o que lhe passa pela cabeça.

A minha, porém, está em outro lugar.

— Estou procurando — aviso, e ficamos em silêncio por um minuto, enquanto navego pelos títulos da Netflix sem vê-los realmente. Não adianta; não estou no clima de ver filme. — Nate, você está encrencado pelo jeito que tudo aconteceu hoje no colégio?

Depois que saí do gabinete da Diretora Gupta, o que restou da tarde foi um conjunto confuso de olhares, sussurros e conversas incômodas com Kate e Yumiko assim que finalmente expliquei o que vem acontecendo nos últimos dias.

Ele dá uma risadinha de desdém.

— Já estive encrencado antes. Nada mudou.

— Minhas amigas estão putas comigo porque não contei a elas.

— Sobre ter roubado o teste? Ou estar sendo investigada pela polícia?

— As duas coisas. Eu não falei nada sobre ambas as coisas. Achei que talvez tudo isso fosse passar, e elas jamais precisariam saber.

Robin disse para não responder a nenhuma pergunta sobre o caso, mas não vi como eu aplicaria essa medida às minhas duas melhores amigas. Quando o colégio inteiro começa a se voltar contra você, é preciso ter *alguém* do seu lado.

— Eu gostaria de conseguir me lembrar de mais coisas a respeito daquele dia. Em que aula você estava quando o Sr. Avery encontrou o celular na sua mochila?

— Física — responde Nate. — Ciência para leigos, em outras palavras. E você?

— Estudo dirigido — digo, mordendo o interior das bochechas. Ironicamente, minhas notas fora de série em química me permitiram montar minha própria grade de estudos de ciência no último ano. — Imagino que Simon estivesse na turma de Física Aplicada. Não sei que aulas Addy e Cooper teriam com o

Sr. Avery, mas na detenção os dois se mostraram surpresos de ver um ao outro.

— E daí? — pergunta Nate.

— Bem, eles são amigos, certo? É de se imaginar que eles teriam falado a respeito daquilo. Ou mesmo que estivessem na mesma turma quando aconteceu.

— Quem sabe? Um deles poderia estar na chamada ou no período de estudos. Avery é pau pra toda obra — argumenta Nate, que acrescenta, quando não respondo: — Peraí. Você acha que aqueles dois planejaram tudo?

— Apenas seguindo uma linha de raciocínio — respondo. — Acho que a polícia mal está prestando atenção em como é estranha essa situação dos celulares, porque eles têm tanta certeza de que estamos mancomunados. Tipo, pense bem, o Sr. Avery sabe, melhor do que ninguém, que aulas temos com ele. Talvez o *Sr. Avery* tenha feito tudo. Ele pode ter enfiado os telefones em nossas mochilas e passado óleo de amendoim nos copos antes que fôssemos lá. Ele é um professor de Ciências; saberia como fazer isso.

Na hora em que falo, porém, a imagem mental de nosso professor frágil e pacato adulterando freneticamente os copos antes da detenção não parece plausível. Nem a imagem de Cooper sumindo com as canetas de adrenalina ou Addy bolando um plano de assassinato enquanto assistia ao Food Network.

Mas eu realmente não conheço nenhum deles. Incluindo Nate. Mesmo que pareça que sim.

— Tudo é possível — diz Nate. — Já escolheu um filme?

Fico tentada a escolher algo descolado e alternativo para impressioná-lo, só que ele enxergaria a verdade. Além disso, Nate já escolheu um filme de horror que era uma merda, então, não há muito que corresponda.

— Você já viu *Divergente*?

— Não. — O tom dele é cauteloso. — E nem quero.

— Está difícil. Eu não queria ver um bando de gente ser morta por uma bruma causada por um rompimento feito por alienígenas no contínuo espaço-tempo. Mas mesmo assim eu vi.

— Droga.

Nate parece resignado. Ele faz uma pausa e pergunta:

— Já carregou o filme?

— Sim. Aperte o play.

E nós apertamos.

CAPÍTULO 13

Cooper
Sexta-feira, 5 de outubro, 15h30

Eu pego o Lucas depois do colégio e passo no quarto do hospital da Vovó antes de nossos pais chegarem lá. Ela esteve dormindo na maioria das vezes em que a visitamos a semana inteira, mas hoje está sentada na cama com o controle remoto da TV na mão.

— Essa televisão só pega três canais — reclama a Vovó, enquanto eu e Lucas estamos parados na porta. — É o mesmo que estar em 1985. E a comida é horrível. Lucas, você trouxe algum doce?

— Não, senhora — responde Lucas, enquanto tira o cabelo longo demais de cima dos olhos.

A Vovó lança um olhar esperançoso para mim, e eu fico impressionado como ela parece *velha*. Quero dizer, claro, a Vovó tem 80 e tantos anos, mas sempre teve tanta energia que eu nunca notei realmente. Agora eu me toco que, embora o médico diga que ela está se recuperando bem, será uma sorte passar alguns anos sem que algo do gênero ocorra novamente.

E, então, em algum momento, a Vovó não estará mais conosco, de vez.

— Estou sem nada. Foi mal — digo, e abaixo a cabeça para esconder meus olhos, que ardem.

Ela solta um suspiro teatral.

— Ah, diabos. Vocês são uns meninos bonitos, mas não muito prestativos, do ponto de vista prático. — A Vovó remexe na mesinha ao lado da cama e encontra uma nota de vinte dólares amassada. — Lucas, vá lá embaixo na loja de suvenires e compre três Snickers. Uma barra para cada um de nós. Vá sem pressa e fique com o troco.

— Sim, senhora.

Os olhos de Lucas brilham quando ele calcula o lucro que vai obter. Meu irmão sai voando pela porta, e a Vovó se acomoda na pilha de travesseiros do hospital.

— Lá vai ele forrar os bolsos, que Deus abençoe seu coraçãozinho mercenário — diz ela, com carinho.

— A senhora já pode comer doce? — pergunto.

— Claro que não. Mas quero saber como vai você, meu amor. Ninguém me diz nada, mas ouço as coisas.

Eu me sento na cadeira ao lado da cama, com os olhos voltados para o chão. Ainda não tenho coragem de encará-la.

— A senhora precisa descansar, Vovó.

— Cooper, este foi o infarto menos perigoso da história cardíaca. Nadica de nada. Bacon demais, só isso. Me atualize sobre a situação de Simon Kelleher. Eu prometo que não vou ter uma recaída.

Pestanejo algumas vezes e me imagino pronto para lançar um *slider*: endireito o pulso, coloco os dedos na parte externa da bola de beisebol e deixo que ela role sobre o polegar e o indicador. Funciona; os olhos secam, a respiração se controla, e eu finalmente consigo encará-la.

— Está uma confusão dos diabos.

Vovó suspira e faz carinho na minha mão.

— Ah, meu amor, claro que está.

Eu conto tudo a ela: que os rumores de Simon sobre nós estão correndo por todo o colégio agora e que a polícia se instalou na administração hoje e entrevistou todo mundo que conhecemos. E mais um monte de gente que não conhecemos. Que o treinador Ruffalo ainda não me chamou em particular para perguntar se estou tomando bomba, mas tenho certeza de que vai, em breve. Que tivemos um substituto na aula de astronomia porque o Sr. Avery estava enfiado em outra sala com dois policiais. Se ele estava sendo interrogado como nós fomos ou se estava fornecendo alguma espécie de prova, eu não sabia dizer.

A Vovó balança a cabeça quando termino. Ela não pode arrumar o cabelo da forma como faz em casa, e ele balança de um lado para o outro, como algodão solto.

— Eu sinto muitíssimo por você ter sido envolvido nessa situação, Cooper. Logo você. Não é certo.

Eu espero que a Vovó faça a pergunta, mas ela não faz. Então, eu finalmente digo — de maneira hesitante, porque, após passar dias com advogados, parece errado dizer qualquer coisa como se fosse uma verdade:

— Eu não fiz o que eles estão dizendo, Vovó. Não me dopei, nem usei anabolizantes e não machuquei Simon.

— Bem, tenha santa paciência, Cooper. — A Vovó esfrega impacientemente o cobertor do hospital. — Você não precisa dizer isso para *mim*.

Engulo em seco. De alguma forma, o fato de que ela aceita a minha palavra sem questioná-la me faz sentir culpado.

— A advogada está custando uma fortuna e não está ajudando. Nada está melhorando.

— As coisas pioram antes de melhorar — comenta ela placidamente. — É assim que funciona. E não se preocupe com o custo. Eu estou pagando.

Sou atingido por uma nova onda de culpa.

— A senhora pode bancar isso?

— Claro que posso. Seu avô e eu compramos um monte de ações da Apple nos anos 1990. Só porque não entregamos tudo para o seu pai comprar uma McMansão nesta cidade superfaturada não significa que eu não poderia bancar uma. Agora. Conte algo que eu *não* sei.

Eu não entendi o que ela quer dizer. Eu poderia contar que Jake está dando um gelo em Addy e que todos os nossos amigos se juntaram a ele nessa, mas é deprimente demais.

— Não tem muito mais para contar, Vovó.

— E como Keely está lidando com toda esta situação?

— Como um chiclete. Grudenta — respondo, antes de me conter.

Depois eu me sinto péssimo. Keely está apenas me dando muito apoio, e não é culpa dela que isso me faça sentir sufocado.

— Cooper. — A Vovó pega a minha mão nas delas, que são pequenas e leves, cheias de veias grossas e azuis. — Keely é uma menina linda e adorável. Mas, se ela não for quem você ama, ela simplesmente *não* é. E tudo bem.

Minha garganta fica seca, e eu olho para um programa de concurso na tela. Alguém está prestes a ganhar um novo conjunto de lavadora/secadora e está muito feliz por isso. A Vovó não diz mais nada, apenas continua segurando a minha mão.

— Eu não sei o que a senhora quer dizer — respondo.

Se a Vovó sente meu sotaque caipira indo e vindo, ela não menciona o fato.

— O que quero dizer, Cooper Clay, é que estive observando quando aquela menina liga ou manda mensagem, e você sempre parece que está tentando fugir. Aí outra pessoa qualquer liga, e seu rosto se ilumina como uma árvore de Natal. Não sei o que está lhe impedindo, meu amor, mas eu gostaria que você não se impedisse mais. Não é justo com você *ou* com Keely. — A Vovó aperta a minha mão e a solta. — Não temos que falar sobre isso agora. Na verdade, você poderia ir atrás daquele seu irmão, por favor? Talvez não tenha sido a melhor das ideias deixar um menino de 12 anos perambular pelo hospital com a tentação do dinheiro no bolso.

— Sim, claro.

Ela está me deixando escapar sem maiores problemas, e ambos sabemos disso. Fico de pé e saio do quarto para um corredor cheio de enfermeiras em jalecos com cores berrantes. Todas elas param o que estão fazendo e sorriem para mim.

— Precisa de ajuda, querido? — pergunta a mais próxima.

Tem sido assim a minha vida inteira. As pessoas me olham e imediatamente pensam o melhor sobre mim. Assim que me conhecem, passam a gostar mais ainda.

Se algum dia vazar que eu realmente fiz algo contra Simon, muitas pessoas me odiariam. Mas também haveria gente que daria desculpas por mim, dizendo que minha história deveria ter algo mais do que simplesmente estar sendo acusado de usar anabolizantes.

A questão é que essa gente estaria certa.

Nate
Sexta-feira, 5 de outubro, 23h30

Para variar, meu pai está acordado quando eu chego em casa na sexta-feira, vindo de uma festa na casa de Amber. Ainda estava firme e forte quando fui embora, mas por mim já tinha bastado. Coloco miojo no fogão e jogo alguns legumes e verduras na jaula de Stan. Como sempre, ele simplesmente pisca para a comida, como um ingrato.

— Você chegou cedo — comenta meu pai.

Ele parece o mesmo de sempre: uma merda. Inchado e enrugado, com um tom de pele amarelado e pastoso. A mão treme quando ele levanta o copo. Há alguns meses, eu voltei para casa e meu pai mal estava respirando, então chamei uma ambulância. Ele passou alguns dias no hospital, onde os médicos disseram que o fígado estava tão prejudicado que meu pai poderia cair morto a qualquer momento. Ele concordou com a cabeça e agiu como se ligasse, depois veio para casa e abriu outra garrafa de destilado.

Eu venho ignorando aquela conta da ambulância há semanas. É quase mil dólares graças ao nosso seguro de merda, e agora que tenho zero rendimento há menos chance ainda de a gente conseguir pagar.

— Eu tenho coisas para fazer.

Jogo o miojo em uma tigela e vou para o meu quarto com a comida.

— Viu meu telefone? — grita meu pai. — Não parou de tocar hoje, mas não consegui encontrá-lo.

— É porque não está no sofá — murmuro, e fecho a porta ao entrar.

Ele provavelmente estava alucinando. Seu telefone não toca há meses.

Eu mato o miojo em cinco minutos, depois me acomodo nos travesseiros e coloco o fone de ouvido para ligar para Bronwyn. É a minha vez de escolher um filme, graças a Deus, mas mal chegamos a uma hora de *Ringu*, *O chamado* original, quando Bronwyn decide que já chega.

— Eu não posso assistir a isso sozinha. É assustador demais — diz ela.

— Você não está sozinha. Estou assistindo com você.

— Não *aqui* comigo. Eu preciso de uma pessoa no quarto para um filme como esse. Vamos ver outra coisa qualquer. Minha vez de escolher.

— Não vou assistir a outra porra de *Divergente*, Bronwyn.

— Espero antes de acrescentar: — Você devia vir aqui para ver *Ringu* comigo. Saia pela janela e dirija até aqui.

Eu digo em tom de piada, e em grande parte é. A não ser que ela diga sim.

Bronwyn faz uma pausa, e noto que ela está levando a sério.

— Minha janela está a quase 5 metros do chão — argumenta Bronwyn. *Piada.*

— Então use uma porta. Você tem, tipo, umas dez aí na sua casa. — *Piada.*

— Meus pais me matariam se descobrissem.

Sério.

O que significa que ela está considerando. Eu imagino Bronwyn sentada ao meu lado naquele shortinho que ela usava quando estive na sua casa, com a perna colada à minha, e fico sem ar.

— Por que eles te matariam? — pergunto. — Você disse que eles não acordam por nada. — *Sério.* — Vamos, só por uma hora até terminarmos o filme. Você pode conhecer meu lagarto. — Levo alguns segundos para perceber como isso pode ser interpretado. — Não foi uma cantada. Eu tenho um lagarto de verdade. Um dragão-barbudo chamado Stan.

Bronwyn ri tanto que quase se engasga.

— Ai, meu Deus. Isso teria sido completamente inconsistente com o seu comportamento e ainda assim... por um segundo eu realmente pensei que você quis dizer outra coisa.

Não consigo conter o riso também.

— Ei, gata. Você estava adorando aquele papinho. Admita.

— Pelo menos não é uma anaconda — solta Bronwyn.

Eu rio ainda mais, porém continuo meio excitado. Combinação estranha.

— Vem pra cá — peço. *Sério.*

Ouço Bronwyn respirar por um tempo, até ela finalmente falar:

— Não posso.

159

— Ok. — Não estou desapontado; nunca pensei que ela viesse mesmo.

— Mas você precisa escolher um filme diferente.

Nós concordamos em assistir ao último filme da série *Bourne*, e estou vendo com os olhos semicerrados, ouvindo as mensagens cada vez mais frequentes de Amber que apitam ao fundo. Ela talvez esteja começando a achar que nós somos algo que não somos. Eu estendo a mão para silenciar aquele telefone quando Bronwyn diz:

— Nate. Seu celular.

— O quê?

— Alguém não para de mandar mensagens para você.

— E daí?

— E daí que é muito tarde.

— E? — pergunto, irritado.

Eu não tinha identificado Bronwyn como uma pessoa possessiva, especialmente uma vez que tudo que fazemos é falar ao telefone, além de ela ter acabado de recusar meu convite piada-mas-também-sério.

— Não são... clientes, são?

Eu suspiro e desligo o outro telefone.

— Não. Eu te disse, não estou fazendo mais isso. Não sou idiota.

— Beleza.

Ela soa aliviada, mas cansada. A voz está começando a ficar arrastada.

— Acho que vou dormir agora — avisa Bronwyn.

— Ok. Você quer desligar?

— Não. — Ela solta uma risada grave, já semiadormecida. — Mas estou ficando sem minutos. Acabei de receber um alerta. Tenho meia hora sobrando.

Esses telefones pré-pagos têm centenas de minutos, e Bronwyn está com esse aparelho há menos de uma semana. Não percebi que conversamos tanto assim.

— Eu te dou outro celular amanhã — digo, antes de me lembrar que amanhã é sábado e nós não temos aula. — Bronwyn, espere. Você precisa desligar.

Eu acho que ela já está dormindo até que Bronwyn murmura:

— O quê?

— Desligue, ok? Assim seus minutos não acabam, e eu posso te ligar amanhã para combinar de te dar outro aparelho.

— Ah. Então tá. Boa noite, Nate.

— Boa noite.

Eu desligo, coloco os dois telefones lado a lado, pego o controle remoto e desligo a TV. É melhor ir dormir.

CAPÍTULO 14

Addy
Sábado, 6 de outubro, 9h30

Estou em casa com Ashton e estamos tentando descobrir algo para fazer, mas sempre esbarramos no fato de que nada me interessa.

— Vamos, Addy.

Estou deitada na poltrona, e Ashton me cutuca com o pé, lá do sofá.

— O que você faria normalmente num fim de semana? E não diga ficar com Jake — acrescenta ela rapidamente.

— Mas é *isso* que eu faço — reclamo.

É patético, mas não consigo evitar. Eu passei a semana inteira com uma sensação horrível de enjoo no estômago, como se estivesse andando por uma ponte sólida e ela sumisse embaixo dos pés.

— Você realmente não consegue pensar em uma única coisa que goste que não seja relacionada a Jake?

Eu me remexo na poltrona enquanto pondero sobre a pergunta. O que eu fazia antes de Jake? Eu tinha 14 anos quando começamos a namorar, praticamente uma criança. Minha melhor amiga era Rowan Flaherty, uma garota com quem cresci e que se mudou para o Texas mais tarde naquele ano. Nós nos afastamos no nono ano, quando Rowan demonstrou zero interesse em garotos, mas no verão antes do ensino médio a gente ainda passeou de bicicleta por toda a cidade, juntas.

— Eu gosto de andar de bicicleta — respondo vagamente, embora não ande numa há anos.

Ashton bate palmas, como se eu fosse um bebê relutante que ela está tentando animar a respeito de uma nova atividade.

— Vamos fazer isso! Andar de bicicleta em algum lugar.

Urgh, não. Não quero me mexer. Não tenho energia.

— Eu dei a minha bicicleta há anos. Estava meio enferrujada e abandonada em casa. E você não tem uma, de qualquer modo.

— Vamos usar aquelas bicicletas de aluguel… como se chamam mesmo? Estão por toda a cidade. Vamos lá encontrar algumas.

Eu suspiro.

— Ash, você não pode ser a minha babá para sempre. Eu te agradeço por ter impedido que eu ficasse arrasada a semana inteira, mas você tem uma vida. Devia voltar para Charlie.

Ashton não responde imediatamente. Ela vai à cozinha, e ouço a porta da geladeira ser aberta e o barulho suave de garrafas. Quando volta, minha irmã está segurando uma Corona e uma San Pelegrino, que ela me entrega. Ashton ignora minhas sobrancelhas erguidas — não são nem dez manhã — e toma um longo gole da cerveja ao se sentar e cruzar as pernas embaixo do corpo.

— Charlie está tão feliz quanto possível. Acho que ele já deve ter trazido a namorada para morar com ele, a esta altura.

— O quê? — Eu me esqueço de como estou cansada e me endireito na poltrona.

— Eu flagrei os dois quando voltei para casa a fim de pegar umas roupas semana passada. Foi tudo um clichê tão horrível. Até joguei um vaso nele.

— Você acertou Charlie? — pergunto, com esperança. E com hipocrisia, acho. Afinal de contas, eu sou Charlie no meu relacionamento com Jake.

Ela balança a cabeça e toma outro gole da cerveja.

— Ash.

Levanto da poltrona e me sento ao lado dela no sofá. Ashton não está chorando, mas seus olhos estão reluzentes, e, quando coloco a mão no braço dela, minha irmã engole em seco.

— Sinto muito. Por que você não disse nada?

Você tinha muita coisa com que se preocupar.

— Mas é o seu casamento!

Eu não consigo evitar olhar para a foto de casamento de Ashton e Charlie de dois anos atrás, que está ao lado da minha foto do baile dos calouros no aparador da lareira. Os dois eram um casal tão perfeito, as pessoas costumavam brincar que eles pareciam que tinham vindo com a moldura. Ashton esteve tão feliz naquele dia, linda, radiante e eufórica.

E aliviada. Eu tentei conter aquela ideia porque sabia que era traiçoeira, mas não pude evitar achar que Ashton tinha medo de perder Charlie até o dia em que casou com ele. Charlie era *sensacional* no papel — bonito, de boa família, a caminho de cursar Direito em Stanford —, e nossa mãe estava empolgada. Só quando os dois estavam casados há um ano que eu notei que Ashton quase nunca ria quando Charlie estava por perto.

— O casamento acabou há algum tempo, Addy. Eu deveria ter ido embora há seis meses, mas fui covarde demais. Acho que não queria estar sozinha. Ou admitir que falhei. Vou acabar encontrando meu próprio lugar, mas ficarei aqui por um tempo. — Ela dispara um olhar atravessado para mim. — Muito bem. Eu fiz minha confissão sincera. Agora me conte você. Por que você mentiu quando o agente Budapest perguntou sobre ter estado na sala da enfermeira no dia em que Simon morreu?

Eu solto o braço da minha irmã.

— Eu não…

— Addy, ora, vamos. Você começou a mexer no cabelo assim que ele puxou esse assunto. Você sempre faz isso quando está nervosa. — O tom é casual, sem ser acusador. — Não acredito nem por um segundo que você tenha pego aquelas canetas de adrenalina, então, o que está escondendo?

Lágrimas incomodam meus olhos. De repente, eu me sinto tão cansada de todas as meias verdades que acumulei nos últimos dias e semanas. Meses. Anos.

— É uma estupidez tão grande, Ash.

— Conte.

— Eu não fui por minha causa. Fui pegar Tylenol para Jake porque ele estava com dor de cabeça. E não quis dizer isso na sua frente porque sabia que você me daria aquele *olhar*.

— Que olhar?

— *Você* sabe. Aquele olhar de *Addy-você-é-um-tremendo-capacho*.

— Eu não penso assim — assegura Ashton, baixinho.

Uma lágrima imensa desce pela minha bochecha, e minha irmã estica a mão para secá-la.

— Deveria. Eu sou.

— Não mais.

Aquilo é o suficiente. Eu abro o berreiro, encolhida em posição fetal numa ponta do sofá, com Ashton me abraçando. Nem sei por quem ou pelo que estou chorando: Jake, Simon, meus amigos, minha mãe, minha irmã, por mim mesma. Todas as respostas anteriores, acho.

Quando as lágrimas finalmente param, estou em frangalhos, exausta, com as pálpebras quentes e os ombros doloridos de tremer por tanto tempo. Mas me sinto mais leve e limpa também, como se tivesse expurgado algo que estava me fazendo mal. Ashton pega uma pilha de lenços de papel e me dá um minuto para que eu seque os olhos e assoe o nariz. Quando finalmente amasso todos os lenços úmidos e jogo na cesta de canto, minha irmã toma um pequeno gole da cerveja e torce o nariz.

— Isso não está tão gostoso quanto eu imaginava. Vamos, hora de andar de bicicleta.

Eu não posso dizer não para Ashton agora. Então, sigo atrás dela até o parque que fica a 1 quilômetro da nossa casa, onde há uma fileira inteira de bicicletas de aluguel. Ashton descobre como funciona o cadastro e passa o cartão de crédito para liberar duas. Não temos capacetes, mas como vamos apenas passear pelo parque, isso não importa.

Não ando de bicicleta há anos, mas acho que é verdade o que dizem: a pessoa não esquece como pedalar. Após um começo desengonçado, nós disparamos na trilha larga que cruza o parque, e tenho que admitir que é meio divertido. A brisa passa pelo meu cabelo enquanto minhas pernas pedalam e meu coração se acelera. É a primeira vez na semana que não me sinto meio morta. Fico surpresa quando Ashton para e diz:

— Acabou a hora. — Ela nota a minha expressão e pergunta: — Vamos alugar por mais uma?

Eu sorrio para ela.

— Sim, ok.

Acabamos nos cansando na metade da segunda hora, e devolvemos as bicicletas para ir a um café e nos reidratarmos. Ashton pega as bebidas enquanto procuro uma mesa, e navego pelas mensagens enquanto espero por ela. Levo menos tempo do que antes — só tenho algumas de Cooper, perguntando se vou à festa de Olivia hoje à noite.

Olivia e eu somos amigas desde o primeiro ano, mas ela não falou comigo a semana inteira. *Tenho certeza de que não fui convidada*, escrevo.

"Only Girl" toca com a resposta de Cooper. Eu guardei na mente que tenho que mudar o tom de mensagem para alguma coisa menos irritante quando tudo isso acabar e eu tiver um minuto para raciocinar direito.

Bobagem. Eles são seus amigos também.

Vou ficar de fora dessa, respondo. *Divirta-se.* A esta altura, nem estou triste de ter sido excluída. É apenas mais uma coisa.

Cooper não entende. Acho que deveria lhe agradecer; se ele tivesse me abandonado como todos os outros, Vanessa teria vindo para cima de mim com tudo a esta altura. Mas ela não ousa irritar o rei do baile, mesmo quando ele está sendo acusado de doping. A opinião do colégio está dividida se Cooper usou anabolizantes ou não, mas ele não confirma nem desmente.

Penso se poderia ter feito o mesmo — mentido descaradamente para superar esse pesadelo inteiro sem contar a verdade para Jake. Aí olho para minha irmã, rindo com o cara atrás do balcão do café de uma maneira que nunca riu com Charlie, e me lembro como tinha que ser contida e tomar cuidado sempre que estava com Jake. Se eu fosse para a festa hoje à noite, teria que usar algo que ele escolhesse, ficar até quando ele quisesse e não falar com ninguém que pudesse irritá-lo.

Eu ainda sinto falto dele. Sinto mesmo. Mas não sinto falta disso.

Bronwyn
Sábado, 6 de outubro, 10h30

Meus pés voam sobre o caminho conhecido enquanto os braços e as pernas acompanham o ritmo da música que berra nos ouvidos. O coração acelera, e os medos que vêm povoando o cérebro a semana inteira recuam, substituídos por puro esforço físico. Quando termino a corrida, estou exausta, porém cheia de endorfinas e me sinto quase alegre ao rumar para a biblioteca e pegar Maeve. É nossa rotina de sempre nas manhãs de sábado, mas não consigo encontrá-la nos locais que ela costuma ficar, então mando uma mensagem para minha irmã.

Quarto andar, responde ela, então, sigo para a seção infantil.

Minha irmã está sentada em uma cadeirinha perto da janela, digitando num dos computadores.

— Revisitando a infância? — pergunto, ao me jogar no chão ao lado dela.

— Não — diz Maeve, com os olhos na tela e uma voz baixa, quase como um sussurro. — Estou no painel do administrador do Falando Nisso.

Levo um segundo para registrar o que ela disse, e, então, meu coração dispara em pânico.

— Mas que diabos, Maeve? O que você está fazendo?

— Dando uma conferida. Não surta — acrescenta ela, com uma olhadela de lado para mim. — Não estou mexendo em nada, e, mesmo que estivesse, ninguém saberia que sou eu. Estou usando um computador público.

— Usando sua carteirinha da biblioteca! — rebato.

Não é possível ficar on-line aqui sem digitar o número da conta.

— Não. Usando a dele.

Maeve inclina a cabeça na direção do menininho a algumas mesas de distância com uma pilha de livros ilustrados à sua frente. Eu a encaro, incrédula, e ela dá de ombros.

— Eu não *roubei*. Ele deixou a carteira exposta, e eu anotei os números.

A mãe do menininho então se junta a ele e sorri quando percebe o olhar de Maeve. Ela jamais imaginaria que minha irmã de rosto gentil acabou de roubar a identidade de seu filho de 6 anos.

Eu não consigo pensar em outra coisa para dizer a não ser:

— Por quê?

— Eu queria ver o que a polícia está vendo — responde Maeve. — Se há outros rascunhos de postagens, outras pessoas que pudessem querer calar Simon.

Eu me aproximo um pouco, mesmo contra a vontade.

— E tem isso aí?

— Não, mas tem algo *estranho*. Sobre a postagem de Cooper. Está datado para dias depois da postagem de todos os outros, para a noite antes da morte de Simon. Existe um arquivo mais antigo com o nome dele, mas está encriptado e não consigo abri-lo.

— E daí?

— Não sei. Mas é diferente, o que o torna interessante. Eu preciso voltar com um pendrive para baixá-lo.

Olho surpresa para minha irmã, tentando identificar o exato momento que ela se transformou numa investigadora-hacker. Maeve continua:

— Tem outra coisa. O nome de usuário de Simon para o site é AnarchiSK. Eu coloquei no Google e veio um bando de tópicos de discussão do 4chan em que ele postava constantemente. Não tive tempo para ler, mas deveríamos.

— Por quê? — pergunto, enquanto ela coloca a mochila no ombro e fica de pé.

— Porque tem algo estranho em tudo isso — responde Maeve de forma casual ao me conduzir pela porta e escada abaixo. — Você não acha?

— Estranho é pouco — murmuro. Como paro na escadaria vazia, minha irmã também para e me olha com uma expressão de questionamento. — Maeve, como você sequer entrou no painel de administrador de Simon? Como sabia onde procurar?

Um pequeno sorriso puxa os cantos da boca da minha irmã.

— Você não é a única que rouba informações confidenciais de computadores que outras pessoas estão usando.

Eu olho para ela, boquiaberta.

— Então você... então Simon estava postando no Falando Nisso no colégio? E deixou o site aberto?

— Claro que não. Simon era inteligente. Ele postava daqui. Não sei se foi uma vez só ou se postava na biblioteca o tempo todo, mas eu vi Simon num fim de semana do mês passado, quando você estava correndo. Ele não me viu. Eu entrei no computador depois dele e peguei o endereço do histórico do navegador. De início, não fiz nada com aquilo — diz ela, respondendo à minha expressão incrédula com um olhar calmo. — Só salvei para referência futura. Comecei a tentar entrar depois que você voltou da delegacia. Não se preocupe — acrescenta Maeve, dando um tapinha no meu braço. — Não de casa. Ninguém pode rastrear.

— Ok, mas... por que o interesse pelo aplicativo? Antes de Simon sequer morrer? O que você faria?

Maeve franze os lábios, pensativa.

— Eu não tinha pensado nessa parte. Cogitei talvez começar a apagar tudinho logo depois de ele postar, ou mudar todo o texto para russo. Ou desmantelar a coisa toda.

Eu troco o pé de apoio, cambaleio um pouco e agarro o corrimão.

— Maeve, você fez isso pelo que aconteceu no primeiro ano?

— Não. — Os olhos cor de âmbar da minha irmã ficam sérios. — Bronwyn, só você ainda pensa naquilo. Eu, não. Eu apenas queria que o controle que Simon tinha sobre o colégio inteiro parasse. E, bem — ela solta uma risadinha sem graça que ecoa pelas paredes de concreto da escadaria —, acho que consegui.

Maeve volta a descer os degraus com passos largos e empurra com força a porta de saída quando chega ao pé da escada. Eu a sigo em silêncio, tentando assimilar o fato de que minha irmã mantinha um segredo de mim parecido com o que mantive dela. E que ambos têm a ver com Simon.

Maeve me dá um sorriso radiante quando saímos, como se a conversa que acabamos de ter jamais tivesse acontecido.

— O Bayview Estates fica no caminho de casa. Será que devemos pegar nossa tecnologia proibida?

— Podemos tentar.

Eu contei a ela tudo a respeito de Nate, que me ligou hoje de manhã para dizer que deixaria um telefone na caixa de correio do número 5 na Rua Bayview Estate. É parte de um novo loteamento de casas semiconstruídas, e a área costuma estar deserta nos fins de semana.

— Só não sei a que horas Nate está em atividade num sábado.

Nós chegamos ao Bayview Estates em quinze minutos e dobramos numa rua cheia de casas quadradonas e semiconstruídas. Maeve põe a mão no meu braço quando nos aproximamos do número 5.

— Deixa que eu vou — oferece ela, com um ar sinistro e os olhos indo de um lado para o outro dramaticamente, como se a polícia de Bayview fosse surgir com as sirenes berrando a qualquer minuto. — *Só por precaução.*

— Vá lá — murmuro.

Nós provavelmente chegamos cedo demais, de qualquer forma. Mal são onze horas.

Mas Maeve volta fazendo um gesto triunfal com um pequeno aparelho preto, e ri quando o arranco da mão dela.

— Muito ansiosa, sua nerd?

Quando ligo o celular, há uma mensagem, e eu abro para ver a imagem de um lagarto marrom-amarelado sentado placidamente sobre uma pedra no meio de uma jaula grande. *Um lagarto de verdade*, diz a legenda, e eu gargalho alto.

— Ai, meu Deus — murmura Maeve, enquanto olha sobre meu ombro. — Piadinhas internas. Você está *suuuper* a fim dele, né?

Não preciso responder. É uma pergunta retórica.

Cooper
Sábado, 6 de outubro, 21h20

Quando chego à festa de Olivia, quase todo mundo já perdeu a linha. Alguém está vomitando nos arbustos quando empurro a porta da frente. Eu vejo Keely ao lado de Olivia perto da escada, tendo uma daquelas conversas intensas que garotas têm quando estão bêbadas. Alguns calouros fumam maconha no sofá. Vanessa está em um canto, tentando agarrar Nate, que não podia estar mais desinteressado enquanto observa o aposento atrás dela. Se fosse homem, a esta altura alguém já teria denunciado Vanessa por todo o agarramento não solicitado que ela faz. Meus olhos encontram brevemente o olhar de Nate, e ambos viramos o rosto sem falar um com o outro.

Finalmente encontro Jake no pátio com Luis, que está entrando para pegar mais bebida.

— O que você quer? — pergunta Luis ao me dar um tapinha no ombro.

— O que você for tomar.

Eu me sento ao lado de Jake, que está pendendo para o lado na cadeira.

— Qual é, matador? — cumprimenta ele, com a voz pastosa e cospe uma gargalhada. — Você já se cansou de piadas de assassino? Eu ainda não.

Estou surpreso de ver Jake tão bêbado assim; ele geralmente segura a onda durante a temporada de futebol. Mas acho que a semana dele foi tão ruim quanto a minha. Foi sobre isso que vim falar com ele, embora não sei se devo me dar ao trabalho ao vê-lo tentar espantar um inseto sem sucesso.

Eu tento, ainda assim.

— Como estão as coisas? Dias péssimos, hein?

Jake ri novamente, mas desta vez não como se achasse algo engraçado.

— Cara, isso é tão *Cooper* da sua parte. Você não fala sobre sua semana de merda, apenas quer saber da minha. Você é um santo da porra, Coop. É mesmo.

O tom de irritação na voz me avisa que não devo morder a isca, mas mordo.

— Você está puto comigo por alguma coisa, Jake?

— Por que eu estaria? Não é como se você estivesse defendendo a piranha da minha ex-namorada para todo mundo ouvir. Ah, espere. Isso é exatamente o que você está fazendo.

Jake franze os olhos para mim, e percebo que não dá para ter a conversa que vim ter. Ele não parece muito a fim de pegar leve com Addy no colégio.

— Jake, sei que Addy agiu errado. Todo mundo sabe disso. Ela cometeu um erro.

— Traição não é um erro. É uma escolha — argumenta Jake furiosamente, e por um segundo ele parece estar completamente sóbrio.

Jake solta a garrafa vazia de cerveja no chão e ergue a cabeça com um olhar acusador.

— Onde diabos está Luis? Ei!

Ele pega o braço de um cara do segundo ano, arranca a cerveja fechada da mão do sujeito, gira tampinha para abrir e toma um longo gole.

— O que eu estava dizendo? Ah, sim. Traição. Isso é uma escolha, Coop. Sabe, minha mãe chifrou meu pai quando eu estava no fim do ensino fundamental. Fodeu com a família inteira. Jogou uma granada bem no meio e… — Ele abre um braço, derrama meia cerveja e faz um som de rajada de ar. — Tudo explodiu.

— Eu não sabia disso. — Conheci Jake quando me mudei para Bayview no oitavo ano, mas não começamos a andar juntos até o ensino médio. — Foi mal, cara. Isso piora ainda mais a situação, né?

Jake balança a cabeça, com os olhos brilhando.

— Addy não tem noção do que fez. Arruinou tudo.

— Mas seu pai... perdoou sua mãe, certo? Eles ainda estão juntos?

É uma pergunta idiota. Eu estive na casa dele há um mês para um churrasco antes de tudo isso começar. O pai estava fazendo hambúrgueres na grelha, e a mãe conversava com Addy e Keely sobre um novo salão de manicure que abriu no Bayview Center. Normalmente. Como sempre.

— É, eles estão juntos. Mas nada é o mesmo. Nunca mais foi o mesmo.

Jake olha para a frente com tanto nojo que nem sei o que dizer. Eu me sinto um babaca por ter dito para Addy que ela deveria vir, e estou contente por ela não ter me ouvido.

Luis volta e entrega uma cerveja para cada um de nós.

— Você vai à casa de Simon amanhã? — pergunta ele para Jake.

Não sei se ouvi Luis direito, mas Jake responde:

— Acho que sim.

Luis percebe minha expressão confusa.

— A mãe de Simon pediu pra gente passar lá e, tipo, pegar alguma coisa como recordação dele antes que empacotem tudo. Isso me deixa bolado porque eu mal conhecia o cara, mas ela parece achar que nós éramos amigos, então o que eu posso fazer, né? — Ele toma um gole da cerveja e ergue uma sobrancelha para mim. — Imagino que você não foi convidado?

— Não — respondo, me sentindo um pouco mal.

A última coisa que quero fazer é mexer nas coisas de Simon diante dos pais enlutados, mas, se todos os meus amigos estão indo, o menosprezo é bem evidente. Estou sob suspeita e não sou bem-vindo.

— Cara, Simon. — Jake balança a cabeça solenemente. — Ele era brilhante pra caralho.

174

Ele ergue a cerveja, e, por um segundo, penso que vai derramá-la no pátio, como um brinde dedicado a um parceiro morto, mas Jake se contém e, em vez disso, a bebe.

Olivia se junta a nós e passa o braço pela cintura de Luis. Pelo visto os dois voltaram a namorar outra vez. Ela me cutuca com a mão livre e ergue o telefone, com o rosto iluminado pela expressão empolgada que Olivia faz quando está prestes a contar uma grande fofoca.

— Cooper, sabia que você está no *Bayview Blade*?

Da forma como ela fala, tenho certeza de que não é uma reportagem de beisebol. A noite só melhora.

— Não fazia ideia.

— Edição de domingo, on-line hoje à noite. Tudo sobre Simon. Eles não estão... acusando vocês, exatamente, mas vocês quatro são considerados suspeitos, e eles mencionam aquela coisa que Simon ia postar sobre você. Há fotos suas. E, há, a reportagem já foi compartilhada umas cem vezes. Então. — Olivia me entrega o telefone. — Acho que agora todo mundo sabe.

CAPÍTULO 15

Nate
Segunda-feira, 8 de outubro, 14h50

Ouço os boatos antes de ver as vans de reportagem. Há três estacionadas em frente ao colégio, com repórteres e cinegrafistas esperando pelo último sinal. Eles não têm permissão de invadir o terreno do colégio, mas estão tão perto quanto possível.

O Colégio Bayview está *adorando* isso. Chad Posner me encontra depois do último período e me conta que as pessoas estão praticamente fazendo fila para serem entrevistadas lá fora.

— Estão perguntando sobre você, cara — alerta ele. — Melhor sair pelos fundos. Eles não tiveram permissão para ficar no estacionamento, então, você pode cortar caminho pelo bosque na moto.

— Valeu.

Eu vazo e procuro por Bronwyn no corredor. A gente não conversa muito no colégio para evitar — como ela diz na voz de advogada — *a aparência de conluio*. Mas aposto que essa situação vai deixá-la surtada. Vejo Bronwyn diante do armário dela com Maeve e uma das amigas. Previsivelmente, ela parece pronta para vomitar. Quando Bronwyn me vê, acena para que eu me aproxime, sem sequer tentar fingir que mal me conhece.

— Você ficou sabendo? — pergunta Bronwyn, e concordo com a cabeça. — Eu não sei o que fazer. — Ela exibe uma expressão aterrorizada de compreensão. — Acho que precisamos passar por eles de carro, né?

— Eu dirijo — oferece Maeve. — Você pode, tipo, se esconder atrás ou algo assim.

— Ou podemos ficar aqui até eles irem embora — sugere a amiga. — Esperar até que saiam.

— Odeio essa situação — reclama Bronwyn.

Talvez seja o momento errado para notar, mas gosto como o rosto de Bronwyn ganha cor sempre que tem um sentimento forte sobre alguma coisa. Essa reação faz com que ela pareça duas vezes mais viva do que a maioria das pessoas, e mais perturbadora do que ela já é de vestidinho curto e botas.

— Venha comigo — digo. — Vou de moto pelos fundos até a Rua Boden. Eu te levo ao shopping. Maeve pode te pegar depois.

Bronwyn fica alegre quando Maeve diz:

— Isso vai dar certo. Eu te encontro em meia hora na praça de alimentação.

— Tem certeza de que é uma boa ideia? — murmura a outra garota, enquanto me olha feio. — Se eles pegarem vocês juntos, será dez vezes pior.

— Eles não vão nos pegar — garanto curto e grosso.

Não tenho certeza de que Bronwyn concordou com isso, mas ela balança a cabeça e diz para Maeve que vai vê-la em breve, e dá um sorriso calmo como resposta para o olhar chateado da amiga. Eu sinto uma onda idiota de triunfo, como se Bronwyn tivesse me escolhido, embora ela basicamente tenha escolhido não aparecer no noticiário das cinco da tarde. Mas ela anda perto de mim enquanto saímos pela porta dos fundos para o estacionamento, sem parecer se importar com os olhares. Pelo menos já

177

estamos nos acostumando com isso. Microfones e câmeras são outra história.

Passo meu capacete para Bronwyn e espero que ela se ajeite na moto e me abrace. Outra vez apertado demais, mas não ligo. A pegada forte de Bronwyn, juntamente à aparência das pernas dela naquele vestido, foi o motivo para eu ter bolado esta fuga em primeiro lugar.

Não levamos muito tempo no bosque até que a trilha estreita que tomo se alargue e vire uma rua de terra que passa por uma fileira de casas atrás do colégio. Eu pego estradas secundárias por alguns quilômetros até chegarmos ao shopping, e, então, paro a moto numa vaga o mais longe possível da entrada. Bronwyn tira o capacete e me entrega apertando meu braço. Ela pousa as pernas no asfalto; está com as bochechas coradas e o cabelo desgrenhado.

— Obrigada, Nate. Foi legal da sua parte.

Eu não fiz isso para ser legal. Estico a mão, pego Bronwyn pela cintura e a puxo para mim. E aí paro, sem saber o que fazer a seguir. Eu não costumo fazer isso. Se alguém tivesse me perguntado há dez minutos, eu teria dito que costumo, sim. Mas agora me ocorre que eu provavelmente não faço esse tipo de coisa. Meu costume é não dar a mínima.

Enquanto estou sentado e Bronwyn está de pé, somos quase da mesma altura. Ela está suficientemente perto para eu notar que seu cabelo cheira a maçã verde. Não paro de olhar para os lábios dela enquanto espero que se afaste. Bronwyn não se afasta, e, quando ergo meus olhos para os dela, parece que meu fôlego foi arrancado dos pulmões.

Dois pensamentos passam pela minha cabeça. Um, eu quero beijá-la mais do que quero ar. E dois, se beijá-la, vou acabar ferrando com tudo e ela vai parar de olhar para mim daquela maneira.

Uma van freia na vaga ao nosso lado, e nós dois levamos um susto e nos preparamos para uma equipe de cinegrafistas do noticiário. Mas é uma van comum de mãe suburbana cheia de crianças berrando. Quando elas saltam do carro, Bronwyn pestaneja e sai do caminho.

— E agora? — pergunta ela.

Agora espere até as crianças irem embora e volte aqui. Mas Bronwyn já está andando na direção da entrada.

— Compre um pretzel gigante para mim por ter salvado sua pele — respondo, em vez disso.

Ela ri, e eu me pergunto se ela ficou grata por aquela interrupção.

Nós passamos pelos vasos de palmeira que adornam a entrada principal, e abro a porta para uma mãe com aparência estressada e dois bebês aos berros em um carrinho duplo. Bronwyn dá um sorriso solidário para ela, mas, assim que entramos, o sorriso desaparece e Bronwyn baixa a cabeça.

— Todo mundo está me encarando. Você foi esperto de não deixar que tirassem sua foto de turma. Aquela publicada no *Bayview Blade* nem se parece com você.

— Ninguém está encarando — asseguro, mas não é verdade; a garota que está dobrando suéteres na Abercrombie & Fitch arregala os olhos e puxa o celular quando passamos. — Mesmo que estivessem, tudo que você teria que fazer era tirar os óculos. Disfarce instantâneo.

Estou zoando, mas Bronwyn tira os óculos e coloca a mão no mochilão para pegar o estojo azul brilhante onde ela os guarda.

— Ótima ideia, só que fico cega sem eles.

Eu só vi Bronwyn sem óculos uma vez, quando eles foram derrubados por uma bola de vôlei numa aula de educação física do quinto ano. Foi a primeira vez que notei que seus olhos não eram azuis, como sempre pensei, mas de um cinza-claro brilhante.

— Eu guio você — digo. — Aquilo é um chafariz. Não esbarre nele.

Bronwyn quer ir à loja da Apple, onde franze os olhos vendo iPod Nanos para a irmã.

— Maeve está começando a correr agora. Ela vive pegando o meu emprestado e se esquecendo de carregá-lo.

— Você sabe que esse é um problema de menina rica e que ninguém mais se importa, certo?

Ela sorri de maneira afetada, sem se ofender.

— Eu preciso fazer uma playlist para mantê-la motivada. Alguma sugestão?

— Duvido de que a gente goste das mesmas músicas.

— A Maeve e eu temos um gosto musical variado. Você ficaria surpreso. Deixe eu ver sua biblioteca.

Dou de ombros e destravo o celular. Bronwyn navega pelo iTunes com uma testa cada vez mais franzida.

— O que é tudo *isso* aqui? Por que não reconheço nada? — Depois ela olha para mim. — Você tem "Variações do Cânone"?

Eu pego o telefone da mão de Bronwyn e o recoloco no bolso. Esqueci que tinha baixado aquilo.

— Eu gosto mais da sua versão — revelo, e os lábios dela se curvam num sorriso.

Nós tomamos o rumo da praça de alimentação e ficamos de bate-papo sobre besteiras, como se fôssemos dois adolescentes comuns. Bronwyn insiste em realmente pagar um pretzel para mim, embora eu tenha que ajudá-la porque ela não consegue ver dois palmos diante do nariz. Nós sentamos ao lado do chafariz para esperar por Maeve, e Bronwyn se debruça sobre a mesa para ver meus olhos.

— Tem uma coisa que eu vinha querendo falar com você.

Eu ergo as sobrancelhas, interessado, até ela dizer:

— Estou preocupada com o fato de você não ter um advogado.

Então, engulo um pedaço de pretzel e evito o olhar de Bronwyn.

— Por quê?

— Porque esta situação toda está começando a implodir. Minha advogada acha que a cobertura da imprensa vai viralizar. Ela me fez mudar todas as minhas contas de mídias sociais para privadas. Você deveria fazer o mesmo, falando nisso. Se tiver alguma. Eu não te encontrei em lugar algum. Não que eu estivesse dando uma de *stalker*. Só por curiosidade. — Ela se sacode um pouco, como se tentasse colocar as ideias de volta nos trilhos. — Enfim, a pressão está aí, e você já está em liberdade condicional, então, é melhor... é melhor você ter alguém do seu lado.

Você é o desajustado, o bode expiatório óbvio disso tudo. É o que Bronwyn está querendo dizer; só é educada demais para falar diretamente. Eu afasto a cadeira da mesa e a inclino para trás, equilibrada em duas pernas.

— Isso é uma boa notícia para você, certo? Se eles se concentrarem em mim.

— Não! — Ela fala tão alto que as pessoas na mesa ao lado olham para cá, e Bronwyn baixa o tom de voz. — Não, é horrível. Mas eu estava pensando... Você já ouviu falar do Até que Provem?

— O quê?

— Até que Provem. É aquele grupo voluntário de advogados que começou na Faculdade de Direito da Califórnia Western. Lembra? Eles soltaram aquele mendigo que foi condenado por assassinato por causa de um erro no teste de DNA, e encontraram o verdadeiro assassino.

Não sei se estou ouvindo bem.

— Você está me comparando ao mendigo no corredor da morte?

— É apenas um exemplo de um caso famoso. Eles fazem outras coisas também. Achei que valesse a pena dar uma olhada neles.

Bronwyn e a agente Lopez realmente se dariam bem. Ambas têm certeza de que é possível dar um jeito em qualquer problema com o grupo de apoio correto.

— Parece inútil.

— Você se importaria se eu ligasse para eles?

Eu recoloco a cadeira no piso com um barulhão, perdendo a calma.

— Você não pode cuidar desta situação como se fosse o conselho estudantil, Bronwyn.

— E você não pode simplesmente esperar para ser julgado e condenado sem provas!

Ela espalma as mãos na mesa e chega à frente, com um olhar intenso.

Cruzes. Bronwyn é um pé no saco, e não consigo me lembrar de por que eu queria tanto beijá-la há poucos minutos. Ela provavelmente me transformaria em um *projeto*.

— Cuide da sua vida.

A frase sai mais ríspida do que eu pretendia, mas estou falando sério. Sobrevivi por quase todo o ensino médio sem Bronwyn Rojas cuidando da minha vida, e não preciso que ela comece agora.

Bronwyn cruza os braços e olha feio para mim.

— Estou tentando te *ajudar*.

É aí que percebo que Maeve está parada ali, olhando de um para o outro, como se estivesse vendo a partida de pingue-pongue menos divertida do mundo.

— Há…Cheguei em má hora? — pergunta ela.

— É uma *ótima* hora — respondo.

Bronwyn fica de pé abruptamente, coloca os óculos e a mochila no ombro.

— Obrigada pela carona.

A voz dela é tão fria quanto a minha.

Tanto faz. Eu me levanto e vou para a saída sem responder, sentindo uma combinação perigosa de raiva e inquietude. Preciso de uma distração, mas nunca sei o que diabos fazer agora que saí do tráfico de drogas. Talvez parar tenha sido apenas o adiamento do inevitável.

Estou quase do lado de fora quando alguém puxa a minha jaqueta. Quando me viro, braços dão a volta no meu pescoço e o cheiro agradável de maçã verde me envolve quando Bronwyn beija meu rosto.

— Você está certo — sussurra ela, com o hálito quente no meu ouvido. — Foi mal. Não é da minha conta. Não fique puto, ok? Eu não consigo aguentar essa barra se você parar de falar comigo.

— Não estou puto.

Eu tento destravar para devolver o abraço, em vez de ficar parado ali, como um toco de madeira, mas Bronwyn já foi embora, correndo atrás da irmã.

Addy
Terça-feira, 9 de outubro, 20h45

De alguma maneira, Bronwyn e Nate conseguiram desviar das câmeras. Cooper e eu não demos tanta sorte assim. Ambos aparecemos no noticiário das cinco da tarde de todos os principais canais de San Diego: Cooper atrás do volante de seu Jeep Wrangler, e eu entrando no carro de Ashton após ter abandonado minha bicicleta novinha em folha no colégio e enviado uma mensagem de texto em pânico, implorando por uma carona. O noticiário encerrou com uma bela imagem minha, que foi colocada ao lado de foto antiga, de quando eu tinha 8 anos, no concurso de beleza Little Miss Southeast San Diego. Onde, claro, fiquei em terceiro lugar.

Pelo menos, não há vans quando Ashton estaciona para me deixar no colégio no dia seguinte.

— Me liga se precisar de carona — diz ela, e eu dou um abraço rápido, que a esgana.

Pensei que estaria mais à vontade para demonstrar carinho fraternal depois da choradeira da semana passada, mas ainda é esquisito e eu acabo prendendo o bracelete no suéter de Ashton.

— Foi mal — murmuro, e dou um sorriso dolorido.

— A gente vai ficar melhor nisso com o tempo.

Eu já me acostumei com olhares, então, o fato de que eles se intensificaram desde ontem não me incomoda. Quando saio da sala no meio da aula da História é porque sinto a menstruação descendo, e não porque tenho que chorar.

Mas, quando chego ao banheiro feminino, outra pessoa está chorando. Sons abafados vêm da última cabine porque quem quer que esteja lá se controla. Eu cuido do meu problema — alarme falso — e lavo as mãos enquanto observo meus olhos cansados e o cabelo surpreendentemente exuberante. Não importa o quanto minha vida esteja horrível, meu cabelo ainda consegue estar bonito.

Estou prestes a sair, mas hesito e vou para a outra ponta do banheiro. Eu me abaixo e vejo coturnos surrados embaixo da porta da última cabine.

— Janae?

Sem resposta. Eu bato com os nós dos dedos na porta.

— É Addy. Você precisa de alguma coisa?

— Cruzes, Addy — diz Janae em uma voz embargada. — *Não*. Vá embora.

— Ok — digo, mas não vou. — Sabe, geralmente sou eu que fico nessa cabine chorando sem parar. Então, tenho muito lenço de papel se você precisar. E também colírio.

Janae não fala nada.

— Eu sinto muito pelo Simon. Não creio que isso signifique muita coisa dado tudo que você ouviu, mas... fiquei chocada com o que aconteceu. Você deve sentir muito a falta dele.

Janae permanece calada, e eu me pergunto se falei demais novamente. Sempre achei que Janae fosse apaixonada por Simon e que ele não notava. Talvez ela finalmente tenha contado a verdade para ele antes de ele morrer e foi rejeitada. Isso tornaria a situação ainda pior.

Estou prestes a sair quando Janae dá um grande suspiro. A porta se abre e revela o rosto borrado e a roupa toda preta.

— Eu aceito o colírio — diz ela ao esfregar os olhos de guaxinim.

— Você deveria aceitar o lenço de papel também — sugiro ao colocar as duas coisas na sua mão.

Ela solta algo parecido com uma risada pelo nariz.

— Nada como um dia depois do outro, Addy. Você nunca falou comigo antes.

— Isso te incomodava? — pergunto, com curiosidade sincera.

Janae nunca me pareceu uma pessoa que quisesse fazer parte do nosso grupo. Ao contrário de Simon, que sempre rondou pelas beiradas, à procura de uma entrada.

Janae molha um lenço de papel na pia e o passa nos olhos enquanto olha feio para mim pelo espelho o tempo todo.

— Vai se catar, Addy. Sério. Que pergunta é essa?

Eu não me ofendo, como normalmente me ofenderia.

— Não sei. Uma pergunta idiota, eu acho. Só agora estou percebendo que tenho um péssimo traquejo social.

Janae espirra um jato de colírio em ambos os olhos, e as manchas de guaxinim reaparecem. Eu ofereço outro lenço de papel para que ela possa repetir o processo de limpeza.

— Por quê?

— Porque na verdade quem era popular era Jake, não eu. Eu só estava de carona.

Janae se afasta do espelho com um passo.

— Nunca pensei que te ouviria dizer isso.

— "Sou vasto, contenho multidões" — digo para ela, que arregala os olhos. — *Canção de Mim Mesmo*, certo? Walt Whitman. Eu ando lendo desde o funeral de Simon. Não entendo a maior parte, mas é reconfortante de uma forma meio estranha.

Janae continua limpando os olhos.

— Foi o que pensei. Era o poema favorito de Simon.

Penso em Ashton e em como ela vem me mantendo sem pirar nas últimas duas semanas. E em Cooper, que me defendeu no colégio embora não haja nenhuma amizade real entre nós.

— Você tem com quem conversar?

— Não — murmura Janae, e os olhos dela se enchem de água novamente.

Sei por experiência própria que ela não vai me agradecer por continuar a conversa. Em algum momento, nós precisamos engolir o choro e seguir para a aula.

— Bem, se você quiser falar comigo… eu tenho muito tempo. E espaço ao meu lado no refeitório. Enfim, fica o convite. De qualquer maneira, sinto mesmo por Simon. A gente se vê.

Levando tudo em conta, acho que o resultado daquele encontro foi muito bom. Janae parou de me insultar no final, de qualquer forma.

Volto para a aula de História, mas está quase no fim, e, após o sinal tocar, é hora do almoço — a parte que menos gosto do dia. Falei para Cooper não se sentar comigo, porque não suporto a forma como todo mundo o trata mal, mas odeio comer sozinha. Estou prestes a pular o almoço e ir à biblioteca quando sinto a mão em minha manga.

— Ei.

É Bronwyn, com uma aparência surpreendentemente elegante em um blazer justo e sapatos baixos listrados. O cabelo está solto e caindo sobre os ombros em camadas negras reluzentes. Noto com uma pontada de inveja como a pele dela está limpa. Aposto que não tem espinhas enormes. Não sei se algum dia vi Bronwyn tão bonita assim, e estou tão distraída que quase perco as próximas palavras dela.

— Você quer almoçar com a gente?

— Ah… — Eu inclino a cabeça para Bronwyn. Passei mais tempo com ela nas últimas duas semanas do que passei nos últimos três anos no colégio, mas não foram exatamente momentos sociáveis. — Sério?

— É. Bem. Nós temos alguma coisa em comum agora, então…

Bronwyn não completa o argumento, seus olhos se afastam dos meus, e imagino se ela acha que eu possa ser a responsável por tudo isso. Bronwyn deve achar que sim, porque eu penso o mesmo a respeito dela às vezes. Mas tipo um gênio do mal, uma vilã de desenho animado. Agora que Bronwyn está parada diante de mim com sapatos fofos e um sorriso hesitante, aquilo parece impossível.

— Tudo bem — respondo.

Sigo Bronwyn para uma mesa com a irmã dela, Yumiko Mori, e uma garota alta e de aparência taciturna que não conheço. Melhor do que pular o almoço na biblioteca.

Quando saio pela entrada principal depois do último sinal, não há nada — nenhuma van de noticiário, nenhum repórter —, então, mando uma mensagem para Ashton, dizendo que ela não precisa me pegar, e aproveito a oportunidade para ir para casa de bicicleta. Eu paro no semáforo vermelho superdemorado da Rua Hurley e descanso os pés no asfalto enquanto olho para as lojas do centro comercial à minha direita: roupas baratas, bijuterias baratas, celulares baratos. E cortes de cabelo baratos. Nada como meu salão de beleza de sempre no centro de San Diego, que cobra sessenta dólares a cada seis semanas para conter o avanço das pontas duplas.

Sinto o cabelo pesado e quente embaixo do capacete. Antes de o semáforo abrir, eu viro a bicicleta para fora da rua, subo na calçada e entro no estacionamento do centro comercial. Guardo a bicicleta no estacionamento do lado de fora do salão Supercuts, retiro o capacete e entro.

— Oi! — A moça atrás do caixa é apenas alguns anos mais velha do que eu e usa uma regata preta que expõe tatuagens coloridas de flores cobrindo os braços e ombros. — Você veio aparar o cabelo?

— Cortar.

— Ok. Não estamos muito ocupados, então, posso atender você agora mesmo.

A moça me conduz a uma cadeira preta vagabunda que está perdendo o estofamento, e ambas olhamos para o meu reflexo no espelho enquanto ela passa a mão pelo meu cabelo.

— Ele é tão bonito.

Eu olho fixamente para os cachos reluzentes na mão da moça.

— Ele está precisando ser cortado.

— Alguns centímetros?

Eu balanço a cabeça.

— Todo.

Ela ri de nervoso.

— Na altura dos ombros, talvez?

— Todo — repito.

Ela arregala os olhos, assustada.

— Ah, você não está falando sério. Seu cabelo é lindo!

A moça desaparece e ressurge com uma supervisora. Ambas ficam paradas ali, confabulando em tom baixo por alguns minutos. Metade do salão está me encarando. Imagino quantos clientes viram o noticiário de San Diego ontem à noite, e quantos pensam que sou apenas uma adolescente com os hormônios à flor da pele.

— Às vezes, as pessoas pensam que querem um corte radical, mas não é verdade — começa a falar a supervisora, com cautela.

Eu não a deixo terminar. Estou mais do que cansada de as pessoas me dizerem o que quero.

— Vocês cortam cabelo aqui? Ou devo ir a outro lugar qualquer?

Ela puxa um cacho do próprio cabelo louro platinado.

— Eu odiaria que você se arrependesse disso. Se quer um visual diferente, você pode experimentar…

Há tesouras espalhadas pela bancada diante de mim, então pego uma delas. Antes que alguém consiga me deter, eu puxo um punhado grosso de cabelo e corto o pedaço bem acima da orelha. Gritinhos contidos percorrem o salão, e encaro o olhar chocado da moça tatuada no espelho.

— Dê um jeito nisso — digo a ela.

E é o que ela faz.

CAPÍTULO 16

Bronwyn
Sexta-feira, 12 de outubro, 19h45

Quatro dias depois de aparecermos no noticiário local, a reportagem se torna nacional no programa *Mikhail Powers Investiga*.

Eu sabia que isso aconteceria, já que a produção de Mikhail tentou entrar em contato com minha família a semana inteira. Nós nunca respondemos, graças a um bom senso básico e também à consultoria de Robin. Nate também não respondeu, e Addy disse que tanto ela quanto Cooper se recusaram a falar. Então, o programa vai ao ar em quinze minutos sem comentários de nenhuma das pessoas realmente envolvidas.

A não ser que um de nós esteja mentindo. O que é sempre uma possibilidade.

A cobertura local já foi suficientemente ruim. Talvez tenha sido a minha imaginação, mas tenho certeza de que meu pai fez uma careta toda vez que eu fui citada como "a filha de Javier Rojas, notório empresário latino". E ele saiu da sala quando um canal informou sua nacionalidade como chilena em vez de colombiana. A coisa toda me fez querer, pela centésima vez desde que tudo isso começou, que eu simplesmente tivesse levado aquele 5 em Química.

Maeve e eu estamos esparramadas na minha cama, olhando os minutos passarem no despertador até minha estreia como uma desgraça nacional. Ou melhor, *eu* estou, enquanto minha irmã está examinando minuciosamente os links do 4chan que encontrou no site de administrador de Simon.

— Olhe isto aqui — mostra ela ao virar o laptop para mim.

Um longo tópico de discussão aborda um tiroteio em um colégio que aconteceu na primavera passada, a alguns condados de distância. Um aluno do segundo ano escondeu uma pistola no casaco e abriu fogo no corredor após o primeiro sinal. Sete estudantes e um professor morreram antes de o garoto apontar a arma para si mesmo. É preciso ler alguns comentários mais de uma vez até eu perceber que a discussão não está condenando o garoto, mas exaltando-o. Um bando de psicopatas vibrando com o que ele fez.

— Maeve. — Enfio a cabeça nos braços, sem querer ler mais. — Que diabos é isso?

— Um fórum qualquer que Simon frequentava há alguns meses.

Eu ergo a cabeça para encará-la.

— *Simon* postava ali? Como você sabe?

— Ele usou aquele nome AnarchiSK tirado do Falando Nisso — responde Maeve.

Vasculho o tópico de discussão, mas é comprido demais para notar nomes individuais.

— Você tem certeza de que é Simon? Talvez outras pessoas usem o mesmo nome.

— Eu ando verificando as postagens, e com certeza é Simon — garante Maeve. — Ele faz referências a lugares em Bayview, fala dos clubes de que fez parte no colégio, menciona o carro algumas vezes.

Simon sentia um orgulho absurdo do Fusca 1970 que dirigia. Minha irmã se reclina nas almofadas e morde o lábio inferior.

— Há muita coisa para examinar, mas vou ler tudo quando tiver tempo.

Não consigo imaginar uma coisa que eu quisesse fazer menos.

— Por quê?

— A discussão está cheia de gente esquisita com ressentimentos — diz Maeve. — Simon pode ter feito alguns inimigos ali. Vale a pena pesquisar, de qualquer forma.

Ela pega o laptop de volta e acrescenta:

— Eu peguei aquele arquivo criptografado sobre Cooper na biblioteca naquele dia, mas não consegui abrir. *Ainda.*

— Meninas. — A voz da minha mãe está tensa ao berrar para o segundo andar. — Está na hora.

É verdade. A família inteira vai se reunir para assistir *Mikhail Powers Investiga.* O que é um círculo do inferno como Dante jamais imaginou.

Maeve fecha o laptop enquanto eu faço um esforço para ficar de pé. Há uma leve vibração vindo de dentro da minha mesinha de cabeceira, e abro a gaveta para tirar o telefone de Nate.

Aproveite o programa, diz a mensagem.

Não tem graça, respondo.

— Guarde isso — avisa Maeve, fingindo rigor. — Agora *não é a hora.*

Nós descemos para a sala de estar, onde mamãe já se instalou em uma poltrona com uma taça de vinho excepcionalmente cheia. Papai está funcionando no modo executivo despojado, vestido casualmente com seu colete de lã favorito e cercado por meia dúzia de aparelhos de comunicação. Um comercial de papel-toalha surge na tela enquanto Maeve e eu nos sentamos lado a lado no sofá e esperamos que *Mikhail Powers Investiga* comece.

O programa se concentra em descrever crimes reais, e é muito sensacionalista, porém mais confiável do que outras atrações similares por causa do passado de cobertura de acontecimentos relevantes de Mikhail. Ele trabalhou anos como âncora de uma das grandes redes de televisão e agrega uma certa credibilidade aos trabalhos.

Mikhail Powers sempre lê o enredo inicial em voz grave e autoritária enquanto fotos policiais granuladas são exibidas na tela.

Uma jovem mãe desaparece. Uma vida dupla exposta. E um ano depois, uma prisão chocante. Será que a justiça finalmente foi feita?

Um casal famoso morto. Uma filha dedicada suspeita. Será que sua conta no Facebook pode ser a chave para desvendar a identidade do assassino?

Eu conheço a fórmula, então, não é surpresa alguma quando é aplicada a mim.

A morte misteriosa de um estudante do ensino médio. Quatro colegas de turma com segredos. Quando a polícia não chega a lugar algum, o que virá a seguir?

O medo começa a se espalhar por mim: meu estômago dói, meus pulmões se apertam, até minha boca tem um gosto horrível. Por quase duas semanas, eu fui interrogada e examinada, fui julgada e me tornei motivo de sussurros. Tive que me esquivar de perguntas feitas pela polícia e por professores sobre as alegações de Simon e ver seus olhos ficarem sérios enquanto liam nas entrelinhas. Venho esperando que caia outra bomba; que o Tumblr solte um vídeo meu acessando os arquivos do Sr. Camino ou que a polícia me denuncie. Mas nada pareceu tão real e brutal quanto ver minha foto de turma sobre o ombro de Mikhail Powers em rede nacional.

Há imagens de Mikhail e sua equipe em Bayview, mas ele divulga a apuração dos fatos por trás de uma mesa cromada elegante, no estúdio de Los Angeles. Mikhail tem pele e cabelos negros e sedosos, olhos expressivos, e o vestuário sob medida mais perfeito que já vi na vida. Não duvido que, se ele conseguisse me interrogar sozinha, eu teria revelado todo tipo de coisa que não deveria.

— Mas quem *são* os integrantes do Quarteto de Bayview? — pergunta Mikhail, encarando intensamente a câmera.

— Vocês têm um nome — sussurra Maeve, mas não suficientemente baixo para mamãe não ouvir.

— Maeve, isso não é *nada* engraçado — critica ela, rispidamente, quando a câmera corta para um vídeo do trabalho dos meus pais.

Ah, não. Estão começando por mim.

Bronwyn Rojas, uma aluna exemplar, vem de uma família de alto desempenho, traumatizada pela doença persistente da filha mais nova. Será que a pressão para estar à altura a levou a roubar provas e tirar Yale do alcance para sempre? Seguido por um porta-voz de Yale confirmando que eu, na verdade, ainda não me inscrevi.

Todos nós temos nossa vez. Mikhail examina o passado de concurso de beleza de Addy, fala com comentaristas de beisebol sobre a predominância do doping no ensino médio e o impacto potencial na carreira de Cooper, e revela os detalhes sobre a prisão de Nate por tráfico de drogas e a sentença de liberdade condicional.

— Não é justo — sussurra Maeve no meu ouvido. — Não falaram nada sobre o fato de o pai dele ser um bêbado e a mãe estar morta. Cadê o contexto?

— Ele não ia querer isso, de qualquer forma — sussurro de volta.

Passo o programa encolhida de medo até ver uma entrevista com um advogado do grupo Até que Provem. Uma vez que nenhum dos nossos advogados concordou em falar, a equipe de Mikhail chamou o Até que Provem como especialistas no tema. O advogado com quem eles falam, Eli Kleinfelter, não parece sequer dez anos mais velho do que eu. Tem um cabelo cacheado desgrenhado, um cavanhaque falho e intensos olhos escuros.

— Eis o que eu diria se fosse o advogado deles — diz o rapaz, e eu me debruço à frente, sem querer. — Toda a atenção está voltada para esses quatro jovens. Eles estão sendo arrastados na lama, sem prova alguma que os ligue a qualquer crime, após semanas de investigação. Mas havia um quinto jovem na sala, não havia? E ele parece ser do tipo que talvez tivesse mais do que quatro inimigos. Então, me diga: quem *mais* tem um motivo? Qual a história que não está sendo contada? É aí que eu investigaria.

— E-xa-ta-men-te — concorda Maeve, separando cada sílaba.

— E não é possível presumir que Simon era a única pessoa com acesso ao painel de administrador do Falando Nisso — continua Eli. — Qualquer um poderia ter entrado no painel antes de ele morrer e ter visto ou modificado aquelas postagens.

Eu olho para Maeve, mas desta vez ela não diz nada, apenas encara a tela com um meio sorriso no rosto.

Não consigo parar de pensar nas palavras de Eli pelo restante da noite. Mesmo quando estou ao telefone com Nate, meio assistindo a *Battle Royale*, que é melhor do que muitos dos filmes que ele gosta. Mas com *Mikhail Powers Investiga* e nosso passeio ao shopping na segunda-feira — em que eu penso sem parar no tempo vago quando não me imagino indo para a cadeia —, não consigo me concentrar. Muitos outros pensamentos disputam um espacinho no meu cérebro.

Nate esteve prestes a me beijar, não é? E eu queria que ele me beijasse. Então, por que não nos beijamos?

Eli finalmente falou a coisa certa. Por que ninguém está procurando por outros suspeitos?

Imagino se Nate e eu agora entramos oficialmente para a friendzone.

Mikhail Powers conduz investigações em série, então, esta situação só vai piorar.

Nate e eu seríamos horríveis juntos de qualquer maneira. Provavelmente.

É sério que a revista People *acabou de me enviar um e-mail?*

— O que está acontecendo com esse seu cérebro grande, Bronwyn? — pergunta Nate, finalmente.

Muita coisa, e a maior parte eu provavelmente não deveria compartilhar.

— Quero conversar com Eli Kleinfelter — digo. — Não sobre você — acrescento, quando Nate não responde. — Só em termos gerais. Estou intrigada pelo que ele pensa.

— Você já tem uma advogada. Acha que ela gostaria que você obtivesse uma segunda opinião?

Eu sei que ela não gostaria. Robin só quer saber de restrição e defesa. *Não dê nada a ninguém que possa ser usado contra você.*

— Não quero que ele me represente ou algo assim. Só quero uma conversa. Talvez eu tente ligar para ele na semana que vem.

— Você nunca desliga, não é?

A frase não soa como um elogio.

— Não — admito, e me pergunto se matei qualquer atração esquisita que Nate possa ter sentido por mim um dia.

Nate fica em silêncio enquanto assistimos Shogo fingir as mortes de Shuya e Noriko.

— Esse filme não é ruim — concede ele, finalmente. — Mas você ainda me deve terminar de ver *Ringu* pessoalmente.

Pequenas faíscas elétricas percorrem minha corrente sanguínea. *A atração não morreu, então? Talvez esteja sobrevivendo por aparelhos.*

— Eu sei. É meio que um desafio de logística. Especialmente agora que somos famosos.

— Não há nenhuma van de reportagem aqui, agora.

Pensei sobre isso. Talvez algumas dezenas de vezes desde a primeira vez que ele me convidou. E, embora eu não compreenda muito do que está rolando entre mim e Nate, eu sei de uma coisa: o que acontecer a seguir não me envolve dirigindo para a casa dele no meio da noite. Começo a enumerar todos os excelentes motivos práticos, tipo, que o motor barulhento do Volvo vai acordar meus pais, quando Nate me corta:

— Eu posso te buscar.

Suspiro e encaro o teto. Não sou boa em passar por essas situações, provavelmente porque elas só ocorriam na minha mente.

— Acho esquisito ir para a sua casa a uma da manhã, Nate. Tipo, é... diferente de assistir a um filme. E não te conheço tão bem a ponto de, há, não assistir a um filme com você.

Ai, Deus. É por isso que as pessoas deveriam esperar até o último ano do ensino médio para namorar. Meu rosto inteiro está ardendo, e, enquanto espero pela resposta dele, agradeço de verdade por Nate não poder me ver.

— Bronwyn. — A voz dele não é tão debochada quanto eu esperava. — Eu não estou tentando *não assistir* a um filme com você. Quero dizer, claro, se você estivesse a fim disso, eu não diria não. Acredite. Mas o principal motivo de eu te chamar para vir aqui após a meia-noite é que a minha casa é uma merda durante o dia. Em primeiro lugar, dá para vê-la. O que eu não recomendo. Em segundo, meu pai está por perto. Eu preferia que você... você sabe. Que não tropeçasse nele.

Meu coração perde o compasso.

— Eu não ligo para isso.

— Mas eu ligo.

— Ok. — Eu não compreendo completamente as regras de Nate para gerenciar seu mundo, mas para variar eu vou cuidar da minha própria vida e não vou dar opinião sobre o que importa ou não. — Vamos dar algum jeito nisso.

Cooper
Sábado, 13 de outubro, 16h35

Não existe um lugar bom para romper o namoro com alguém, mas pelo menos a sala de estar da pessoa é reservada e ela não tem que ir para lugar algum depois. Então, é lá que dou a notícia a Keely.

Não é por causa do que a Vovó disse. Já estava para acontecer há algum tempo. Keely é ótima de mil formas diferentes, mas não é para mim, e não posso arrastá-la por toda essa situação sabendo disso.

Keely quer uma explicação, e eu não tenho uma boa.

— Se é por causa da investigação, não me importo! — exclama ela às lágrimas. — Eu te apoio, não importa o que aconteça.

— Não é isso — digo.

Não é *só* isso, de qualquer forma.

— E eu não acredito em uma palavra daquele Tumblr horroroso.

— Eu sei, Keely. Sou grato por isso, sou mesmo.

Houve outra postagem na manhã de hoje, exultando a cobertura da mídia:

O site do programa *Mikhail Powers Investiga* recebeu milhares de comentários sobre o Quarteto de Bayview. (Um nome meio sem graça, falando nisso. Eu teria esperado coisa melhor de um programa jornalístico de primeira linha.) Alguns pedem por sentença de prisão. Alguns reclamam que os jovens são mimados e têm tudo de mão beijada hoje em dia, e que este é um grande exemplo disso.

É uma grande reportagem: quatro alunos bonitos e famosos, todos sendo investigados por assassinato. E ninguém é o que parece.

A pressão está forte agora, polícia de Bayview. Talvez vocês devam examinar com mais atenção as antigas postagens de Simon. Podem encontrar algumas pistas interessantes sobre o Quarteto de Bayview.

Só estou falando.

A última parte faz meu sangue gelar. Simon nunca escreveu sobre mim antes, mas não gostei da insinuação. Ou da sensação ruim e intensa de que outra coisa está vindo. E em breve.

— Então, por que você está fazendo isso?

Keely está com a cabeça entre as mãos e lágrimas escorrendo pelo rosto. Ela é uma chorona bonita; não fica vermelha, nem manchada. Keely olha para mim com afogados olhos negros.

— Vanessa disse alguma coisa?

— A... o quê? Vanessa? O que *ela* diria?

— Ela tem pegado no meu pé por eu ainda estar falando com Addy. Ela ameaçou te contar uma coisa que você nem deveria se importar, porque aconteceu antes do nosso namoro. — Keely olha para mim esperançosamente, e minha expressão impassível parece deixá-la furiosa.— Ou talvez você *devesse* se importar, assim se importaria com alguma coisa relacionada a mim. Você está sendo tão presunçoso sobre a maneira como Jake está agindo, Cooper, mas pelo menos ele tem emoções. Jake não é um robô. É normal ter ciúmes quando a garota de quem você gosta está com outra pessoa.

— Eu sei.

Keely espera um segundo antes de dar uma risadinha sarcástica.

— É assim, então? Você não está nem um pouco curioso. Não está preocupado comigo ou quer me proteger. Você simplesmente não dá a mínima.

Chegamos àquele ponto onde nada que eu diga estará certo.

— Foi mal, Keely.

— Eu fiquei com Nate — confessa ela abruptamente, com os olhos fixos nos meus. Tenho que admitir que isso me surpreende. — Na festa de Luis, na última noite do primeiro ano. Simon estava me seguindo a noite inteira, e eu estava de saco cheio disso. Daí Nate apareceu e eu pensei, que se dane. Ele é um cara gostoso, né? Mesmo que *seja* um degenerado completo. — Keely

199

dá um sorriso afetado para mim, com um traço de amargura no rosto. — Nós só nos beijamos, basicamente. Naquela noite. Aí você me chamou para sair algumas semanas depois.

Ela olha intensamente para mim de novo, e não sei que mensagem Keely está tentando passar.

— Então, você estava comigo e com Nate ao mesmo tempo?

— Isto te incomodaria?

Ela quer tirar algo de mim desta conversa. Eu gostaria de descobrir o que é e dar a ela, porque sei que não fui justo com Keely. Seus olhos negros estão fixos nos meus, as bochechas, coradas, e os lábios, ligeiramente abertos. Keely é realmente linda e, se eu disser que cometi um engano, me aceitaria de volta e eu continuaria sendo o cara mais invejado de Bayview.

— Acho que não gostaria… — começo a dizer, mas Keely me interrompe com uma meia gargalhada e meio soluço de choro.

— Ai, meu Deus, Cooper. A sua *cara*. Você não dá a mínima mesmo. Bem, só pra constar, eu parei de fazer qualquer coisa com Nate assim que você me chamou pra sair. — Ela recomeça a chorar, e eu me sinto o maior babaca do mundo. — Sabe, Simon teria dado qualquer coisa para que eu o tivesse escolhido. Você nem chegou a saber que *foi* uma escolha. As pessoas sempre te escolhem, né? Elas sempre me escolheram também. Até você chegar e me tornar invisível.

— Keely, eu nunca tive a intenção…

Ela não está mais escutando.

— Você nunca se importou, não é? Só queria o acessório certo para a temporada de recrutamento.

— Isso não é justo…

— É tudo uma grande mentira, não é, Cooper? Eu, os seus arremessos…

— Eu *nunca* usei anabolizantes — interrompo, subitamente furioso.

Keely dá outra risada embargada.

— Bem, pelo menos você sente algo por *alguma coisa*.

— Eu vou embora.

Fico de pé abruptamente, sentindo a adrenalina nas veias enquanto saio pela porta de Keely, antes que eu diga algo que não deveria. Fiz exames após as acusações de Simon virem à tona, e deram negativo. E também uma outra vez no verão, como parte de uma série de exames físicos no centro de medicina esportiva exigidos pela UCSD antes de montar meu regime de treinamento. Mas foi só isso. Uma vez que os esteroides anabolizantes desaparecem do organismo em questão de semanas, não consigo provar minha inocência completamente. Falei para o treinador Ruffalo que as acusações não são verdadeiras, e, até então, ele não entrou em contato com nenhum colega. Só que agora nós fazemos parte do circuito de notícias, e as coisas não vão ficar em segredo por muito tempo.

E Keely está certa — andei bem mais preocupado com isso do que com nosso relacionamento. Devo a ela um pedido de desculpas melhor do que esse que acabei de improvisar. Mas não sei como fazer.

CAPÍTULO 17

Addy
Segunda-feira, 15 de outubro, 12h15

O sexismo segue firme e forte na cobertura policial, porque Bronwyn e eu não somos tão populares com a opinião pública quanto Cooper e Nate. *Especialmente* Nate. Todas as pré-adolescentes postando sobre a gente nas redes sociais amam Nate. Elas nem ligam que ele seja um traficante de drogas condenado — Nate tem olhos cativantes.

A mesma coisa acontece no colégio. Bronwyn e eu somos párias — tirando as amigas dela, a irmã e Janae, quase ninguém fala conosco. Só sussurram pelas costas. Mas Cooper continua o queridinho de sempre. E Nate — bem, não é como se Nate algum dia tivesse sido exatamente popular. Ele nunca pareceu se importar com o que as pessoas pensavam, e continua sendo assim.

— É sério, Addy, pare de mostrar essa coisa. Eu não quero ver.

Bronwyn revira os olhos para mim, mas não parece realmente puta. Acho que somos quase amigas agora, ou tão amigáveis quanto possível quando você não tem cem por cento de certeza de que a outra pessoa não está lhe incriminando por assassinato.

Por outro lado, ela não compartilha da minha necessidade obsessiva de acompanhar as notícias sobre nós. E eu não mostro nada para ela, especialmente não os comentários horríveis com ofensas contra a família de Bronwyn. Esta é uma camada a mais de merda que ela não precisa. Em vez disso, mostro para Janae um dos artigos mais positivos que encontrei.

— Olhe. A notícia mais compartilhada no *BuzzFeed* é o Cooper saindo do ginásio.

A aparência de Janae está horrível. Ela perdeu mais peso desde que esbarrei com ela no banheiro, e parece mais apavorada do que nunca. Não sei por que Janae almoça com a gente, já que, na maior parte do tempo, ela não diz uma palavra. Mas agora ela olha com entusiasmo para o meu celular.

— É uma boa foto, eu acho.

Kate me lança um olhar severo.

— Quer guardar isso?

Eu guardo o celular, mas mentalmente estou mostrando o dedo para ela o tempo todo. Yumiko é legal, mas Kate quase me faz sentir saudades de Vanessa.

Não. É uma mentira deslavada. Eu *odeio* Vanessa. Odeio como ela bancou a menina malvada para chegar ao centro do meu antigo grupo e como colou com Jake, forçando uma imagem de casal. Ainda que eu não enxergue muito interesse da parte dele. Cortar meu cabelo foi como desistir de Jake, uma vez que ele não teria me notado há três anos sem o cabelo. Mas só porque eu abandonei as esperanças não significa que parei de prestar atenção.

Depois do almoço, vou para a aula de Geociência e me sento num banco ao lado de um colega de laboratório que mal olha na minha direção.

— Não se acomodem muito — alerta a Senhorita Mara. — Vamos misturar as coisas hoje. Vocês todos já estiveram com seus colegas por um tempo, então, vamos revezar.

Ela nos dá instruções complicadas — algumas pessoas vão para a esquerda, outras para a direita, e o restante fica parado no lugar —, mas não presto muita atenção ao processo até que acabo ao lado de TJ.

Seu nariz parece bem melhor, mas duvido de que algum dia fique reto novamente. TJ me dá um meio sorriso encabulado ao puxar a travessa de rochas diante de nós.

— Foi mal. Este provavelmente é o seu pior pesadelo, certo?

Não fique se gabando, TJ, penso. Ele não tem nada a ver com meus pesadelos. Parece que todos aqueles meses de culpa angustiada por ter transado com ele na casa de praia aconteceram em outra vida.

— Tudo bem.

Nós classificamos as rochas em silêncio, até que TJ fala:

— Gosto do seu cabelo.

Dou um muxoxo de desdém.

— Sei, claro.

Com a exceção de Ashton, que é suspeita para falar, *ninguém* gosta do meu cabelo. Minha mãe está estarrecida. Meus antigos amigos riram abertamente quando me viram no dia seguinte. Até Keely deu um risinho de desdém. Ela pulou imediatamente para Luis. Já que não pode ter o Cooper, acho que ela resolveu se conformar em ficar com o colega de equipe dele. Luis deu um pé na bunda de Olivia por Keely, mas ninguém ficou surpreso com *isso*.

— Estou falando sério. Finalmente dá para ver o seu rosto. Você parece a Emma Watson loura.

É mentira. Mas acho que é legal da parte dele. Eu seguro uma rocha entre o polegar e o indicador, e aperto os olhos para enxergá-la.

— O que você acha? Ígnea ou sedimentar?

TJ dá de ombros.

— Não sei a diferença.

Eu chuto e coloco a rocha na pilha de ígneas.

— TJ, se eu consigo me importar com rochas, tenho certeza de que você pode se esforçar mais.

Ele faz uma expressão de surpresa para mim e depois sorri.

— *Aí* sim.

— O quê?

Todo mundo parece absorto com suas rochas, mas TJ baixa a voz mesmo assim.

— Você foi muito engraçada quando nós... hã, da primeira vez que a gente ficou. Na praia. Mas, sempre que eu te vi depois daquilo, você era tão... passiva. Sempre concordando com tudo que Jake dizia.

Eu olho feio para a travessa diante de mim.

— Isso é uma grosseria.

O tom de voz de TJ é brando.

— Foi mal. Mas nunca entendi por que você ficou em segundo plano daquela maneira. Você foi uma diversão e tanto. — Ele nota meu olhar feio e acrescenta rapidamente: — Não *desse* jeito. Ah, bem, sim, desse jeito também, mas ... Quer saber? Deixe pra lá. Eu vou parar de falar agora.

— Ótima ideia — murmuro ao pegar um punhado de rochas e soltá-las diante dele. — Classifique essas, pode ser?

Não é que o comentário de TJ sobre "ficar em segundo plano" me magoe. Eu sei que é verdade. Porém, não consigo assimilar o resto. Ninguém nunca me disse que sou engraçada. Ou divertida. Eu sempre achei que TJ continuava falando comigo porque não se importaria de me pegar sozinha novamente. Jamais pensei que ele realmente fosse curtir ficar comigo durante a parte do dia, sem o envolvimento físico.

Chegamos ao fim da aula em silêncio, a não ser para concordar ou discordar sobre a classificação das rochas, e, quando o sinal toca, pego a mochila e vou para o corredor sem olhar para trás.

Até que uma voz atrás de mim me detém, como se eu tivesse dado de cara com uma parede invisível.

— Addy.

Meus ombros ficam tensos quando me viro. Eu não tentei falar com Jake desde que ele me dispensou no armário, e tenho medo do que ele vá me dizer agora.

— Como você está? — pergunta ele.

Eu quase rio.

— Ah, você sabe. *Nada bem.*

Não consigo interpretar a expressão de Jake. Ele não parece puto, mas também não está sorrindo. Parece diferente de alguma forma. Mais velho? Não exatamente, mas... menos moleque, talvez. Ele vinha me ignorando por quase duas semanas, e não entendo por que eu subitamente me tornei visível novamente.

— As coisas devem estar ficando sérias. Cooper se fechou completamente. Você... — Ele hesita e troca a mochila de ombro. — Você quer conversar alguma hora?

Minha garganta sente como se eu tivesse engolido algo afiado. *Se eu quero?* Jake espera por uma resposta, e mentalmente eu me sacudo. Claro que sim. É tudo que eu quero desde que aquilo aconteceu.

— Sim.

— Ok. Talvez hoje à tarde? Eu te mando uma mensagem. — Jake sustenta meu olhar, ainda sem sorrir, e acrescenta: — Meu Deus, não consigo me acostumar com o seu cabelo. Você nem parece você mesma.

Estou prestes a dizer *eu sei* quando me lembro das palavras de TJ. *Você era tão... passiva. Sempre concordando com tudo que Jake dizia.*

— Bem, eu me acostumei — digo em vez disso, e disparo pelo corredor antes que ele consiga quebrar o contato visual primeiro.

Nate
Segunda-feira, 15 de outubro, 15h15

Bronwyn se senta na pedra ao meu lado, ajeita a saia sobre os joelhos e olha por cima do topo das árvores diante de nós.

— Nunca estive no Pico do Marechal antes — confessa ela.

Não estou surpreso. O Pico do Marechal — que não é realmente um pico, está mais para um afloramento rochoso com vista para o bosque que cortamos para sair do colégio — é a suposta paisagem deslumbrante de Bayview. É também um ponto famoso para se embebedar, se drogar ou fazer pegação, embora não às três da tarde de uma segunda-feira. Tenho certeza de que Bronwyn não tem noção do que ocorre aqui nos fins de semana.

— Espero que esteja à altura da fama — digo.

Ela sorri.

— É melhor do que sofrer uma emboscada da equipe do Mikhail Powers.

Tivemos que fugir de novo pela porta dos fundos quando eles apareceram na frente do colégio hoje. Estou surpreso que eles ainda não tenham se tocado de vigiar o bosque. Dirigir até o shopping center novamente pareceu uma má ideia, visto que ficamos muito famosos na última semana, então, cá estamos.

Os olhos de Bronwyn estão abaixados, observando uma fila de formigas carregar uma folha pela rocha ao nosso lado. Ela umedece os lábios quando está nervosa, e eu me aproximo um pouco mais. A maior parte do meu tempo com Bronwyn é passada ao telefone, e não sei dizer o que ela está pensando pessoalmente.

— Eu liguei para Eli Kleinfelter — revela Bronwyn. — Do Até que Provem.

Ah. É *nisso* que ela está pensando. Eu me afasto.

— Ok.

— Foi uma conversa interessante — diz ela. — Ele gostou de ter ouvido notícias minhas, não pareceu nada surpreso. Eli prometeu não contar a ninguém que eu liguei para ele.

Apesar de toda a inteligência, Bronwyn pode ser uma criancinha inocente às vezes.

— E de que isso adianta? — pergunto. — Eli não é o seu advogado. Ele pode falar com Mikhail Powers sobre você se quiser ganhar mais destaque na televisão.

— Eli não vai falar — responde Bronwyn calmamente, como se tivesse compreendido tudo. — De qualquer forma, eu não contei nada a ele. Não falamos sobre mim, de maneira alguma. Eu só perguntei o que ele achava da investigação até então.

— E?

— Bem, ele repetiu um pouco do que disse na televisão. Que estava surpreso por não se falar mais sobre Simon. Eli acha que qualquer um que cuidasse do aplicativo como Simon fazia, pelo tempo que ele cuidava, teria feito muitos inimigos que adorariam usar nós quatro como bodes expiatórios. Ele disse que verificaria algumas das postagens mais prejudiciais e os alunos envolvidos. E que pesquisaria sobre Simon em geral. Como o que Maeve está fazendo com o lance do 4chan.

— A melhor defesa é o ataque? — pergunto.

— Certo. Eli também disse que nossos advogados não estão fazendo o suficiente para desmantelar a teoria de que mais ninguém poderia ter envenenado Simon. O Sr. Avery, por exemplo. — Um toque de orgulho surge na voz de Bronwyn. — Eli disse a mesmíssima coisa que eu falei, que o Sr. Avery teve a melhor oportunidade de todos nós para colocar os celulares e adulterar os copos. Mas, afora ter sido interrogado algumas vezes, a polícia o deixou em paz a maior parte do tempo.

Eu dou de ombros.

— Qual é o motivo dele?

— Tecnofobia — responde Bronwyn, que olha feio para mim quando eu rio. — Isso *existe*. De qualquer forma, é apenas uma ideia. Eli também mencionou a batida de carro como um momento que todo mundo estava distraído e alguém poderia ter entrado na sala.

Franzo a testa para ela.

— Nós não ficamos na janela tanto tempo assim. Teríamos ouvido a porta abrindo.

— Teríamos? Talvez não. O que eu quero dizer é que é possível. E ele falou outra coisa interessante. — Bronwyn pega uma pequena pedra e a manipula, pensativa. — Eli disse que investigaria essa batida. Que a coincidência foi suspeita.

— O que isso significa?

— Bem, tem a ver com o argumento anterior de Eli de que alguém poderia ter aberto a porta enquanto nós olhávamos os carros pela janela. Alguém que sabia que o acidente ia acontecer.

— Ele acha que o acidente de carro foi *planejado*? — Eu encaro Bronwyn, e ela evita o meu olhar ao jogar a pedra sobre as árvores embaixo de nós. — Então, você está sugerindo que alguém provocou uma batida no estacionamento para nos distrair, nos colocou na detenção e passou óleo de amendoim no copo de Simon? Que essa pessoa não tinha como saber que Simon estava com o copo se já não estivesse na sala? E que depois ela deixou o copo de Simon por ali, porque é idiota?

— Não é uma idiotice se a pessoa estiver tentando nos incriminar — salienta Bronwyn. — Mas seria uma idiotice que um de nós deixasse o copo ali, em vez de descobrir uma forma de se livrar dele. Havia boas chances de ninguém nos revistar logo depois.

— Isso ainda não explica como alguém do lado de fora da sala saberia que Simon estava com um copo d'água, para início de conversa.

— Bem, é como a postagem do Tumblr disse. Simon estava sempre bebendo água, né? A pessoa podia ter estado do lado de fora da porta, observando pela janela. É o que o Eli diz, de qualquer forma.

— Ah, bem, se *Eli* diz. — Eu não sei por que esse cara é um deus da advocacia aos olhos de Bronwyn. Ele não pode ter mais de 25 anos. — Parece que ele está cheio de teorias cretinas.

Estou me preparando para uma discussão, mas ela não morde a isca.

— Talvez — concorda Bronwyn passando o dedo pela rocha entre nós. — Mas eu andei pensando muito sobre isso ultimamente e… não acho que tenha sido alguém naquela sala, Nate. Não acho mesmo. Eu conheci Addy um pouquinho melhor esta semana — ela ergue a palma da mão diante do meu olhar de descrença — e não estou dizendo que virei subitamente uma especialista sobre ela ou algo assim, mas, honestamente, não consigo imaginá-la fazendo qualquer coisa contra Simon.

— E quanto a Cooper? Aquele cara certamente está escondendo alguma coisa.

— Cooper não é um assassino. — Bronwyn parece convencida, e, por alguma razão, isso me irrita.

— E você sabe disso porque vocês são muito próximos? Encare os fatos, Bronwyn, nenhum de nós realmente conhece um ao outro. Caramba, *você mesma* poderia ter feito aquilo. Você é inteligente o suficiente para planejar algo tão bizarro e se safar.

Estou brincando, mas Bronwyn fica rígida.

— Como você pode dizer isso?

Suas bochechas ficam vermelhas e dão a Bronwyn aquela aparência corada que sempre me perturba. *Um dia, ela vai te surpreender com a beleza que tem.* Minha mãe costumava dizer isso sobre Bronwyn.

Minha mãe estava errada, no entanto. Não há nada surpreendente a respeito disso.

— Eli mesmo disse, certo? — argumento. — Tudo é possível. Talvez você tenha me trazido aqui para me empurrar morro abaixo e quebrar meu pescoço.

— *Você* me trouxe aqui — salienta Bronwyn.

Ela arregala os olhos, e eu rio.

— Ah, ora, vamos. Você realmente não acha... Bronwyn, isto mal pode ser considerado uma ladeira. Empurrar você desta rocha não é lá um grande plano maligno se um tornozelo torcido é tudo que vai conseguir.

— Isso não tem graça — diz ela, mas um sorriso perpassa seus lábios.

O sol da tarde faz Bronwyn brilhar, coloca lampejos de ouro no cabelo escuro dela, e, por um segundo, eu quase perco a respiração.

Meu Deus. Esta garota.

Eu me levanto e estendo a mão. Ela me dá um olhar desconfiado, mas pega minha mão e deixa que eu a puxe até ficar de pé. Eu ergo a outra.

— Bronwyn Rojas, juro solenemente não assassiná-la hoje ou em qualquer momento no futuro. Combinado?

— Você é ridículo — murmura ela, ficando mais vermelha ainda.

— Me preocupa que você esteja evitando uma promessa de não me assassinar.

Bronwyn revira os olhos.

— Você diz isso para todas as garotas que traz aqui?

Hum. Talvez ela conheça a reputação do Pico do Marechal, afinal de contas.

Eu me aproximo até que haja somente alguns centímetros entre nós.

— Você ainda não respondeu à minha pergunta.

Bronwyn se inclina para a frente e leva os lábios ao meu ouvido. Ela está tão perto que posso sentir seu coração batendo enquanto sussurra:

— Eu prometo não assassinar você.

— Que tesão.

Falo como se fosse brincadeira, mas a voz sai feito um rosnado, e, quando os lábios dela se abrem, eu beijo Bronwyn antes que ela possa rir. Uma onda de energia percorre meu corpo quando pego no seu rosto com as mãos, e meus dedos agarram as bochechas e a linha do maxilar. Deve ser a adrenalina que está fazendo meu coração bater tão rápido. Todo aquele lance de ninguém-mais-seria-capaz-de-entender-essa-conexão. Ou talvez sejam os lábios macios e o cabelo com cheiro de maçã verde, e a forma como ela agarra o meu pescoço, como se não suportasse a ideia de me soltar. Seja como for, eu continuo beijando Bronwyn por quanto tempo ela permite, e, quando ela se afasta, eu tento puxá-la de volta porque não foi suficiente.

— Nate, meu telefone — diz ela, e pela primeira vez noto um toque de mensagem insistente e dissonante. — É a minha irmã.

— Ela pode esperar — retruco, enquanto enfio a mão no cabelo de Bronwyn e beijo a linha do maxilar até o pescoço.

Ela treme abraçada a mim, e ouço um gemidinho vindo da sua garganta. Que eu gosto.

— É só que… — Bronwyn passa a ponta dos dedos na minha nuca. — Ela não continuaria mandando mensagens se não fosse importante.

Maeve é a nossa desculpa — Bronwyn e ela deveriam estar juntas na casa de Yumiko —, então, eu me afasto relutantemente para que ela baixe a mão e retire o telefone da mochila. Ela olha para tela e respira nervosa.

— Ai, meu Deus. Minha mãe também está tentando entrar em contato. Robin diz que a polícia quer que eu vá à delegacia. Para, abre aspas, "examinar algumas coisas". Fecha aspas.

— Provavelmente a mesma baboseira. — Consigo parecer calmo, mesmo não estando.

— Eles ligaram para você? — pergunta Bronwyn.

Ela parece torcer para que tenham ligado, e se odeia por isso. Eu não ouvi meu telefone, mas tiro do bolso para verificar.

— Não.

Bronwyn acena com a cabeça e começa a disparar mensagens.

— Devo mandar Maeve me pegar aqui?

— Fale pra ela encontrar a gente na minha casa. É no meio do caminho entre aqui e a delegacia.

Assim que falo isso, eu meio que me arrependo — ainda não quero que Bronwyn chegue perto da minha casa quando o dia está claro —, mas é a opção mais conveniente. E nós não precisamos entrar.

Bronwyn morde o lábio.

— E se houver repórteres lá?

— Não haverá. Eles já sacaram que não tem ninguém nunca. — Como ela ainda parece preocupada, eu acrescento: — Olhe, a gente pode estacionar na minha vizinha e ir andando. Se houver alguém lá, eu te levo para outro lugar qualquer. Mas, confie em mim, vai dar tudo certo.

Bronwyn manda meu endereço por mensagem para a irmã, e nós andamos até o limite do bosque, onde deixei a motocicleta. Eu a ajudo a colocar o capacete, e ela sobe atrás de mim e me abraça pela cintura enquanto ligo o motor.

Eu piloto lentamente por ruas secundárias, estreitas e tortuosas até chegarmos à minha rua. O Chevrolet enferrujado da minha vizinha está parado na entrada de garagem, no mesmíssimo lugar onde tem estado pelos últimos cinco anos. Eu estaciono ao lado dele, espero Bronwyn descer da moto e pego a mão dela enquanto cruzamos o quintal da minha vizinha até o meu. Ao nos aproximarmos, vejo a minha casa pelos olhos de Bronwyn e desejo que eu tivesse me dado ao trabalho de cortar a grama em algum momento no ano passado.

De repente ela para e contém um gritinho, mas não está olhando para a grama na altura dos joelhos.

— Nate, tem alguém na sua porta.

Eu paro também e vasculho a rua atrás de uma van de reportagem. Não há nenhuma, apenas um Kia detonado estacionado em frente à minha casa. Talvez eles estejam melhorando no quesito camuflagem.

— Fique aqui — digo para Bronwyn, mas ela vem comigo quando me aproximo da entrada da garagem para ver melhor quem está na porta.

Não é um repórter.

Minha garganta fica seca e minha cabeça começa a latejar. A mulher que aperta a campainha se vira e fica um pouco boquiaberta ao me ver. Bronwyn está imóvel ao meu lado, e sua mão se solta da minha. Eu continuo andando sem ela.

O tom normal da minha voz surpreende a mim mesmo:

— E aí, mãe?

CAPÍTULO 18

Bronwyn
Segunda-feira, 15 de outubro, 16h10

Maeve estaciona na entrada de garagem segundos depois de a Sra. Macauley se virar. Eu fico paralisada, com as mãos crispadas ao lado do corpo e o coração disparado, encarando a mulher que pensei que estivesse morta.

— Bronwyn? — Maeve baixa a janela e coloca a cabeça para fora do carro. — Está pronta? A mamãe e Robin já estão lá. O papai está tentando sair do trabalho, mas ele tem uma reunião com a diretoria. Eu tive que inventar uma história para explicar por que você não estava atendendo o telefone. Você está passando mal do estômago, ok?

— Não deixa de ser verdade — murmuro.

As costas de Nate estão viradas para mim. A mãe dele está falando, encarando o filho com olhos famintos, mas não consigo ouvir nada do que ela diz.

— Há? — Maeve acompanha meu olhar. — Quem é aquela ali?

— Eu te conto no carro — respondo ao arrancar o olhar de Nate. — Vamos.

Eu entro no banco do carona do Volvo, onde o aquecedor está a toda porque Maeve está sempre com frio. Ela dá marcha a ré na

215

entrada de garagem com aquele jeito cuidadoso do tipo acabei-
-de-tirar-a-carteira enquanto fala o tempo todo.

— Mamãe está fazendo toda aquela encenação de mãe, como se não estivesse surtando, mas está completamente surtada — avisa ela, embora eu não esteja prestando muita atenção. — Acho que a polícia não está divulgando muitas informações. A gente nem sabe se mais alguém vai estar lá. Você sabe se Nate vai?

Eu volto a prestar atenção.

— Não. — Para variar, eu fico contente que Maeve goste de manter a temperatura igual a de um forno enquanto dirige, porque isso está contendo o frio que quer subir pela minha espinha. — Ele não vai.

Maeve se aproxima de uma placa de parada obrigatória e freia aos trancos e barrancos enquanto olha para mim.

— O que foi?

Eu fecho os olhos e me reclino no apoio de cabeça.

— Aquela era a mãe de Nate.

— O quê?

— A mulher na porta agorinha mesmo. Na casa de Nate. Era a mãe dele.

— Mas... — Maeve para de falar, e percebo pelo som da seta que ela está prestes a fazer uma curva e precisa se concentrar; quando ajeita o carro novamente, minha irmã continua: — Ela está morta.

— Aparentemente não.

— Eu não... mas é isso que... — Maeve gagueja por alguns segundos, enquanto mantenho os olhos fechados. — Então... qual é o lance? Ele não *sabia* que a mãe estava viva? Ou mentiu a respeito?

— Nós não tivemos exatamente tempo para discutir isso — respondo.

Mas essa é a pergunta de um milhão de dólares. Eu me lembro de ter ouvido há três anos o rumor de que a mãe de Nate havia morrido em um acidente de carro. O meu tio, irmão da minha mãe, também faleceu da mesma maneira, e eu senti muita empatia por Nate, mas nunca perguntei a ele na época. Só nas últimas semanas. Nate não gostou de falar no assunto, no entanto. Tudo que ele disse foi que não ouviu nada a respeito da mãe desde que ela lhe deu um bolo e não o levou para o Oregon, até que Nate recebeu a notícia de que a mãe morrera. Ele nunca mencionou um funeral nem nada, na verdade.

— Bem. — O tom de voz de Maeve é encorajador. — Talvez seja algum milagre. Como se tudo fosse um engano horrível e todo mundo pensasse que ela estivesse morta, mas, na verdade, ela… teve amnésia. Ou estava em coma.

— Certo. — Eu dou um muxoxo de desdém. — E talvez Nate tenha um gêmeo do mal que está por trás de tudo. Porque estamos vivendo numa telenovela, afinal de contas.

Eu penso no rosto de Nate antes de ele se afastar de mim. Nate não pareceu chocado. Ou feliz. Ele pareceu… resignado. Nate me lembrou do meu pai toda vez que Maeve tinha uma recaída. Como se uma doença que ele temia tivesse voltado, e Nate simplesmente tivesse que encará-la agora.

— Chegamos — anuncia Maeve, parando com cuidado.

Eu abro os olhos.

— Você está na vaga de deficientes — digo.

— Eu não vou ficar, só estou te deixando. Boa sorte. — Ela estica o braço e aperta minha mão. — Tenho certeza de que vai dar certo. Tudo.

Entro lentamente e dou o nome para a mulher atrás da divisória de vidro no saguão, que me dirige para uma sala de reunião no fim do corredor. Quando entro, minha mãe, Robin e o detetive Mendoza já estão sentados em volta de uma mesinha. Fico desanimada diante da ausência de Addy e Cooper, e ao ver um laptop em frente ao detetive.

Minha mãe me lança um olhar preocupado.

— Como está seu estômago, meu amor?

— Não muito bem — respondo honestamente, enquanto me sento ao lado dela e coloco a mochila no chão.

— Bronwyn não está bem — comenta Robin, com um olhar frio na direção do detetive Mendoza. Ela está usando um *tailleur* azul-marinho elegante e um colar comprido com várias voltas. — Esta deveria ser uma discussão entre nós dois, Rick. Eu posso informar a Bronwyn e aos pais dela conforme seja necessário.

O detetive Mendoza aperta uma tecla do laptop.

— Não vamos segurar vocês por muito tempo. É sempre melhor falar cara a cara, na minha opinião. Bronwyn, você está ciente de que Simon tinha outro site-irmão do Falando Nisso, onde ele escrevia postagens mais longas?

Robin interrompe antes que eu possa falar.

— Rick, não vou deixar que Bronwyn responda a qualquer pergunta até você me dizer por que ela está aqui. Se você tiver algo para nos mostrar ou contar, por favor, faça isso primeiro.

— Eu tenho — diz o detetive Mendoza, que vira o laptop para mim. — Um de seus colegas de turma nos alertou sobre uma postagem publicada há dezoito meses, Bronwyn. Você já viu isso?

Minha mãe aproxima sua cadeira de mim enquanto Robin se debruça sobre meu ombro. Eu concentro os olhos na tela, mas já sei o que estou prestes a ler. Eu vinha me preocupando há semanas que isso pudesse ser descoberto.

Então, talvez eu devesse ter dito alguma coisa. Mas agora é tarde demais.

Notícia de última hora: a festa de fim de ano de LV não é um evento beneficente. Só para deixarmos isso claro. Mas não há problema se você achar que é, pois há um recorde de presença de calouros.

Leitores regulares (e se você não é um, qual é o seu problema, diabos?) sabem que eu tento pegar leve com a molecada. As crianças são nosso futuro etc. e tal. Mas me deixem fazer um pronunciamento de utilidade pública para uma recém-chegada (e presença passageira, imagino eu) à cena social: MR, que não parece perceber que SC é demais para ela.

Ele não está atrás de uma cadelinha, menina. Pare de correr atrás dele. É patético.

E, pessoal, não venham com aquele papo furado de a-coitadinha-teve-câncer. Já chega. M está bem grandinha e já pode aprender algumas regras básicas:

1. Jogadores do time de basquete do colégio com namoradas *cheerleaders* NÃO ESTÃO DISPONÍVEIS. Eu não deveria ter que explicar isso, mas aparentemente é preciso.
2. Duas cervejas são demais quando a pessoa é peso-leve, porque isso acarreta:
3. Pior dança desengonçada em cima da mesa que eu vi na vida. Sério, M. Nunca mais.
4. Se uma cerveja te faz vomitar, tente não fazer isso na máquina de lavar do dono da casa. É muita grosseria.

Vamos pedir identidade na entrada partir de agora, ok, LV? Na primeira vez é engraçado, mas depois é apenas triste.

Fico imóvel na cadeira e tento manter a expressão impassível. Eu me lembro dessa postagem como se fosse ontem: minha irmã ficou eufórica com o primeiro crush dela e a primeira festa, embora nenhum dos dois tenha saído exatamente como planejado. E depois Maeve se fechou ao ler a postagem de Simon e se recusou a sair de novo. Eu me lembro de toda a raiva e impotência que senti por Simon ser tão despreocupadamente cruel apenas porque podia. Porque tinha um público disposto a devorar tudo.

E eu o odiava por isso.

Eu não consigo olhar para minha mãe, que não fazia ideia de que tudo aquilo havia acontecido, então, me concentro em Robin. Se minha advogada está surpresa ou preocupada, ela não demonstra.

— Certo, eu li. E qual é o significado que você vê nesta postagem, Rick?

— Eu gostaria que essa resposta viesse de Bronwyn.

— Não. — A voz de Robin estala como um chicote de veludo, suave, mas inflexível. — Explique por que nós estamos aqui.

— Esta postagem parece ter sido escrita sobre a irmã de Bronwyn, Maeve.

— O que o leva a achar isso? — pergunta Robin.

Minha mãe solta uma gargalhada furiosa e descrente, e eu finalmente olho de relance para ela. Seu rosto está supervermelho, os olhos ardidos. A voz treme quando minha mãe fala:

— Isso é sério? O senhor nos traz aqui para mostrar essa postagem horrível escrita por um… um garoto que obviamente tinha *problemas*, é preciso dizer, e a troco de quê? Qual é o seu objetivo, exatamente?

O detetive Mendoza inclina a cabeça na direção dela.

— Eu tenho certeza de que isso é difícil de ler, Sra. Rojas. Mas com as iniciais e o diagnóstico de câncer, é óbvio que Simon estava escrevendo sobre sua filha caçula. Não há nenhum aluno do Colégio Bayview que hoje ou no passado se encaixe nesse perfil. — Ele se volta para mim. — Essa postagem deve ter sido humilhante para a sua irmã, Bronwyn. E, pelo que os outros jovens da escola nos contaram recentemente, ela nunca participou realmente de atividades sociais desde então. Isso a fez ressentir-se de Simon?

Minha mãe abre a boca para falar, mas Robin coloca uma mão no braço dela e a interrompe.

— Bronwyn não tem nenhum comentário a fazer.

Os olhos do detetive Mendoza brilham, e ele parece que mal consegue conter um sorriso.

— Ah, mas ela tem sim. Ou teve, na verdade. Simon tirou o blog do ar há mais de um ano, mas todas as postagens e comentários ainda estão registrados no servidor. — Ele recolhe o laptop e pressiona algumas teclas, depois vira o aparelho para nós, com uma nova janela aberta. — É preciso fornecer o e-mail para deixar um comentário. Este é o seu e-mail, certo, Bronwyn?

— Qualquer pessoa pode deixar o e-mail de outra — diz Robin rapidamente.

Depois ela se debruça sobre o meu ombro e lê o que eu escrevi no fim do segundo ano.

Vai se foder e morra, Simon.

Addy
Segunda-feira, 15 de outubro, 16h15

A estrada da minha casa até a de Jake é um trajeto bem tranquilo, exceto na esquina da Rua Clarendon. É um grande cruzamento, e eu tenho que ir para a pista da esquerda do outro lado sem a ajuda de uma ciclovia. Quando voltei a andar de bicicleta, eu costumava subir na calçada e atravessar no semáforo, mas agora costuro por três pistas, como uma profissional.

Subo na entrada da garagem de Jake e abaixo o suporte ao desmontar, tiro o capacete e penduro no guidão. Passo a mão no cabelo enquanto me aproximo da casa, mas é um gesto inútil. Eu já me acostumei ao corte e às vezes até gosto dele, mas, a não ser que ele cresça meio metro, não há nada que eu possa fazer para melhorá-lo aos olhos de Jake.

Eu toco a campainha e dou um passo para trás, sentindo a incerteza correndo pelas veias. Não sei por que estou aqui e nem o que espero que aconteça.

A porta faz barulho e é aberta por Jake. Ele parece o mesmo de sempre — cabelo desgrenhado, olhos azuis, e uma camiseta justa que exibe o resultado de seu treinamento para a temporada de futebol.

— Ei. Entre.

Eu me viro instintivamente para o porão, mas não é para lá que vamos. Em vez disso, Jake me conduz à sala de estar, onde passei menos do que uma hora desde que comecei a namorar com ele, há mais de três anos. Eu me sento no sofá de couro dos pais de Jake, e as pernas ainda suadas grudam quase que imediatamente. Quem decidiu que mobília de couro era uma boa ideia?

Quando ele se senta diante de mim, sua boca se torce em uma linha tão séria que dá para perceber que esta não será uma conversa de reconciliação. Eu espero ser esmagada pela decepção devastadora, mas isso não acontece.

— Então, você anda de bicicleta agora? — pergunta Jake.

De todos os assuntos possíveis, não sei por que ele começa com este.

— Eu não tenho carro — comento para lembrá-lo. *E você costumava me levar para todos os cantos.*

Jake se debruça com os cotovelos nos joelhos — um gesto tão conhecido que quase espero que ele comece a conversar sobre a temporada de futebol, como teria feito há um mês.

— Como vai a investigação? Cooper não está mais falando sobre isso. Vocês ainda estão com a corda no pescoço ou não?

Não quero falar sobre a investigação. A polícia me interrogou duas vezes na semana passada, sempre tentando encontrar novas formas de me perguntar sobre as canetas de adrenalina que sumiram da sala da enfermeira. Meu advogado me disse que interrogatórios repetitivos significam que a investigação não está chegando a lugar algum, e não que eu seja a principal suspeita. Porém, isso não é da conta de Jake, então, eu conto uma história boba e inventada que nós quatro fomos ver a detetive Wheeler comer um prato inteiro de rosquinhas numa sala de interrogatório.

Jake revira os olhos quando termino.

— Então, basicamente eles não estão chegando a lugar algum.

— A irmã de Bronwyn acha que as pessoas deveriam estar investigando mais Simon — digo.

— Por que o Simon? Ele está morto, pelo amor de Deus!

— Porque a investigação pode revelar suspeitos que a polícia ainda nem cogitou. Outras pessoas que tinham alguma razão para querer tirar Simon da jogada.

Jake solta um suspiro de irritação e joga o braço para trás da cadeira.

— Culpar a vítima, você quer dizer? O que aconteceu com Simon não é culpa dele. Se as pessoas não fizessem babaquices às escondidas, o Falando Nisso nem teria existido. — Ele franziu os olhos para mim. — Você sabe disso melhor do que ninguém.

— Ainda assim, isso não faz dele uma boa pessoa — contra-argumento, com uma teimosia que me surpreende. — O Falando Nisso prejudicou muita gente. Não entendo como ele manteve isso no ar por tanto tempo. Simon gostava que as pessoas sentissem medo dele? Tipo, você foi amigo dele na infância, certo? Simon sempre foi assim? É por isso que você parou de sair com ele?

— Você está fazendo o trabalho de investigação de Bronwyn por ela agora?

Jake está fazendo uma expressão de *desprezo* para mim?

— Estou tão curiosa quanto ela. Simon é tipo uma figura central na minha vida agora.

Ele dá um muxoxo de desdém.

— Eu não te convidei para discutir comigo.

Olho fixamente para Jake, procurando algo de conhecido no seu rosto.

— Eu não estou discutindo. Nós estamos conversando.

Mas assim que digo isso, tento me lembrar da última vez que falei com Jake e que não concordei com cem por cento do que ele falou. Não consigo pensar em nada. Eu ergo a mão e mexo na parte de trás do brinco, puxo até que ele quase saia, e depois o coloco no lugar novamente. É um tique nervoso que desenvolvi agora que não tenho cabelo para enroscar nos dedos.

— Então *por que* você me convidou? — pergunto.

Jake contorce os lábios enquanto desvia o olhar de mim.

— Resquícios de preocupação, eu acho. Além disso, mereço saber o que está acontecendo. Não paro de receber ligações de repórteres, e estou de saco cheio disso.

Ele parece estar esperando por um pedido de desculpas. Mas eu já dei muitos.

— Eu também.

Jake não diz nada, e, quando o silêncio preenche o ambiente, eu percebo claramente como o relógio em cima da lareira é alto. Conto sessenta e três tiques antes de perguntar:

— Você algum dia será capaz de me perdoar?

Nem sei mais que tipo de perdão eu quero. É difícil me imaginar de novo como namorada de Jake. Mas seria legal que ele parasse de me odiar.

Ele arreganha as narinas e contorce a boca numa expressão amarga.

— Como eu posso? Você me traiu e mentiu para mim, Addy. Você não é quem eu pensava que era.

Estou começando a pensar que isso é uma coisa boa.

— Não vou dar desculpas, Jake. Eu cometi um erro, mas não porque não me importava com você. Acho que nunca pensei que eu merecesse você. Aí fui lá e fiz algo para provar isso.

O olhar frio de Jake não cede.

— Não banque a coitadinha, Addy. Você sabia o que estava fazendo.

— Ok.

De repente, parece que eu estou sendo interrogada pela detetive Wheeler outra vez: *eu não tenho que falar com você*. Jake pode estar se satisfazendo em arrancar a casquinha do nosso relacionamento, mas eu, não. Fico de pé, e meu corpo emite um leve som de descolamento ao se desgrudar do sofá. Tenho certeza de que deixei duas marcas de coxas para trás. Nojento, mas quem se importa com isso?

— Acho que a gente se vê por aí — digo.

Eu saio sozinha, monto na bicicleta e coloco o capacete. Assim que ele está bem preso, puxo o suporte e pedalo para valer ao sair da garagem de Jake. Quando meu coração volta a um ritmo tranquilo, eu me lembro de como ele quase saiu do peito quando confessei que traí Jake. Nunca me senti tão aprisionada na vida. Eu pensei que me sentiria da mesma forma na sala de estar dele hoje, esperando que Jake me dissesse novamente que não presto.

Mas não me senti, nem me sinto assim. Pela primeira vez em muito tempo, eu me sinto livre.

Cooper
Segunda-feira, 15 de outubro, 16h20

A minha vida não é mais minha. Foi tomada por um circo da mídia. Não há repórteres todo dia em frente à minha casa, mas ocorre com bastante frequência, e isso sempre faz meu estômago doer quando me aproximo de casa.

Tento não entrar na internet mais do que preciso. Eu costumava sonhar em ver meu nome sendo buscado no Google, mas por realizar uma partida impecável no torneio nacional. Não por ter possivelmente matado um sujeito com óleo de amendoim.

Todo mundo diz *apenas seja discreto*. Eu venho tentando, mas, quando a pessoa fica sob um microscópio, nada passa em branco. Na última sexta-feira, no colégio, eu saí do carro na mesma hora em que Addy saiu do carro da irmã, com a brisa mexendo no seu cabelo curto. Ambos estávamos com óculos escuros — uma tentativa inútil de se camuflar —, e nós trocamos o sorriso de boca fechada de sempre, do tipo ainda-não-acredito-que-isto-está-acontecendo. Não demos mais do que alguns passos até vermos Nate andar até o carro de Bronwyn e abrir a porta, em um gesto exageradamente educado. Ele deu um sorrisinho quando ela saiu, e Bronwyn respondeu com um olhar que fez com que Addy e eu nos entreolhássemos por trás dos óculos escuros. Nós quatro praticamente acabamos formando uma fila ao andar na direção da entrada dos fundos.

Tudo aquilo mal levou um minuto — mas foi tempo suficiente para alguém gravar um vídeo no celular, que acabou no TMZ daquela noite. Eles exibiram em câmera lenta com a canção "Kids" do MGMT tocando ao fundo, como se fôssemos uma espécie de clube de assassinos colegiais descolados que estivesse cagando para o mundo. O vídeo viralizou em um dia.

Talvez isso seja o mais estranho dessa situação toda. Muitas pessoas nos odeiam e querem nos ver presos, mas o mesmo número de pessoas — se não mais — nos adora. De repente, eu tenho uma *fan page* no Facebook com mais de 50 mil curtidas. A maioria de garotas, de acordo com meu irmão.

A atenção diminui às vezes, mas nunca para de verdade. Eu achei que tivesse escapado hoje à noite quando saí de casa para me encontrar com Luis na academia, mas, assim que cheguei, uma mulher bonita, de cabelos pretos e rosto cheio de maquiagem, corre na minha direção. Fico desanimado porque reconheço o tipo. Fui seguido novamente.

— Cooper, você tem alguns minutos? Meu nome é Liz Rosen, do noticiário do Channel 7. Gostaria de ouvir sua opinião sobre tudo isso. Muitas pessoas estão torcendo por você!

Não respondo e passo por ela na porta da academia. Ela entra atrás de mim, fazendo barulho com o salto alto, seguida pelo cinegrafista, mas o sujeito no balcão detém os dois. Eu frequento aquela academia há anos, e eles estão sendo bem bacanas com tudo o que está acontecendo. Então, desapareço no corredor enquanto ele discute com a mulher que não é possível entrar ali sem ser sócio.

Luis e eu fazemos supino durante um tempo, mas estou preocupado com o que me espera do lado de fora quando eu terminar. Não falamos a respeito, mas depois, no vestiário, ele diz:

— Me dê sua blusa e as chaves.

— O quê?

— Eu vou me passar por você e sair daqui com seu boné e óculos escuros. Eles não vão notar a diferença. Pegue o meu carro e cai fora daqui. Vá pra casa, dê uma volta, tanto faz. Podemos destrocar os carros amanhã no colégio.

Estou prestes a dizer a ele que isso nunca vai dar certo. O cabelo de Luis é bem mais escuro que o meu, e ele é no mínimo mais bronzeado. Por outro lado, com uma camisa de manga comprida e um boné, talvez isso não seja problema. Vale a tentativa, enfim.

Então, eu fico pelo corredor enquanto Luis sai pela porta da frente com minhas roupas para as luzes brilhantes das câmeras. Meu boné de beisebol está abaixado sobre a testa, e a mão dele protege o rosto enquanto Luis entra no meu Jeep. Ele sai do estacionamento e é seguido por algumas vans.

Eu coloco o boné e os óculos escuros de Luis, depois entro no seu Honda e jogo a mochila da academia no banco do carona. Levo algumas tentativas para ligar a ignição, mas, assim que o motor ronca, saio do estacionamento e pego estradas secundárias até chegar à rodovia na direção de San Diego. No centro da cidade, circulo por meia hora, ainda paranoico que alguém esteja me seguindo. Com o passar do tempo, vou para o bairro North Park e estaciono em frente a uma velha fábrica que passou por reformas e virou um condomínio no ano passado.

A vizinhança está na moda, com as calçadas cheias de jovens bem-vestidos, um pouco mais velhos do que eu. Uma garota bonita num vestido florido quase se dobra de rir ao ouvir algo que o cara ao lado diz. Ela agarra o braço dele quando os dois passam pelo carro de Luis sem olhar para mim, e eu tenho uma sensação profunda de perda. Fui como eles há algumas semanas e agora... não sou.

Eu não deveria estar aqui. E se alguém me reconhecer?

Tiro uma chave da mochila da academia e espero por uma brecha na multidão da calçada. Saio do carro de Luis e estou na porta da frente tão rápido que não acho que alguém possa ter me visto. Entro no elevador, subo ao último andar e solto um suspiro de alívio quando ele não para nem uma vez. O silêncio ecoa no corredor vazio; todos os hipsters que moram aqui devem ter saído para curtir a tarde.

Exceto um, eu espero.

Quando bato na porta, eu não espero muito que haja resposta. Jamais liguei ou mandei mensagem dizendo que vinha. Mas a porta se abre, e um par de olhos verdes assustados encara os meus.

— *Ei*. — Kris dá espaço para que eu entre. — O que você está fazendo aqui?

— Tive que sair de casa.

Fecho a porta ao entrar, tiro o boné e os óculos escuros, e jogo os dois numa mesa vazia. Eu me sinto bobo, como um garoto que foi flagrado brincando de espião. Só que as pessoas *estão* me seguindo. Apenas não neste exato momento.

— Além disso, acho que a gente tem que conversar sobre todo esse lance de Simon, hein? — digo.

— Depois.

Kris hesita por uma fração de segundos, depois se inclina à frente, me puxa com força na sua direção e enfia os lábios nos meus. Eu fecho os olhos, e o mundo ao redor some, como sempre acontece, quando passo as mãos no cabelo dele e o beijo de volta.

PARTE TRÊS

VERDADE OU CONSEQUÊNCIA

CAPÍTULO 19

Nate
Segunda-feira, 15 de outubro, 16h30

Minha mãe está no segundo andar, tentando ter uma conversa com meu pai. Boa sorte para ela. Estou no sofá com meu telefone descartável na mão, imaginando que mensagem mandar para Bronwyn a fim de evitar que ela me odeie. Não tenho certeza de que *Foi mal por ter mentido que minha mãe estava morta* vai colar.

Não é que eu quisesse que ela estivesse morta. Mas pensei que minha mãe provavelmente estivesse ou morreria em breve. E foi mais fácil do que dizer ou pensar na verdade. *Ela é uma viciada em cocaína que fugiu para uma comunidade hippie e não fala comigo desde então.* Então, quando as pessoas começaram a perguntar onde minha mãe estava, eu menti. Quando me dei conta de como essa resposta era perturbadora, era tarde demais para retirar o que tinha dito.

Na verdade ninguém mais se importou, de qualquer forma. A maioria das pessoas não presta atenção ao que digo ou faço, desde que eu mantenha o fluxo de drogas. A não ser a agente Lopez, e agora Bronwyn.

Pensei em contar a ela, algumas vezes de madrugada enquanto conversávamos. Mas jamais consegui descobrir como começar o papo. Ainda não consigo.

Então, guardo o celular.

Os degraus rangem quando minha mãe desce, passando as mãos na parte da frente das calças.

— Seu pai não está em condição alguma de conversar neste momento.

— Que surpresa — murmuro.

Ela parece ao mesmo tempo mais velha e mais jovem do que era. O cabelo está bem mais grisalho e curto, mas o rosto não está tão maltratado e cansado. Está mais gorda, o que deve ser bom. Significa que está comendo, de qualquer forma. Minha mãe vai ao terrário de Stan e me dá um sorrisinho nervoso.

— Bom ver que Stan ainda está por aqui.

— Nada mudou muito desde a última vez que a gente se viu — digo ao apoiar os pés na mesinha de centro diante de mim. — Mesmo lagarto entediado, mesmo pai bêbado, mesma casa caindo aos pedaços. A não ser que agora estou sendo investigado por assassinato. Talvez você tenha ouvido falar a respeito?

— Nathaniel. — Minha mãe se senta na poltrona e entrelaça as mãos diante de si; as unhas estão roídas como sempre. — Eu... eu nem sei por onde começar. Estou sóbria há três meses e quis entrar em contato com você a cada segundo. Mas estava com tanto medo de não estar forte o suficiente ainda, e com isso te decepcionar de novo. Aí eu vi o noticiário. Tenho passado aqui nos últimos dias, mas você nunca está em casa.

Eu gesticulo para as paredes rachadas e o teto caindo.

— Você ficaria aqui?

Ela faz uma expressão de pesar.

— Sinto muito, Nathaniel. Eu esperava... eu esperava que seu pai fosse tomar uma atitude.

Você esperava. *Ótimo plano para criar um filho.*

— Pelo menos ele está aqui.

É um golpe baixo, e não uma aprovação retumbante, uma vez que o sujeito mal se mexe, mas sinto que tenho esse direito.

Minha mãe treme a cabeça ao concordar enquanto estala os nós dos dedos. Meu Deus, eu me esqueci de que ela fazia isso. É irritante pra caralho.

— Eu sei. Não tenho direito de criticar. Não espero que você me perdoe. Ou que acredite que vai ter algo melhor da minha parte do que está acostumado. Mas finalmente estou tomando remédios que funcionam e que não me deixam louca de ansiedade. É o único motivo de eu ter conseguido terminar a reabilitação desta vez. Tenho uma equipe médica inteira no Oregon que está me ajudando a permanecer sóbria.

— Deve ser legal ter uma equipe.

— É mais do que mereço, eu sei.

O olhar baixo e o tom humilde de minha mãe estão me irritando. Mas tenho certeza de que qualquer coisa que ela fizesse me irritaria neste momento. Fico de pé.

— Tudo isso foi ótimo, mas eu preciso estar em outro lugar. Você pode sair sozinha, certo? A não ser queira ficar com o papai. Às vezes ele acorda por volta das dez.

Ai, merda. Agora ela está chorando.

— Desculpe, Nathaniel. Você merece muito mais do que nós dois. Meu Deus, olhe só para você, eu não acredito como ficou bonito. E você é mais esperto do que seus pais juntos. Sempre foi. Você deveria estar vivendo num daqueles casarões em Bayview Hills, e não tomando conta sozinho deste pardieiro.

— Deixe pra lá, mãe. Está tudo beleza. Foi um prazer ver você. Mande um cartão-postal do Oregon uma hora dessas.

— Nathaniel, por favor. — Ela se levanta e puxa meu braço com mãos que parecem ser vinte anos mais velhas do que o resto do corpo; são macias e enrugadas, cobertas por pintas marrons e cicatrizes. — Eu quero fazer alguma coisa para te ajudar. Qualquer coisa. Estou hospedada no Motel Six na Estrada Bay. Posso te levar para jantar amanhã? Assim que você tiver tido tempo para digerir tudo isso?

Digerir isso. Meu Deus. Que espécie de jargão de reabilitação ela está vomitando?

— Não sei. Deixe um número que eu te ligo. Talvez.

— Ok.

Minha mãe concorda novamente com a cabeça, como uma marionete, e eu vou perder o controle se não me afastar em breve.

— Nathaniel, aquela era Bronwyn Rojas que eu vi mais cedo?

— Sim — respondo, e ela sorri. — Por quê?

— É só que... bem, se é com ela que você está, nós não te estragamos tanto assim.

— Não estou *com* Bronwyn. Nós somos suspeitos de assassinato, lembra? — digo, e saio batendo a porta; o que é um gesto autodestrutivo, porque, quando ela se soltar das maçanetas, *de novo*, sou eu que terei que consertá-la.

Assim que saio de casa, não sei para onde ir. Pego a motocicleta e rumo para o centro de San Diego, depois mudo de ideia e pego a rodovia para o norte. Apenas continuo pilotando e paro depois de uma hora para encher o tanque. Enquanto isso, pego o celular descartável e verifico as mensagens. Nada. Eu deveria ligar para Bronwyn e ver como foram as coisas na delegacia. Ela deve estar bem, de qualquer forma. Tem aquela advogada cara e pais que são como cães de guarda e ficam entre Bronwyn e as pessoas que tentam prejudicá-la. E, enfim, que diabos eu diria?

Guardo o telefone.

Piloto por quase três horas até chegar às estradas largas do deserto, pontilhadas por arbustos raquíticos. Embora esteja ficando tarde, é mais quente aqui perto do Deserto do Mojave, e eu paro

a fim de tirar a jaqueta quando me aproximo das árvores-de-
-josué. As únicas férias na vida em que viajei com meus pais foi
para acampar aqui aos 9 anos. Passei o tempo todo esperando
que algo ruim fosse acontecer: que nosso carro supervelho fosse
quebrar, que minha mãe começasse a berrar ou chorar, que meu
pai ficasse imóvel e calado como sempre fazia quando a situação
ficava além do que ele podia suportar.

Só que a viagem foi quase normal. Os dois estavam tensos um
com o outro, como sempre, mas não discutiram muito. Minha
mãe estava se comportando bem, talvez porque adorasse aquelas
árvores baixas e retorcidas que estavam por toda parte.

— Nos primeiros sete anos na vida de uma árvore-de-josué,
ela é apenas um tronco vertical, sem galhos — dissera ela, quando estávamos percorrendo a trilha. — Ela leva anos para florescer. E cada galho para de crescer após florescer, então, existe um
sistema complexo de áreas mortas e crescimento novo.

Eu costumava pensar nisso, às vezes, quando me perguntava
que partes da minha mãe poderiam ainda estar vivas.

Já passa da meia-noite quando volto para Bayview. Pensei em
continuar na estrada, pilotando noite adentro, até onde conseguisse ir antes de cair exausto. Deixar que meus pais tenham seja
lá que porra de reunião eles estejam prestes a ter sozinhos. Deixar
que a polícia de Bayview venha atrás de mim se um dia quiser
falar comigo de novo. Mas isso é o que a minha mãe faria. Então,
no fim das contas, voltei, verifiquei os telefones e fui atrás da
única mensagem que eu tinha: uma festa na casa de Chad Posner.

Quando chego lá, não vejo Posner em lugar algum. Acabo na
cozinha dele, segurando uma cerveja e ouvindo duas garotas falar
sem parar sobre um programa de TV que nunca vi. É um saco e
não tira a minha mente da reaparição súbita da minha mãe nem
da convocação de Bronwyn pela polícia.

Uma das garotas começa a dar uma risadinha.

— Eu conheço você — diz ela ao me cutucar no lado do corpo. A garota ri mais ainda e pressiona a mão no meu estômago.

— Você apareceu no *Mikhail Powers Investiga*, não foi? Um dos jovens que talvez tenha matado aquele cara?

A menina está meio bêbada e cambaleia ao se aproximar. Ela se parece com muitas das garotas que conheço nas festas na casa de Posner: bonita de uma forma esquecível.

— Ai, meu Deus, Mallory! — exclama a amiga. — Que falta de educação.

— Não sou eu — digo. — Só pareço com ele.

— Mentira. — Mallory tenta me cutucar novamente, mas saio do alcance. — Bem, eu não acho que você matou Simon. Nem Brianna. Certo, Bri? — A amiga concorda com a cabeça.

— Nós achamos que foi a garota de óculos. Ela parece ser uma piranha arrogante.

Minha mão se fecha com força na garrafa de cerveja.

— Já disse que não sou eu, então, pare com isso.

— Foi maaaals. — Mallory enrola a língua e inclina a cabeça para tirar a franja dos olhos. — Não seja tão rabugento. Aposto que posso te animar. — Ela enfia a mão no bolso e tira um saquinho amassado com quadradinhos. — Quer subir com a gente e viajar um pouco?

Eu hesito. Faria quase qualquer coisa para sair da minha cabeça neste exato momento. É o jeito da família Macauley. E todo mundo já acha que eu sou esse cara.

Quase todo mundo.

— Não posso — digo.

Pego o celular descartável e começo a passar pela multidão. O aparelho toca antes de eu sair. Quando olho para a tela e vejo o número de Bronwyn — embora ela seja a única pessoa na vida que me liga neste telefone —, sinto um enorme alívio, como se eu estivesse congelando e alguém me envolvesse num cobertor.

— Ei — diz Bronwyn, quando eu atendo. A voz dela está longe e distante. — Podemos conversar?

Bronwyn
Terça-feira, 16 de outubro, 0h30

Estou nervosa com relação a trazer Nate escondido para dentro de casa. Meus pais já estão furiosos comigo por não ter contado a eles sobre a postagem no blog de Simon — tanto agora quanto na época que ocorreu. No entanto, nós saímos da delegacia sem muitos problemas. Robin deu um discurso daqueles tipo: *Pare de nos fazer perder tempo com especulação sem sentido que você não pode provar e que não seria litigável mesmo que você pudesse.*

Acho que ela tinha razão, pois cá estou eu. Embora ainda de castigo até que, como minha mãe diz, eu pare de "sabotar meu futuro por não ser transparente".

— Por que você não aproveitou para invadir o blog antigo de Simon? — murmurei para Maeve antes de ela ir dormir.

Minha irmã pareceu genuinamente irritada.

— Ele tirou o blog do ar há tanto tempo! Achei que nem existisse mais. E eu nunca soube que você escreveu aquele comentário. Não foi postado. — Ela balançou a cabeça para mim com uma espécie de afeto irritado. — Você sempre ficou mais perturbada por aquela situação do que eu, Bronwyn.

Talvez Maeve esteja certa. Enquanto estou deitada no quarto escuro ponderando se devo ligar para Nate, me ocorreu que passei anos pensando que minha irmã era muito mais frágil do que realmente é.

Agora estou no primeiro andar, na sala de TV, quando recebo uma mensagem de Nate dizendo que ele está na casa. Abro a porta do porão e coloco a cabeça para fora.

— Aqui — chamo baixinho, e uma figura sombria sai do canto da casa ao lado da entrada do cômodo.

Eu recuo para o interior e deixo a porta aberta e Nate me segue. Ele entra usando uma jaqueta de couro sobre uma camiseta amassada e rasgada, e o cabelo cai suado sobre a testa por causa do capacete. Não digo nada até levá-lo à sala de TV e fechar a porta após entrarmos. Meus pais estão a três andares de distância e dormindo, mas o bônus de uma sala à prova de som é inegável em uma ocasião como esta.

— Então.

Eu me sento em uma ponta do sofá, com os joelhos dobrados e braços cruzados sobre as pernas, formando uma barreira. Nate tira e joga a jaqueta no chão, e se senta na extremidade oposta. Quando ele encara os meus olhos, os dele estão opacos com tanto sofrimento que eu quase esqueço de ficar irritada.

— Como foi lá na delegacia? — pergunta ele.

— Tudo bem. Mas não é sobre isso que quero conversar.

Nate baixa o olhar.

— Eu sei...

O silêncio se estende entre nós, e quero preenchê-lo com uma dúzia de perguntas, mas não o faço.

— Você deve achar que sou um babaca — diz ele finalmente, ainda olhando para o chão. — E um mentiroso.

— Por que você não me contou?

Nate solta um lento suspiro e balança a cabeça.

— Eu quis. Pensei nisso. Não sei como começar. A questão é... era uma mentira que eu contava porque era mais fácil do que a verdade. E porque eu meio que acreditava, sabe? Eu não pensava que um dia ela fosse voltar. E aí, uma vez que se diz uma coisa dessas, como retirar? Eu ia ficar parecendo a porra de um psicopata. — Ele ergue os olhos novamente e encara os meus com uma intensidade súbita. — Mas eu não sou. Não menti pra você sobre mais nada. Não estou mais traficando drogas, e não fiz nada contra Simon. Não te culpo se você não acreditar em mim, mas juro por Deus que é verdade.

Outro longo silêncio recai enquanto tento refletir por um instante. Eu deveria estar mais furiosa, provavelmente. Deveria exigir uma prova da integridade dele, embora não faça ideia de como seria isso. Deveria fazer um monte de perguntas incisivas com a intenção de arrancar outras mentiras que Nate tenha me contado.

Mas o problema é que eu acredito nele. Não vou fingir que conheço Nate de trás para a frente após algumas semanas, mas sei como é contar uma mentira para si mesma tantas vezes até que ela vire verdade. Fiz isso e não tive que encarar a vida quase completamente sozinha.

E jamais pensei que Nate fosse capaz de matar Simon.

— Me fale sobre a sua mãe. Pra valer, ok? — encorajo.

E ele me fala. Conversamos por mais de uma hora, mas, após os primeiros quinze minutos, mais ou menos, cobrimos basicamente velhos assuntos. Eu começo a me sentir dolorida por estar sentada por tanto tempo, e ergo os braços acima da cabeça para me alongar.

— Cansada? — pergunta Nate ao se aproximar.

Será que ele notou que estou encarando a sua boca pelos últimos dez minutos?

— Não exatamente.

Nate estica a mão, coloca minhas pernas sobre seu colo e faz um círculo com o polegar no meu joelho esquerdo. Minhas pernas tremem, e junto as duas para fazê-las parar. Os olhos de Nate me encaram e depois se abaixam.

— Minha mãe pensou que você fosse minha namorada.

Talvez se fizer algo com as minhas mãos, eu consiga ficar imóvel. Estico o braço, entrelaço os dedos no cabelo da nuca de Nate e ajeito as ondas suaves contra a pele quente.

— Bem, quer dizer, isso é impossível?

Ai, Deus. Eu falei mesmo. E se for?

A mão de Nate desce pela minha perna, quase inconscientemente, como se não tivesse ideia de que está transformando meu corpo inteiro em gelatina.

— Você quer que um traficante suspeito de assassinato que mentiu sobre a mãe não estar morta seja seu namorado?

— Ex-traficante — corrijo. — E não sou capaz de julgar.

Ele ergue os olhos com um meio sorriso, mas sua expressão é de desconfiança.

— Eu não sei como ficar com alguém como você, Bronwyn. — Nate deve ter visto minha expressão de desapontamento, porque rapidamente acrescenta: — Não estou dizendo que não quero. Estou dizendo que acho que eu estragaria tudo. Sempre fui… você sabe, casual quanto a esse tipo de coisa.

Eu não sei. Recuo as mãos e torço as duas sobre o colo enquanto observo a pulsação aumentar sob a pele fina do pulso.

— Você está sendo casual agora? Com outra pessoa?

— Não — responde Nate. — Eu estava, quando nós começamos a conversar, mas não mais.

— Bem. — Fico em silêncio por alguns segundos, ponderando se estou prestes a cometer um erro gigantesco. Provavelmente sim, mas avanço de qualquer forma. — Eu gostaria de tentar, se você quiser. Não porque fomos jogados nesta situação bizarra e porque te acho um tesão, embora eu ache. Mas porque você é inteligente e engraçado, e porque faz a coisa certa mais vezes do que admite. Eu curto seu gosto horrível para filmes, a forma como você é sempre direto com as coisas e o fato de que tem um lagarto de verdade. Eu teria orgulho de ser sua namorada, mesmo de forma não oficial enquanto nós, você sabe, estivermos sendo investigados por assassinato. Além disso, não consigo passar mais do que alguns minutos sem querer te beijar, então... é isso.

Nate não responde de primeira, e me preocupo que tenha estragado tudo. Talvez tenha sido informação demais. Mas ele ainda está passando a mão na minha perna quando finalmente fala:

— Você está se saindo melhor do que eu. Nunca paro de pensar em te beijar.

Nate tira, dobra e coloca os meus óculos na mesinha ao lado do sofá. A mão dele no meu rosto é leve quando ele se debruça e puxa minha boca em direção à dele. Fico ansiosa quando nossos lábios se juntam, e a pressão suave manda um desejo ardente que zumbe pelas minhas veias. É doce e carinhoso, diferente do beijo cheio de tesão e carente do Pico do Marechal, mas, ainda assim, me deixa tonta. Estou tremendo toda e coloco as mãos no peito de Nate para tentar controlar a tremedeira, mas sinto uma superfície dura de músculos através da camiseta fina. *Isso não está ajudando.*

Meus lábios se abrem num suspiro que vira um pequeno gemido quando Nate enfia a língua para encontrar a minha. Os beijos ficam mais profundos e intensos, os corpos tão entrelaçados que não consigo dizer onde para o meu e começa o dele. Sinto que estou caindo, flutuando, voando. Tudo ao mesmo tempo. Nós nos beijamos até meus lábios estarem doloridos e a pele soltar faíscas, como se tivessem acendido um pavio.

As mãos de Nate são surpreendentemente desbravadoras. Ele toca o meu cabelo e o meu rosto muitas vezes, e, por fim, enfia a mão sob a blusa e passa pelas costas e ai, Deus, acho que soltei um gemido. Os dedos de Nate mergulham no elástico dos meus shorts e sinto um arrepio, mas ele para ali. Meu lado inseguro imagina que ele não está atraído por mim como estou por ele, ou como está atraído por outras garotas. Só que… estou colada a Nate por meia hora e *sei* que não é isso.

Nate se afasta e olha para mim, seus cílios grossos e escuros se abaixam. *Meu Deus*, os olhos dele. São lindos.

— Não paro de imaginar seu pai entrando — murmura Nate. — Isso meio que me assusta.

Dou um suspiro porque, verdade seja dita, o pensamento também me ocorreu. Embora ainda que exista uma chance de cinco por cento, ela seria grande demais.

Nate passa um dedo nos meus lábios.

— Sua boca está vermelha demais. É melhor a gente dar um tempo antes que eu faça um estrago permanente. Além disso, eu preciso, hã, me acalmar um pouco.

Ele dá um beijo na minha bochecha e pega a jaqueta no chão. Fico desapontada.

— Você está indo embora?

— Não. — Ele tira o telefone do bolso, abre a Netflix e depois me passa os óculos. — Nós finalmente podemos terminar de ver *Ringu*.

— Droga. Achei que você tivesse se esquecido disso.

Mas, dessa vez, minha decepção é falsa.

— Vamos, isso é perfeito. — Nate se deita no sofá, e eu me enrosco ao lado, com a cabeça no seu ombro, enquanto ele apoia o iPhone na dobra do meu braço. — Vamos usar o telefone em vez daquele monstro de 60 polegadas na parede. Você não vai se assustar com nada em uma tela tão minúscula.

Honestamente, eu não me importo com o que fizermos. Só quero ficar abraçada a ele pelo máximo de tempo possível, lutando contra o sono e me esquecendo do resto do mundo.

CAPÍTULO 20

Cooper
Terça-feira, 16 de outubro, 17h45

— Passe o leite, por favor, Cooperstown? — O Pai aponta para mim com o queixo e vira os olhos para a TV sem som na sala de estar, onde os resultados do futebol universitário passam no pé da tela. — Então, o que você fez na sua noite de folga?

Ele acha hilário que Luis tenha se disfarçado de mim após a academia, ontem. Passo a embalagem de leite e me imagino respondendo à pergunta honestamente. *Fiquei com Kris, o cara por quem estou apaixonado. É, Pai, eu disse cara. Não, Pai, não estou brincando. Ele é calouro do curso preparatório de medicina da UCSD e trabalha como modelo nas horas vagas. Partidão. O senhor ia gostar dele.*

E aí a cabeça do Pai explode. É sempre assim que termina na minha imaginação.

— Só dirigi por aí por um tempo — respondo em vez disso. Não tenho vergonha de Kris. *Não mesmo.* Mas é complicado.

A questão é que eu não me dei conta de que podia me sentir dessa forma por um cara até conhecê-lo. Quero dizer, sim, eu *suspeitava*, desde os 11 anos, mais ou menos. Mas enterrei esses pensamentos o mais fundo possível porque sou um atleta sulista tentando uma carreira na liga nacional de beisebol, e não é assim que a gente deve ser.

Realmente acreditei nisso na maior parte da minha vida. Sempre tive namorada. Mas nunca foi difícil esperar até o casamento, como fui criado. Só recentemente eu compreendi que aquilo era mais uma desculpa do que uma sincera convicção moral.

Eu menti para Keely por meses, mas contei, sim, a verdade sobre Kris. Eu o conheci através do beisebol, embora ele não jogue. Kris é amigo de outro cara com quem participei de uns jogos de exibição, que convidou a nós dois para sua festa de aniversário. E ele *é* alemão.

Só deixei de fora a parte de estar apaixonado por Kris.

Ainda não posso admitir isso para ninguém. Que não é uma fase ou experiência ou uma distração da pressão. A Vovó tem razão. Meu estômago dá piruetas quando Kris me liga ou manda mensagem. Toda vez. E, quando estou com ele, eu me sinto como uma pessoa de verdade, não o robô que Keely me disse que eu sou: programado para agir como esperado.

Mas Cooper-e-Kris só existe na bolha do apartamento dele. Tirar essa bolha de lá para qualquer outro lugar me assusta demais. Para começo de conversa, já é bem difícil fazer sucesso no beisebol quando se é um cara normal. O número de jogadores assumidamente gays que faz parte da grande liga nacional é exatamente um. E ele ainda está nos times pequenos.

Por outro motivo: o Pai. Meu cérebro inteiro trava quando imagino a sua reação. Meu pai é o tipo de caipira que chama os gays de "bichas" e acha que passamos o tempo todo dando em cima dos héteros. Quando vimos uma reportagem sobre o jogador de beisebol gay, ele deu um muxoxo de nojo e disse: *Caras normais não deveriam ter que conviver com esse merda no vestiário.*

Se eu contar sobre Kris para ele, os dezessete anos que passei sendo o filho perfeito irão sumir num instante. O Pai jamais olharia para mim da mesma maneira, da forma como está me encarando agora, embora eu seja suspeito de assassinato e esteja sendo acusado de usar esteroides. Com *isso* ele consegue lidar.

— Tem exame amanhã — lembra ele.

Preciso fazer exames antidoping toda maldita semana agora. Enquanto isso, continuo arremessando, e, não, minha bola rápida não ficou mais lenta. Porque eu não menti. Não trapaceei. Eu melhorei minhas estratégias.

Foi ideia do Pai. Ele quis que eu me contivesse um pouco no primeiro ano, não desse tudo de mim, para que houvesse mais empolgação ao redor do meu nome durante a temporada de exibição. E houve. Pessoas como Josh Langley me notaram. Mas agora, obviamente, parece suspeito. *Valeu, Pai.*

Pelo menos ele se sente culpado por isso.

Eu tive certeza, quando a polícia foi me mostrar as postagens não publicadas do Falando Nisso mês passado, que eu ia ler alguma coisa sobre mim e Kris. Eu mal conhecia Simon, apenas falei com ele pessoalmente algumas vezes. Mas, sempre que me aproximava de Simon, eu me preocupava que ele descobrisse meu segredo. Na primavera, no baile dos calouros, Simon estava caindo de bêbado, e, quando esbarrei com ele no banheiro, Simon passou o braço por mim e me puxou tão perto que quase tive um ataque de pânico. Eu tive certeza de que Simon — que nunca teve uma namorada, até onde eu soubesse — percebeu que eu era gay e estava dando em cima de mim.

Fiquei tão surtado que mandei Vanessa desconvidá-lo para a festa pós-baile que ela organizou. E Vanessa, que nunca dispensa uma chance de excluir alguém, o fez com o maior prazer. E deixei isso rolar mesmo depois de ver Simon dando em cima de Keely mais tarde, com o tipo de intensidade que não dá para fingir.

Eu evitei pensar nisso desde que Simon morreu; que, da última vez que falei com ele, agi como um babaca porque não conseguia lidar com o que eu era.

E a pior parte é que, mesmo depois disso tudo, ainda não consigo.

Nate
Terça-feira, 16 de outubro, 18h

Quando chego ao Glenn's Diner meia hora depois do combinado para encontrar minha mãe, o Kia dela está parado bem do lado de fora. Ponto para a nova versão melhorada, imagino. Eu não teria ficado nada surpreso se ela não tivesse aparecido.

Pensei em fazer a mesma coisa. Muito. Mas fingir que ela não existe não deu lá muito certo.

Estaciono minha moto a algumas vagas de distância do carro dela e sinto as primeiras gotas de chuva nos ombros antes de entrar no restaurante. A recepcionista me olha com uma expressão educada e indagadora.

— Vim encontrar uma pessoa. Macauley — digo.

Ela concorda com a cabeça e aponta para uma mesa no canto.

— Bem ali.

Noto que minha mãe já está lá há algum tempo. O copo de refrigerante está quase vazio, e ela picotou o papel que embala o canudo. Quando eu me sento no banco diante dela, pego o menu e o examino cuidadosamente para evitar seus olhos.

— Já pediu?

— Ah, não. Estava esperando por você.

Praticamente consigo sentir minha mãe querendo que eu erga os olhos. Eu não queria estar ali.

— Você quer um hambúrguer, Nathaniel? Você costumava adorar os hambúrgueres do Glenn's.

Eu adorava e adoro, mas agora quero pedir outra coisa qualquer.

— É Nate, ok? — Eu fecho o menu de supetão e olho para a garoa cinza que cai na janela. — Ninguém mais me chama assim.

— Nate — ecoa ela, mas meu nome soa estranho dito por minha mãe.

É uma daquelas palavras que a pessoa repete sem parar até perder o significado. Vem uma garçonete, e eu peço uma Coca e um sanduíche que não quero. O telefone descartável vibra no bolso, e eu o puxo para ler uma mensagem de texto de Bronwyn. *Espero que esteja indo bem.* Sinto uma onda de afeto, mas guardo o telefone sem responder. Eu não tenho palavras para explicar para Bronwyn como é almoçar com um fantasma.

— Nate. — Minha mãe pigarreia ao dizer meu nome. Ainda soa errado. — Como está… como você vai no colégio? Você ainda gosta de Ciências?

Cruzes. *Você ainda gosta de Ciências?* Tenho ficado de recuperação desde o nono ano, mas como ela saberia? Os boletins são enviados lá para casa, eu falsifico a assinatura do meu pai, e eles voltam. Ninguém jamais questiona as minhas notas.

— Você pode pagar por isso? — pergunto, gesticulando pela mesa, como o babaca insolente que me tornei nos últimos cinco minutos. — Porque eu não posso. Então, se espera que eu pague, é melhor dizer antes que a comida chegue.

O rosto dela reflete seu desânimo, e sinto uma pontada inútil de triunfo.

— Nath… Nate. Eu jamais… Bem, por que você deveria acreditar em mim?

Ela puxa uma carteira e coloca duas notas de vinte na mesa, e eu me sinto péssimo até pensar nas contas que não paro de jogar no lixo em vez de pagar. Agora que não estou ganhando nada, a pensão de invalidez do meu pai mal cobre a hipoteca, a água, a luz, o gás… e o álcool dele.

— Como você tem dinheiro se está em reabilitação há meses?

A garçonete volta com um copo de Coca para mim, e minha mãe espera que ela saia para responder:

— Um dos médicos em Pine Valley, que é a clínica onde estou, me pôs em contato com uma empresa de transcrição médica. Eu posso trabalhar de qualquer lugar, e paga bem. — Ela passa a mão na minha, e eu me afasto. — Posso ajudar seu pai e você, Nate. E vou ajudar. Queria perguntar... você tem um advogado para a investigação? Podemos ver isso.

De alguma maneira, consigo não rir. Seja lá quanto ela ganha, não é suficiente para bancar um advogado.

— Estou de boa.

Minha mãe continua tentando e pergunta sobre o colégio, Simon, liberdade condicional, meu pai. Quase me afeta porque ela está diferente do que eu lembro. Mais calma e tranquila. Mas aí ela pergunta:

— Como Bronwyn está lidando com tudo isso?

Não. Toda vez que penso em Bronwyn, meu corpo reage como se estivesse de volta no sofá da sala de TV dela; coração disparado, sangue bombando, pele formigando. Não vou transformar a única coisa boa que saiu dessa confusão em outra conversa embaraçosa com minha mãe. O que significa que basicamente ficamos sem assunto. Graças a Deus a comida chegou, e assim podemos parar de fingir que os últimos três anos não aconteceram. Mesmo que o sanduíche tenha gosto de nada, de poeira, é melhor do que isso.

Minha mãe não se toca. Ela continua citando Oregon, os médicos e *Mikhail Powers Investiga* até eu sentir que vou engasgar. Puxo a gola da camiseta como se isso fosse me ajudar a respirar, mas não ajuda. Não consigo ficar ali, ouvindo as promessas e torcendo para que tudo dê certo. Desejando que minha mãe fique sóbria, empregada e sã. Que simplesmente fique.

— Eu tenho que ir — aviso abruptamente, e largo o sanduíche comido pela metade no prato.

Fico de pé, bato com o joelho na borda da mesa com tanta força que faço uma careta, e saio sem olhar para ela. Sei que ela não vai vir atrás de mim. Não é assim que ela funciona.

Quando estou do lado de fora, eu fico confuso a princípio porque não vejo a moto. Ela está enfiada entre dois Range Rovers enormes que não estavam ali antes. Eu vou até a motocicleta, e aí um sujeito bem-vestido demais para ir ao Glenn's Diner entra na minha frente com um sorriso ofuscante. Eu o reconheço imediatamente, mas o ignoro como se não o tivesse reconhecido.

— Nate Macauley? Mikhail Powers. Você é um sujeito difícil de achar, sabia? Estou empolgadíssimo em conhecê-lo. Estamos trabalhando na sequência da investigação sobre Simon Kelleher e adoraria ter sua opinião. Que tal eu lhe pagar um café lá dentro, e nós conversarmos por alguns minutos?

Eu subo na moto e coloco o capacete, como se não tivesse ouvido nada. Fico pronto para tirar a moto de ré, mas dois produtores bloqueiam a passagem.

— Que tal você dizer para o seu pessoal sair do caminho?

O sorriso de Mikhail Powers está tão largo, como sempre.

— Não sou seu inimigo, Nate. O tribunal da opinião pública é importante num caso como este. Que tal conquistar o apoio do público?

Minha mãe aparece no estacionamento e fica boquiaberta ao ver quem está ao meu lado. Eu tiro a moto de ré lentamente até que as pessoas no meu caminho saiam e eu fique livre para partir. Se ela quiser me ajudar, pode falar com ele.

CAPÍTULO 21

Bronwyn
Quarta-feira, 17 de outubro, 12h25

No almoço de quarta-feira, Addy e eu conversamos sobre esmaltes. Ela é uma enciclopédia de informações sobre o assunto.

— Com unhas curtas como as suas, é melhor usar algo clarinho, quase *nude* — aconselha Addy, enquanto examina minhas unhas com ar de profissional. — Mas, tipo, superbrilhante.

— Eu não uso esmalte mesmo — digo.

— Bem, você anda ficando mais elegante, né? Por *sabe-se lá que motivo*. — Ela levanta a sobrancelha para meu penteado cuidadosamente alisado, e minhas bochechas ficam vermelhas quando Maeve ri. — É melhor você experimentar.

É uma conversa mundana e inócua comparada ao almoço de ontem, quando falamos sobre minha visita à polícia, a mãe de Nate e o fato de que Addy foi chamada à delegacia separadamente para responder novamente a perguntas sobre as canetas de adrenalina que sumiram. Ontem éramos suspeitas de assassinato com vidas pessoais complicadas, mas hoje estamos apenas sendo meninas.

Até que uma voz estridente vindo de algumas mesas corta a conversa.

— É como eu disse a eles — fala Vanessa Merriman. — De quem é o boato que é *realmente* verdadeiro? E quem desmoronou completamente desde que Simon morreu? Esta pessoa é o assassino.

— Sobre o que ela está falando agora? — murmura Addy, enquanto mordisca como um esquilo um crouton tamanho gigante.

Janae, que não fala muito quando se senta com a gente, dispara um olhar para Addy e diz:

— Você não soube? A equipe do Mikhail Powers está lá na frente. Um monte de alunos está dando entrevistas.

Sinto um vazio no estômago, e Addy empurra a bandeja.

— Ai, que ótimo. Era tudo de que eu precisava, Vanessa na TV falando pelos cotovelos que sou culpada.

— Ninguém pensa realmente que foi você — diz Janae, apontando para mim com a cabeça. — Nem você. Nem…

Ela observa Cooper se encaminhando para a mesa de Vanessa com uma bandeja equilibrada numa das mãos, depois nos vê e muda de rumo para vir se sentar na beirada da nossa. Ele faz isso algumas vezes; se senta com Addy por alguns minutos no início do almoço. Fica por tempo suficiente para mostrar que não está abandonando Addy, como o resto dos amigos dela, mas não tanto a ponto de irritar Jake. Não consigo me decidir se isso é fofo ou covarde.

— E aí, pessoal? — pergunta Cooper, enquanto começa a descascar uma laranja.

Ele está vestido com uma camisa de colarinho abotoado cor de sálvia, que realça os olhos cor de nogueira, e está com um bronzeado de boné de beisebol, provocado pelo sol que bate em suas bochechas mais do que em qualquer outro lugar. De alguma forma, em vez de fazer com que ele pareça falho, aquilo só aumenta o brilho de Cooper Clay.

Eu achava que Cooper era o cara mais gato do colégio. Talvez ainda seja, mas ultimamente ele tem algo meio parecido com o boneco Ken — um pouco de plástico e convencional. Ou talvez meu gosto tenha mudado.

— Você já deu sua entrevista para Mikhail Powers? — brinco.

Antes que Cooper possa responder, uma voz fala no meu ombro.

— Vocês deveriam. Vão em frente e sejam o clube de assassinos que todo mundo acha que são. Livrando o Colégio Bayview dos babacas.

Leah Jackson se senta à mesa ao lado de Cooper. Ela não nota Janae, que fica vermelha como um tomate e se empertiga na cadeira.

— Oi, Leah — cumprimenta Cooper pacientemente, como se já tivesse ouvido aquilo antes.

Acho que já, no velório de Simon.

Leah percorre a mesa com o olhar e para em mim.

— Você algum dia vai admitir que roubou o teste?

O tom é de conversa, e a expressão é quase amigável, mas eu ainda travo.

— Que coisa hipócrita, Leah. — A voz de Maeve ecoa e me surpreende. Quando eu me viro, os olhos dela estão intensos. — Você não pode reclamar de Simon num segundo e repetir o rumor dele no próximo.

Leah faz uma pequena saudação para Maeve.

— *Touché*, Rojas mais nova.

Mas Maeve está apenas esquentando.

— Estou de saco cheio dessa conversa que nunca muda. Por que ninguém comenta como o Falando Nisso tornou esse colégio horrível algumas vezes? — Ela olha diretamente para Leah com uma expressão desafiadora. — Por que não você? Eles estão bem ali fora, sabe? Doidos para ouvir uma nova abordagem. Você poderia dar essa dica a eles.

Leah recua.

— Não vou falar com a mídia sobre isso.

— Por que não? — pergunta Maeve. Eu nunca a vi assim; ela está quase violenta ao intimidar Leah com o olhar. — Você não fez nada de errado. Simon fez. Fez por anos, e agora todo mundo está transformando o cara num santo por causa disso. Você não tem nada contra isso?

Leah devolve o olhar, e não consigo identificar a expressão que ela faz. É quase… triunfante?

— Obviamente tenho.

— Então faça algo a respeito — encoraja Maeve.

Leah fica de pé abruptamente e empurra o cabelo para trás do ombro. O movimento ergue a manga e revela uma cicatriz em formato de crescente no pulso.

— Talvez eu faça.

Ela sai do refeitório com passadas largas.

Cooper faz cara de espanto quando Leah vai embora.

— Porra, Maeve, me lembre de nunca pisar no seu calo.

Maeve franze o nariz, e eu me lembro do arquivo com o nome de Cooper que ela ainda não conseguiu acessar.

— Não foi *Leah* que pisou no meu calo — murmura ela, enquanto digita furiosamente no telefone.

— O que você está fazendo? — Quase sinto medo de perguntar.

— Estou enviando os tópicos de discussão de Simon no 4chan para o *Mikhail Powers Investiga* — responde ela. — Eles são jornalistas, certo? Devem investigar isso.

— O quê? — irrompe Janae. — Do que você está falando?

— Simon não saía desses tópicos de discussão cheio de gente repugnante que comemorava tiroteios em escolas e coisas assim — explica Maeve. — Eu venho lendo há dias. Outras pessoas abriam os tópicos, mas ele entrava nisso e dizia todo tipo de coisa horrível. Ele nem se importou quando aquele garoto matou todas aquelas pessoas em Orange County.

Ela ainda está digitando quando Janae agarra seu pulso e quase arranca o celular da mão.

— Como você sabe disso? — rosna ela, e Maeve finalmente sai do transe e nota que talvez tenha falado demais.

— Solte ela — mando.

Quando Janae não solta, estico o braço e arranco os dedos dela do pulso de Maeve. Eles estão gelados. Janae empurra a cadeira para trás, fazendo um barulhão, e fica tremendo toda após se levantar.

— Nenhum de vocês sabia nada dele — diz ela numa voz embargada, e sai pisando duro como Leah fez.

Só que ela provavelmente não dará uma declaração a Mikhail Powers. Maeve e eu nos entreolhamos enquanto tamborilo os dedos na mesa. Eu não consigo sacar qual é a de Janae. Na maioria dos dias, não sei por que ela se senta com a gente, afinal devemos lembrá-la constantemente de Simon.

A não ser que seja para ouvir conversas como a que acabamos de ter.

— Tenho que ir — avisa Cooper de repente, como se tivesse gastado todo o tempo destinado a ficar longe de Jake.

Ele ergue a bandeja, onde a maior parte da comida permanece intocada, e vai tranquilamente para sua mesa de sempre.

Então, nossa galera volta a ser composta somente por garotas, e permanece assim pelo restante do almoço. O único outro cara que se sentaria conosco nunca se dá ao trabalho de dar as caras no refeitório. Mas eu passo por Nate no corredor mais tarde, e todas as perguntas que fervilham no meu cérebro sobre Simon, Leah e Janae desaparecem quando ele me dá um sorriso passageiro.

Porque, Deus, é tão lindo quando aquele garoto sorri.

Addy
Sexta-feira, 19 de outubro, 11h12

Está quente na pista, e eu não deveria estar correndo tanto. É apenas a aula de Educação Física, afinal de contas. Mas meus braços e pernas latejam, cheios de uma energia inesperada, enquanto meus pulmões se enchem e expandem, como se todos os passeios recentes de bicicleta tivessem me dado uma reserva que precisa ser gasta. O suor escorre na testa e cola minha camiseta nas costas.

Sinto uma onda de orgulho ao passar por Luis — que, verdade seja dita, mal está se esforçando — e Olivia, que está na equipe de atletismo. Jake está na minha frente, e a ideia de alcançá-lo parece ridícula, porque ele é obviamente muito mais veloz do que eu, maior e mais forte também, e não há como eu me aproximar de Jake, só que estou fazendo isso. Ele não é mais um pontinho; Jake está próximo, e, se eu mudar de pista e mantiver este ritmo, talvez consiga, provavelmente, com certeza...

As pernas me faltam. Eu mordo o lábio e sinto o gosto metálico de sangue encher minha boca enquanto as palmas das mãos batem com força no chão. Pedrinhas rasgam minha pele, se incrustam na carne viva e explodem em dezenas de pequenos cortes. Meus joelhos estão em agonia, e sei, antes de ver as manchas vermelhas no chão, que a pele de ambos se rasgou.

— Ah, não! — A voz de Vanessa ecoa com preocupação falsa. — Pobrezinha! As pernas cederam.

Minhas pernas não cederam. Enquanto eu estava de olho em Jake, alguém passou o pé pelo meu tornozelo e me derrubou. Tenho uma boa ideia a quem pertencia o pé, mas não consigo dizer nada porque estou ocupada demais tentando encher os pulmões de ar.

— Addy, você está bem? — Vanessa mantém a voz falsa ao se ajoelhar ao meu lado, até estar perto do meu ouvido e sussurrar: — Bem feito, vadia.

Eu adoraria responder, mas ainda não consigo respirar.

Quando a professora de Educação Física chega, Vanessa se afasta, e, no momento que recupero o ar para falar, ela já foi. A professora examina meus joelhos, vira minhas mãos e estala a língua ao ver os ferimentos.

— Você precisa ir à enfermaria. Limpe esses cortes e tome antibióticos. — Ela vasculha a multidão que se reuniu em volta de mim e chama: — Srta. Vargas! Ajude Addy.

Creio que tenho que agradecer por não ser Vanessa ou Jake. Mas eu mal vi Janae desde que a irmã de Bronwyn chamou atenção para Simon há alguns dias. Enquanto manco na direção do colégio, Janae não olha para mim até quase chegarmos à entrada.

— O que aconteceu? — pergunta ela ao abrir a porta.

Agora eu já tomei fôlego suficiente para rir.

— A moralista da Vanessa acha que tem que tomar conta da vida sexual alheia.

Viro para a esquerda em vez da direita na escadaria, rumo ao vestiário.

— Você deveria ir à enfermeira — avisa Janae.

Eu gesticulo que não para ela. Há semanas que não passo ali, e, de qualquer forma, os cortes são dolorosos, mas superficiais. Tudo de que realmente preciso é um banho. Eu manco até um boxe e arranco as roupas, entro embaixo da ducha morna e vejo a água marrom e vermelha descer pelo ralo. Fico no chuveiro até a água estar límpida, e, quando saio, enrolada em uma toalha, Janae está ali, segurando uma embalagem com Band-Aids.

— Eu peguei isso para você. Seus joelhos estão precisando.

— Obrigada.

Eu me sento num banco e coloco as tiras cor de pele nos joelhos, que previsivelmente estão ficando escorregadios com sangue novamente. Minhas palmas ardem e estão raladas, em carne viva, mas não há onde eu possa colocar um Band-Aid que vá fazer diferença.

Janae está sentada o mais distante de mim no banco. Coloco três Band-Aids no joelho esquerdo, e dois no direito.

— Vanessa é uma vaca — diz ela em voz baixa.

— Sim — concordo.

Fico de pé e dou um passo cauteloso. Como as pernas me aguentam, vou até o meu armário e pego as roupas.

— Mas estou recebendo o que mereço, né? — argumento.

— É o que todo mundo pensa. Acho que é o que Simon queria. Tudo revelado para que as pessoas julguem. Sem segredos.

— Simon… — Janae está com aquele som embargado na voz novamente. — Ele não é… ele não era como dizem. Tipo, sim, Simon passou dos limites com o Falando Nisso e escreveu algumas coisas horríveis. Mas os últimos dois anos foram difíceis. Ele tentou tanto fazer parte de tudo e jamais conseguiu. Eu não acho… — Ela tenta achar as palavras. — O verdadeiro Simon não teria desejado que você passasse por essa situação.

Janae soa realmente triste por causa daquilo, mas não sou capaz de me importar com Simon agora. Eu termino de me vestir e olho o relógio. Faltam ainda vinte minutos para o fim da aula de Educação Física, e não quero estar aqui quando Vanessa e seu clã chegarem.

— Obrigada pelos Band-Aids. Diga que ainda estou na sala da enfermeira, ok? Vou para a biblioteca até o próximo período.

— Ok — responde Janae, com o corpo curvado no banco, parecendo abatida e exausta. Quando me dirijo à porta, ela abruptamente me chama: — Você quer sair hoje à tarde?

Eu me viro para Janae com uma expressão de surpresa. Não tinha pensado que tínhamos chegado àquele ponto da nossa… relação, acho. *Amizade* ainda parece uma palavra forte.

— Há, sim. Claro.

— Minha mãe vai ter o clube de leitura dela, então… talvez eu possa passar na sua casa?

— Tudo bem — concordo.

Imagino a reação da minha mãe tendo Janae como visita depois de estar acostumada a uma casa cheia de, patricinhas como Keelys e Olivias. A ideia me deixa animada, e nós combinamos a visita após o colégio. Sem mais nem menos, eu mando uma mensagem convidando Bronwyn, mas me lembro de que ela está de castigo. Além disso, Bronwyn tem aula de piano. Tempo livre espontâneo não é realmente o lance dela.

Mal guardei a bicicleta perto da varanda depois do colégio quando Janae chega arrastando sua mochila tamanho família, como se tivesse vindo estudar. Ficamos num papinho torturante com minha mãe, cujos olhos não param de examinar os vários piercings e os coturnos gastos de Janae, até que eu a levo para o andar de cima para vermos TV.

— Você gosta daquela nova série da Netflix? — pergunto, enquanto aponto o controle para a televisão e me esparramo na cama para que Janae fique com a poltrona. — A de super-heróis?

Ela se senta cautelosamente, como se tivesse medo de que o xale cor-de-rosa fosse engoli-la por inteiro.

— É, ok — responde Janae, que coloca a mochila ao lado e olha todas as fotografias emolduradas na parede. — Você realmente curte flores, hein?

— Não exatamente. Fiquei brincando com a câmera nova da minha irmã e… tirei um monte de fotos velhas da parede recentemente.

Elas estão enfiadas embaixo das caixas de sapato agora: várias memórias minhas com Jake nos últimos três anos, e quase o mesmo número com meus amigos. Hesitei em relação a uma foto — eu, Keely, Olivia e Vanessa na praia, no verão passado, usando chapéus de sol enormes, sorrindo que nem bobas contra um céu azul brilhante. Foi um dia raro de passeio só de meninas, mas, depois de hoje, estou mais contente do que nunca por ter banido o sorriso idiota de Vanessa para o closet.

Janae brinca com a alça da mochila.

— Você deve sentir saudade de como as coisas eram antes — diz ela, em voz baixa.

Mantenho o olhar fixo na tela enquanto reflito sobre o comentário.

— Sim e não — respondo finalmente. — Sinto saudade de como o colégio era fácil. Mas acho que ninguém com quem eu saía realmente se importava comigo, né? Ou as coisas teriam sido diferentes. — Eu me remexo inquieta na cama e acrescento: — Mas não vou fingir que é sequer parecido com o que você está lidando. Perder Simon daquela maneira.

Janae fica vermelha e não responde, e eu desejo que não tivesse puxado o assunto. Não consigo descobrir como interagir com ela. Nós somos amigas ou apenas duas pessoas sem opções melhores? Olhamos a TV fixamente em silêncio, até que Janae pigarreia e diz:

— Pode pegar algo para eu beber?

— Claro.

É quase um alívio fugir do silêncio que se instalou entre nós, até que encontro minha mãe na cozinha e me vejo envolvida em uma conversa seca de dez minutos sobre *o tipo de amigos que você tem agora*. Quando finalmente subo a escada, com dois copos de limonada na mão, Janae está com a mochila nas costas e a meio caminho da porta.

— Acho que não estou me sentindo muito bem — murmura ela.

Que ótimo! Até meus amigos inadequados não querem passar tempo comigo.

Frustrada, mando uma mensagem para Bronwyn, sem esperar por uma resposta já que ela provavelmente está no meio de

Chopin ou algo assim. Fico surpresa quando ela me responde imediatamente, e mais surpresa ainda pelo que ela escreve.

Tome cuidado. Eu não confio em Janae.

CAPÍTULO 22

Cooper
Domingo, 21 de outubro, 17h25

Estamos quase terminando o jantar quando o telefone do Pai toca. Ele olha o número e atende imediatamente. As rugas em volta da boca se acentuam.

— Aqui é Kevin. É. O quê? Hoje à noite? É realmente necessário? — O Pai espera um instante. — Beleza. Nós nos vemos aí.

Ele desliga e solta um suspiro irritado.

— A gente tem que encontrar com sua advogada na delegacia em meia hora. O detetive Chang quer falar com você novamente. — O Pai ergue a mão quando abro a boca. — Não sei sobre o quê.

Engulo em seco. Não fui mais interrogado faz algum tempo, e vinha esperando que toda essa situação estivesse se acalmando. Quero mandar uma mensagem para Addy e ver se ela está sendo chamada também, mas estou sob ordens expressas de não registrar nada sobre a investigação por escrito. Ligar para Addy também não é uma grande ideia. Então termino de jantar calado e dirijo até a delegacia com o Pai.

Minha advogada, Mary, já está conversando com o detetive Chang quando entramos. Ele nos chama com um gesto para a sala de interrogatório, que não é nada parecida com o que se vê na TV. Não há um janelão com um espelho falso por trás. Apenas uma salinha banal, com uma mesa de reuniões e um bando de cadeiras dobráveis.

— Olá, Cooper. Sr. Clay. Obrigado por terem vindo.

Estou prestes a passar por ele pela porta quando o detetive coloca a mão no meu braço.

— Você tem certeza de que quer que seu pai esteja presente?

Estou prestes a perguntar *por que eu não iria querer?*, mas, antes que eu fale, o Pai começa a vociferar que é seu direito divino estar presente durante o interrogatório. Ele ensaiou esse discurso à perfeição e, assim que começa, precisa terminar.

— É claro — concede o detetive Chang educadamente. — É principalmente uma questão de privacidade para Cooper.

A forma como ele fala me deixa nervoso, e olho para Mary em busca de ajuda.

— Não há problema de começar apenas comigo na sala, Kevin — assegura ela. — Chamo você se for preciso.

Mary é bacana. Ela está na casa dos 50 anos, é bem séria e capaz de lidar tanto com a polícia quanto com meu pai. Então, no fim das contas, apenas eu, o detetive Chang e Mary nos sentamos em volta da mesa.

Meu coração já está acelerado quando o detetive Chang puxa um laptop.

— Você sempre reclamou que a acusação de Simon não era verdade, Cooper. E não houve queda no seu desempenho no beisebol. Isso contradiz a reputação do aplicativo de Simon, que não era conhecido por postar mentiras.

Tento manter uma expressão neutra, embora venha pensando a mesma coisa. Fiquei mais aliviado do que puto quando o detetive Chang me mostrou o site de Simon pela primeira vez, porque uma mentira é sempre melhor do que a verdade. Mas por que Simon mentiria sobre mim?

— Então, a gente cavou um pouco mais fundo. Na verdade, deixamos passar algo na análise inicial dos arquivos de Simon. Havia uma segunda menção que foi criptografada e trocada pela acusação de uso de anabolizantes. Levamos um tempo para destrinchar aquele arquivo, mas o original está aqui.

Ele vira a tela para mim e Mary. Nós nos aproximamos para lê-la.

Todo mundo quer tirar uma casquinha do canhota CC de Bayview, e, finalmente, ele caiu em tentação. Está chifrando a linda KS com alguém do mundo da moda que veio da Alemanha. Que cara não faria isso, certo? Só que o novo interesse amoroso desfila com cueca samba-canção, e não sutiã e calcinha. Foi mal, K, mas não dá para competir quando se está no time errado.

Todas as partes do meu corpo parecem congeladas, a não ser os olhos, que não conseguem parar de piscar. Era isso o que eu temia ver havia semanas.

— Cooper. — A voz de Mary está controlada. — Não há necessidade de reagir a isso. O senhor tem uma pergunta, detetive Chang?

— Sim. Este rumor que Simon planejava postar é verdade, Cooper?

Mary fala antes que eu consiga:

— Não há nada criminoso nessa acusação. Cooper não precisa comentar a respeito.

— Mary, você sabe que essa não é a questão. Temos uma situação interessante aqui. Quatro estudantes com quatro menções que eles querem manter sigilosas. Uma delas é apagada e substituída por uma menção falsa. Você sabe o que isso parece?

— Boataria de segunda classe? — pergunta Mary.

— Como se alguém tivesse acessado os arquivos de Simon para se livrar dessa menção em especial. E garantir que Simon não estivesse por perto para consertar o feito.

— Preciso de alguns minutos com meu cliente — avisa Mary.

Eu me sinto mal. Imaginei contar a notícia sobre Kris para os meus pais de várias maneiras, mas nenhuma tão direta e horrível quanto essa.

— É claro. É melhor que você saiba que pediremos um mandado para vasculhar melhor a casa de Cooper, além dos registros do computador e celular dele. Dada essa nova informação, Cooper passou a ser mais suspeito do que antes.

Mary está com a mão no meu braço. Ela não quer que eu fale. Ela não precisa se preocupar. Eu não conseguiria falar mesmo que tentasse.

Fornecer informações sobre orientação sexual viola os direitos constitucionais à privacidade. É o que Mary diz, e ela ameaçou envolver a União Norte-americana pelas Liberdades Civis se a polícia tornar públicas as postagens de Simon sobre mim. O que entraria na categoria Um Pouco Tarde Demais.

O detetive Chang dá voltas em torno da situação. Eles não têm intenção de invadir minha privacidade, mas precisam investigar. Ajudaria se eu contasse tudo. Nossas definições de *tudo* são diferentes. A dele inclui confessar que matei Simon, deletei a menção a mim no Falando Nisso e a substituí por uma falsa sobre anabolizantes.

O que não faz sentido. Por que eu não me tiraria completamente do cenário? Ou criaria algo que prejudicasse menos a carreira? Tipo estar chifrando Keely com outra garota. Isso teria matado dois coelhos com uma cajadada só, por assim dizer.

— Isso não muda nada. — Mary não para de falar. — Vocês não têm mais provas do que já tiveram em algum momento de que Cooper tocou no site de Simon. Não ouse repassar informações sigilosas em nome da sua *investigação*.

O problema, porém, é que não importa. A verdade está escapando. Este caso está cheio de vazamentos desde o início. E eu não posso sair daqui após ser interrogado por uma hora e dizer a meu pai que nada mudou.

Quando o detetive Chang sai, ele deixa claro que vão revirar minha vida do avesso nos próximos dias. Eles querem o número de Kris. Mary me diz que eu não preciso fornecê-lo, mas o detetive Chang comenta que eles confiscarão o celular por meio de uma intimação e conseguirão o número de qualquer forma. Eles querem falar com Keely também. Mary não para de ameaçar com a União Norte-americana pelas Liberdades Civis, e o detetive Chang não para de dizer, sendo a calma em pessoa, que eles precisam compreender minhas ações nas semanas anteriores ao assassinato.

Mas todos sabem o que realmente está acontecendo. Eles vão tornar minha vida um inferno até que eu ceda sob pressão.

Fico sentado na sala de interrogatório com Mary após o detetive Chang sair, grato por não haver um espelho falso quando enfio o rosto nas mãos. A vida como eu conhecia acabou, e em breve ninguém me olhará da mesma maneira. Eu acabaria contando com o passar do tempo, mas... em alguns anos, talvez? Quando já fosse um astro do beisebol e intocável. Não agora. Não desta *maneira*.

— Cooper. — Mary coloca a mão no meu ombro. — Seu pai vai ficar se perguntando por que ainda estamos aqui dentro. Você precisa conversar com ele.

— Não posso — respondo automaticamente. *Numposso*.

— Seu pai te ama — diz ela baixinho.

Quase rio. O Pai ama o *Cooperstown*. Ele ama quando faço uma sequência de arremessos perfeitos e chamo a atenção de olheiros importantes, e quando meu nome passa no pé da tela da ESPN. Mas me amar?

Ele nem me conhece.

Surge uma batida na porta antes que eu possa responder. O Pai enfia a cara dentro e estala os dedos.

— Acabamos aqui? Quero ir pra casa.

— Tudo pronto — respondo.

— Que diabos significou tudo isso? — exige saber de Mary.

— Você e Cooper precisam conversar — diz ela.

O maxilar do Pai fica tenso. Está escrito na cara dele *estamos te pagando para quê, diabos?*

— Podemos discutir os próximos passos depois disso — conclui Mary.

— Fantástico — murmura o Pai.

Eu fico de pé e me espremo pelo espaço estreito entre a mesa e a parede, passo por Mary e entro no corredor. Nós andamos em silêncio, um na frente do outro, até que atravessamos as portas duplas de vidro e Mary murmura uma despedida.

— Noite — responde o Pai, nos conduzindo laconicamente ao carro na outra extremidade do estacionamento.

Tudo dentro de mim se retesa e contorce enquanto coloco o cinto de segurança ao lado dele no Jeep. Por onde começo? O que eu digo? Conto agora ou espero até estarmos em casa e eu possa contar para a Mãe, a Vovó e... ai, Deus. *Lucas?*

— O que significou tudo aquilo? — pergunta o Pai. — Por que demorou tanto?

— Há novas provas — digo, sem esboçar reação.

— É? O quê?

Não posso. Não posso. Não com apenas nós dois no carro.

— Vamos esperar até a gente chegar em casa.

— É sério assim, Coop? — O Pai dá uma olhadela para mim ao passar por um Volkswagen em baixa velocidade. — Você está enrascado?

Minhas palmas da mão começam a suar.

— Vamos esperar — repito.

Preciso contar para Kris o que está acontecendo, mas não ouso mandar mensagem para ele. Eu deveria ir ao seu apartamento e explicar pessoalmente. Outra conversa que vai matar uma parte de mim. Ele saiu do armário desde o ensino médio. Seus pais são artistas, então, isso nunca foi um problema. A atitude deles foi basicamente de *é, nós sabemos, por que você levou tanto tempo?* Kris nunca me pressionou, mas não quer viver às escondidas.

Eu olho pela janela e tamborilo os dedos na maçaneta pelo resto do trajeto até chegarmos em casa. O Pai estaciona na entrada da garagem, e a casa se agiganta diante de mim: sólida, familiar e o último lugar que eu queria estar neste exato momento.

Nós entramos. O Pai joga as chaves na mesa do corredor e vê minha mãe na sala de estar. Ela e a Vovó estão sentadas lado a lado no sofá, como se estivessem esperando por nós.

— Onde está Lucas? — pergunto ao entrar na sala com o Pai.

— Lá embaixo, jogando Xbox. — A Mãe silencia a TV, e a Vovó inclina a cabeça de lado e fixa o olhar em mim. — Tudo bem?

— Cooper está misterioso. — O olhar do Pai é meio sagaz, meio desdenhoso; ele não sabe se deve levar a sério ou não o fato de que estou obviamente surtado. — Pode contar pra gente, Cooperstown. O que foi toda aquela agitação? Eles têm alguma prova concreta desta vez?

— Eles acham que têm. — Eu pigarreio e enfio as mãos nas calças militares. — Quero dizer, eles têm. Estão com novas informações.

Todo mundo está em silêncio, absorvendo a notícia, até que notam que não estou com pressa alguma de continuar.

— Que tipo de informação nova? — pergunta a Mãe.

— Havia uma menção no site de Simon que estava encriptada antes de a polícia chegar lá. Acho que era o que ele originalmente tinha a intenção de postar sobre mim. *Nada a vê* com doping. — Lá vem meu sotaque de novo.

O Pai nunca perdeu o dele e não nota quando o meu vai e vem.

— Eu sabia! — diz ele, triunfante. — Eles te inocentaram, então?

Estou mudo, a mente vazia. A Vovó se inclina para a frente, as mãos segurando a bengala com uma caveira na ponta.

— Cooper, o que Simon ia postar sobre você?

— Bem...

Só são necessárias três palavras para transformar tudo na minha vida em Antes e Depois. O ar foge dos pulmões. Não consigo olhar para minha mãe, e com certeza não consigo olhar para o meu pai. Então eu me volto para a Vovó.

— Simon. De alguma forma. Descobriu. Aquilo. — *Meu Deus.* Eu não tenho mais como enrolar. A Vovó bate com a bengala no chão, como se quisesse me ajudar a ir em frente. — Eu sou gay.

O Pai ri. Ri mesmo, uma gargalhada meio aliviada, e me dá um tapinha no ombro.

— Cruzes, Coop. Você me enganou por um minuto. Sério, o que está acontecendo?

— Kevin. — A Vovó range os dentes ao falar. — Cooper *não está brincando.*

— Claro que está — diz o Pai, ainda rindo. Olho para o rosto dele porque tenho certeza de que é a última vez que o Pai vai olhar para mim da maneira que sempre olhou. — Certo? — pergunta ele. Seus olhos se voltam para os meus, casuais e confiantes, mas, quando ele vê meu rosto, o sorriso se apaga. *Pronto.* — Certo, Coop?

— Errado — falo para ele.

CAPÍTULO 23

Addy
Segunda-feira, 22 de outubro, 08h45

Há filas de viaturas da polícia em frente ao Colégio Bayview novamente. E Cooper cambaleia pelo corredor, como se não dormisse há dias. Não me ocorre que os dois fatos possam estar relacionados até ele me puxar para uma conversa particular antes do primeiro sinal.

— Podemos conversar?

Examino Cooper com mais cuidado e sinto um nervosismo no estômago. Nunca vi seus olhos tão injetados antes.

— Sim, claro.

Acho que Cooper tinha a intenção de que a conversa fosse ali no corredor, mas, para minha surpresa, ele me leva pela escadaria dos fundos até o estacionamento, onde nos encostamos na parede ao lado da porta. O que significa que chegarei depois da chamada, imagino, mas meu registro de presença já está tão ruim que outro atraso não fará diferença.

— O que foi?

Cooper passa a mão no cabelo castanho-claro até formar um moicano alto, o que não é uma coisa que eu um dia imaginei que seu cabelo pudesse fazer até agora.

— Acho que a polícia está aqui por minha causa. Para fazer perguntas sobre mim. Eu só... queria contar o motivo para alguém antes que tudo vá para o inferno.

— Ok. — Coloco a mão no antebraço dele e fico tensa pela surpresa de sentir que ele está tremendo. — Cooper, qual é o problema?

— Então, o negócio é o seguinte... — Ele faz uma pausa e engole em seco.

Cooper parece que está prestes a confessar alguma coisa. Por um segundo, Simon passa pela minha mente: ele entrando em colapso na detenção seu rosto vermelho, arfante, com dificuldade para respirar. Eu não consigo evitar recuar. Então, vejo os olhos de Cooper — lacrimosos, mas tão gentis quanto nunca — e percebo que não pode ser isso.

— Qual é o negócio, Cooper? Não tem problema, você pode me dizer.

Cooper me encara fixamente e capta a minha imagem completa — o cabelo desgrenhado que está ficando espetado de qualquer jeito porque não tive tempo de secá-lo com secador, a pele mais ou menos por causa de todo o estresse, a camiseta desbotada de alguma banda que Ashton curtia, porque estamos realmente atrasadas em relação a colocar as roupas para lavar —, antes de responder:

— Eu sou gay.

— Ah. — A declaração não bate de primeira, mas a seguir, sim. — *Ahhh.* — Todo aquele lance não-sou-a-fim-de-Keely subitamente faz sentido. Como parece que devo dizer mais do que isso, então acrescento: — Legal.

É uma resposta inadequada, eu acho, mas sincera. Porque Cooper é um cara bacana, a não ser pelo jeito um pouco distante de sempre. Isso explica *muita coisa.*

— Simon descobriu que estou saindo com uma pessoa. Um cara. Ele ia postar essa informação no Falando Nisso junto com todas as outras fofocas. Só que a postagem foi trocada e substituída por mentiras sobre eu estar me dopando. Não troquei a informação do post dele — acrescenta rapidamente. — Mas eles acham que eu fiz isso, então estão pegando pesado na investigação a meu respeito, o que significa que o colégio inteiro vai saber em breve. Acho que eu queria... contar para alguém por mim mesmo.

— Cooper, ninguém vai se importar... — começo, mas ele balança a cabeça.

— Vão, sim. Você sabe que vão.

Eu abaixo o olhar porque não posso negar.

— Enfiei a cabeça no chão como um avestruz sobre toda essa investigação — continua Cooper, com a voz rouca. — Na esperança de que considerassem um acidente porque não há prova concreta de nada. Agora, eu não paro de pensar sobre o que Maeve disse sobre Simon um dia desses: quanta coisa esquisita acontecia ao redor dele. Você acha que há algo por trás disso?

— Bronwyn acha — respondo. — Ela quer que a gente se reúna, nós quatro, para trocar ideias. Ela diz que Nate vai.

Cooper concorda com a cabeça distraidamente, e me ocorre que, uma vez que ele ainda está dentro da bolha de Jake na maior parte do tempo, Cooper não está totalmente a par de tudo que está acontecendo.

— Você ouviu sobre a mãe de Nate, por falar nisso? — pergunto. — Que ela, há, não está morta, afinal de contas?

Eu não achava que Cooper pudesse ficar ainda mais pálido, mas ele fica.

— O quê?

— A história é meio longa, mas, sim. Na verdade, ela era uma viciada em drogas que vivia numa espécie de comunidade, mas está de volta agora. E sóbria, teoricamente. Ah, e Bronwyn foi chamada à delegacia por causa de uma postagem repugnante que

Simon escreveu sobre a irmã dela no segundo ano. Bronwyn escreveu na seção de comentários que queria que ele morresse, então... você sabe. Isso meio que causou uma má impressão.

— Mas que diabos?

Pela expressão incrédula no rosto de Cooper, eu consegui distraí-lo dos próprios problemas. Então, o último sinal antes do início das aulas toca, e os ombros dele esmorecem.

— É melhor irmos embora — diz Cooper. — Mas, sim, se vocês se reunirem, eu estou dentro.

A polícia de Bayview novamente se instala numa sala de reuniões com um agente da juventude e começa a entrevistar os estudantes, um por um. De início, a situação é meio discreta, e, quando o dia termina sem rumores, tenho esperanças de que Cooper esteja errado sobre a revelação de seu segredo. Mas, no meio da manhã seguinte, na terça-feira, começam os sussurros. Não sei se é o tipo de pergunta que a polícia está fazendo, ou com quem ela está falando, ou apenas o velho e bom vazamento, mas, antes do almoço, minha ex-amiga Olivia — que não fala comigo desde que Jake socou TJ — corre até meu armário e me pega pelo braço com um olhar de pura alegria.

— Ai, meu Deus, você ouviu sobre Cooper? — Os olhos se arregalam de empolgação quando ela baixa a voz a um tom penetrante de sussurro. — Todo mundo está dizendo que ele é *gay*.

Eu me afasto. Se Olivia acha que estou grata por ter sido incluída na roda de fofocas, está enganada.

— Quem se importa? — pergunto categoricamente.

— Bem, *Keely* se importa. — Olivia ri enquanto joga o cabelo sobre o ombro. — Não surpreende que ele não transasse com ela! Você está indo almoçar agora?

— Sim. Com Bronwyn. Tchau.

Bato a porta do armário e dou meia-volta antes que ela consiga dizer mais alguma coisa.

No refeitório, pego a comida e vou para nossa mesa de sempre. Bronwyn está bonita num vestido suéter e usando botas, com o cabelo solto em volta dos ombros. Suas bochechas estão tão rosadas que me pergunto se ela está usando maquiagem para variar, mas, se estiver, ficou bem natural. Bronwyn não para de olhar para a porta.

— Está esperando alguém? — pergunto.

Ela fica mais vermelha.

— Talvez.

Eu tenho uma boa ideia de quem seja. Provavelmente não é Cooper, embora os demais ali pareçam estar esperando por ele. Quando Cooper entra no refeitório, todo mundo cala a boca, e, então, um burburinho baixo corre o refeitório.

— Cooper Clay ou Cooper GAY? — grita alguém em tom de falsete alto.

Cooper trava na porta quando algo voa e o atinge bem no peito. Eu reconheço a embalagem azul imediatamente: camisinhas da marca Trojan. A que Jake usa. Juntamente com metade do colégio, acho. Mas a embalagem veio da direção da minha antiga mesa.

— Tá queimando a rosca, Clay? — debocha alguém, e a gargalhada toma conta do ambiente. Parte das risadas são cruéis, mas muitos risos são nervosos e chocados. A maioria das pessoas parece que não sabe o que fazer. Fico calada porque a expressão de Cooper é a pior coisa que já vi na vida. Como eu queria que isso não estivesse acontecendo.

— Ah, pelo amor de Deus. — É Nate. Ele está na porta ao lado de Cooper, o que me surpreende porque eu nunca o vi no refeitório antes. As demais pessoas ficam igualmente surpresas e se calam a ponto de a voz desdenhosa de Nate superar os sussurros ao examinar a cena diante de si. — Seus idiotas, vocês realmente se importam com essa merda? Vão arrumar o que fazer.

— Tão namorando? — grita uma voz de menina, disfarçado com uma tosse falsa.

Vanessa dá um risinho quando todo mundo em volta dela cai naquele tipo de gargalhada que vem sendo direcionada a mim no último mês: meio culpada, meio achando graça, e completamente *Graças a Deus que isso está acontecendo com você, e não comigo.* As únicas exceções são Keely, que está mordendo o lábio e olhando para o chão, e Luis, que está meio de pé, com os antebraços apoiados na mesa. Uma das funcionárias da escola está parada na passagem entre a cozinha e o refeitório, aparentemente dividida entre deixar aquela cena continuar e chamar um professor para interferir.

Nate se volta para a cara de desprezo de Vanessa sem o menor sinal de vergonha.

— Sério? *Você* tem algo a dizer? Eu nem sei seu nome, e você tentou enfiar a mão nas minhas calças da última vez que a gente se esbarrou numa festa. — Mais risos, mas desta vez não são às custas de Cooper. — Na verdade, se tem um cara no Bayview com quem você não tentou fazer isso, eu gostaria de conhecê-lo.

Vanessa fica boquiaberta quando uma mão se ergue no meio do refeitório.

— Eu — diz um garoto, sentado na mesa dos nerds.

Os amigos dele riem de nervoso quando a atenção pulsante do ambiente — sério, é como uma onda que vai de um alvo para outro — se concentra no garoto. Nate faz um sinal de positivo para ele e volta a olhar para Vanessa.

— Pronto. Tenta fazer isso acontecer e cale a porra da boca.

Nate vem até a nossa mesa e joga a mochila ao lado de Bronwyn. Ela fica de pé, passa os braços pelo pescoço dele e beija Nate como se os dois estivessem sozinhos enquanto o refeitório inteiro explode em suspiros de susto e vaias. Olho tão espantada

277

como todo mundo. Tipo, eu meio que imaginava, mas isto é muito público. Não sei se Bronwyn está tentando distrair todo mundo de Cooper ou se simplesmente não conseguiu se controlar. Talvez ambos os motivos.

De qualquer forma, Cooper foi efetivamente esquecido. Ele está imóvel na entrada até eu pegá-lo pelo braço.

— Sente aí. O clube dos assassinos inteiro numa única mesa. Eles podem nos encarar todos juntos.

Cooper me segue e não se dá ao trabalho de pegar a comida. Nós nos instalamos na mesa, e um silêncio incômodo paira até que mais alguém se aproxima: Luis com a bandeja na mão, que se senta na última cadeira vazia na nossa mesa.

— Aquilo foi babaquice — reclama ele, que olha para o espaço vazio diante de Cooper. — Você não vai comer?

— Não estou com fome — responde Cooper em poucas palavras.

— Você tem que comer alguma coisa. — Luis pega o único alimento intocado na bandeja e oferece. — Aqui, coma uma banana.

Todo mundo trava por um segundo; depois todos nós gargalhamos ao mesmo tempo. Incluindo Cooper, que apoia o queixo na palma da mão e massageia a têmpora com a outra mão.

— Eu passo — diz ele.

Eu nunca vi Luis tão vermelho.

— Por que não podia ter sido dia de maçã? — murmura ele, e Cooper lhe oferece um sorriso cansado.

A pessoa descobre quem são seus verdadeiros amigos quando coisas assim acontecem. Na verdade, eu não tinha nenhum, mas fico contente que Cooper tenha.

CAPÍTULO 24

Nate
Quinta-feira, 25 de outubro, 0h20

Eu entro com a motocicleta no beco no fim do Bayview Estates, desligo o motor e fico parado por um minuto a fim de verificar se há sinal de alguém por perto. Está um silêncio, então, saio da moto e ajudo Bronwyn a fazer a mesma coisa.

A vizinhança ainda é uma área em construção, sem postes de luz, de forma que nós dois andamos na escuridão até a casa número 5. Quando chegamos lá, tentamos abrir a porta da frente, mas está trancada. Damos a volta pelos fundos da casa e mexemos em todas as janelas até que encontro uma que abre. Ela é suficientemente baixa, e eu consigo subir e entrar facilmente.

— Volte para a entrada; eu abro pra você — digo em voz baixa.

— Acho que consigo fazer isso também — retruca Bronwyn, se preparando para erguer o corpo.

Ela, porém, não tem força no braço, e tenho que me debruçar para ajudá-la. A janela não é suficientemente grande para os dois, e, quando solto Bronwyn e dou um passo atrás para abrir espaço, ela tem dificuldade para transpor o resto do caminho e cai no chão com um baque seco.

— Que graciosa — elogio, quando Bronwyn se levanta e tira poeira das calças jeans.

— Cala a boca — murmura ela, enquanto olha ao redor. — Será que devemos destrancar a porta para Addy e Cooper?

Estamos numa casa vazia, ainda em construção, no meio da madrugada para uma reunião do Quarteto de Bayview. É como um filme de espionagem ruim, mas não há jeito de todos nós conseguirmos nos encontrar em qualquer outro lugar sem chamar muita atenção. Até meus vizinhos que não ligam a mínima, de repente começaram a ficar de olho, agora que a equipe de Mikhail Powers não para de passar pela nossa rua.

Além disso, Bronwyn continua de castigo.

— Sim — concordo.

Nós avançamos, tateando, até chegarmos a uma cozinha ainda não finalizada e entrarmos numa sala de estar com uma enorme janela saliente. Raios de luar entram reluzentes em volta da porta, e eu abro o ferrolho.

— Que horas você marcou com eles?

— Meia-noite e meia — responde Bronwyn, enquanto aperta um botão no seu Apple Watch.

— Que horas são?

— Meia-noite e vinte e cinco.

— Ótimo. Temos cinco minutos.

Eu passo a mão na bochecha dela, imprenso Bronwyn contra a parede e colo seus lábios nos meus. Ela se apoia em mim, me abraça pelo pescoço e abre a boca com um suspiro delicado. Minhas mãos descem pela curva da cintura até os quadris e encontram uma faixa de pele exposta embaixo da borda da blusa. Bronwyn tem um corpo incrivelmente sorrateiro embaixo de todas aquelas roupas conservadoras, embora eu mal tenha visto algum detalhe.

— Nate — sussurra ela após alguns minutos, naquela voz sem fôlego que me deixa doido. — Você ia me contar como foram as coisas com sua mãe.

É. Acho que eu ia. Vi minha mãe de novo hoje à noite e foi... tudo bem. Ela apareceu no horário combinado e sóbria. Parou de fazer perguntas e deu dinheiro para as contas. Mas passei o tempo todo apostando comigo mesmo quanto tempo aquilo duraria. Minha aposta atual é de duas semanas.

Antes que eu possa responder, porém, a porta range e não estamos mais sozinhos. Uma figura pequena entra e fecha a porta. O luar está claro o suficiente a ponto de eu enxergar Addy, incluindo as inesperadas mechas escuras no cabelo.

— Ah, que bom, não fui a primeira — sussurra ela, depois coloca as mãos na cintura ao olhar feio para mim e para Bronwyn.
— Você dois estavam se pegando? É sério?

— Você pintou o cabelo? — Bronwyn muda de assunto enquanto se afasta de mim. — Que cor é essa? — Ela estica a mão e examina a franja de Addy. — Roxo? Gostei. Por que a mudança?

— Não consigo acompanhar o ritmo das exigências de um cabelo curto — resmunga Addy ao pousar um capacete de bicicleta no chão. — Colorido não fica tão ruim. — Ela inclina a cabeça para mim e acrescenta: — Eu não preciso do seu comentário se você discorda, aliás.

Ergo as mãos.

— Eu não ia dizer uma palavra, Addy.

— Quando você sequer passou a saber meu nome? — Ela faz graça.

Eu rio para Addy.

— Você ficou meio saidinha quando perdeu todo o cabelo. E o namorado.

Ela revira os olhos.

— Onde faremos a reunião? Na sala de estar?

— Sim, mas nos fundos. Longe da janela — decide Bronwyn.

Ela passa por alguns materiais de construção e se senta com as pernas cruzadas diante de uma lareira de pedra. Eu me esparramo ao lado de Bronwyn e espero que Addy faça o mesmo, mas ela permanece parada perto da porta.

— Acho que ouvi alguma coisa — diz Addy ao espiar pelo olho mágico.

Ela abre uma nesga da porta e dá um passo para o lado a fim de deixar Cooper entrar. Addy o traz na direção da lareira, mas quase sai voando ao tropeçar em uma extensão.

— *Eita!* Porra, isso fez muito barulho. Foi mal.

Ela se instala ao lado de Bronwyn, e Cooper se senta ao seu lado.

— Como vão as coisas? — pergunta Bronwyn para Cooper.

Ele esfrega o rosto.

— Ah, você sabe. Parece um pesadelo. Meu pai não fala comigo, estou sendo detonado nas redes sociais, e nenhum dos times que estava de olho em mim responde às ligações do treinador Ruffalo. Tirando isso, estou ótimo.

— Sinto muito — lamenta Bronwyn, e Addy pega a mão dele e dobra-a no meio das dela.

Ele solta um suspiro, mas não puxa a mão.

— As coisas são como são, eu acho. Vamos simplesmente ao motivo de estarmos aqui, hein?

Bronwyn pigarreia.

— Bem. Basicamente para… trocarmos ideias? Eli não para de falar sobre procurarmos por padrões e conexões, o que faz muito sentido. Acho que a gente poderia examinar algumas das coisas que sabemos. E que não sabemos. — Ela franze a testa e começa a enumerar as coisas com os dedos: — Simon estava prestes a postar algumas coisas bem chocantes sobre todos nós. Alguém reuniu a gente naquela sala com os celulares falsos. Simon foi envenenado enquanto estávamos ali. Muitas pessoas além de nós tinham motivos para estar putas com Simon. Ele estava envolvido com todo tipo de coisa repugnante no 4chan. Quem sabe que tipo de pessoa ele irritou.

— Janae disse que ele odiava estar fora da rodinha e que estava realmente irritado por nada mais ter rolado com Keely — diz Addy, olhando para Cooper. — Você se lembra disso? Simon começou a dar em cima dela no baile dos calouros, e ela cedeu durante uma festa algumas semanas depois, e ficou com ele por, tipo, cinco minutos. Só que Simon pensou que aquilo realmente fosse adiante.

Os ombros de Cooper caem, como se ele estivesse lembrando algo que não deveria.

— Certo. Há. Acho que esse é um padrão. Ou uma conexão, sei lá. Comigo e Nate, quero dizer.

Eu não entendo.

— O quê?

Ele me encara.

— Quando eu terminei com Keely, ela me contou que tinha ficado com você numa festa para se livrar de Simon. E que eu a chamei para sair umas duas semanas depois.

— Você e *Keely*? — Addy olha espantada para mim. — Ela nunca falou!

— Foi só umas duas vezes.

Honestamente, eu tinha me esquecido completamente.

— E você é amiga de Keely. Ou era — diz Bronwyn para Addy.

Ela não parece abalada pela ideia de Keely e eu juntos, e agradeço por Bronwyn não perder o foco.

— Mas eu não tenho nada a ver com ela — continua Bronwyn. — Então… não sei. Será que isso significa alguma coisa ou não?

— Eu não vejo como significaria — argumenta Cooper. — Ninguém além de Simon se importava com o que aconteceu no lance dele com Keely.

— *Keely* talvez se importasse — salienta Bronwyn.

Cooper contém uma risada.

— Você não pode estar pensando que Keely teve algo a ver com esta situação!

— Estamos levantando possibilidades — diz Bronwyn, ao se inclinar para a frente e apoiar o queixo na mão. — Ela é um ponto em comum.

— É, mas Keely tem zero motivos para qualquer coisa. Será que a gente não deveria estar falando de pessoas que odiavam Simon? Além de você — acrescenta Cooper, e Bronwyn fica imóvel. — Quero dizer, por aquela postagem no blog que ele escreveu sobre a sua irmã. Addy me contou a respeito. Aquilo foi um golpe muito baixo. Nunca vi a postagem da primeira vez. Eu teria dito alguma coisa se tivesse visto.

— Bem, eu não *matei* Simon por aquilo — diz Bronwyn com firmeza.

— Não estou dizendo... — começa Cooper, mas Addy interrompe.

— Não vamos desviar do assunto. E quanto a Leah ou mesmo Aiden Wu? Não dá pra dizer que eles não gostariam de ter se vingado.

Bronwyn engole em seco e baixa os olhos.

— Eu também me pergunto sobre Leah. Ela tem sido... Bem, tenho uma conexão com ela que não contei a vocês. Nós duas fomos colegas num campeonato de simulação estudantil da ONU e, por engano, informamos a Simon um prazo errado. Ele acabou sendo desclassificado e começou a torturar Leah no Falando Nisso logo depois.

Na verdade, Bronwyn falou comigo sobre isso. A questão sobre Leah a incomoda há dias, mas é novidade para Cooper e Addy, que começa a balançar a cabeça.

— Então Leah tem motivo para odiar Simon *e* estar puta com você. — Aí ela franze a testa. — Mas e quanto ao restante de nós? Por que arrastar a gente?

284

Dou de ombros.

— Talvez a gente tenha sido apenas os segredos que Simon tinha na mão. Danos colaterais.

Bronwyn suspira.

— Eu não sei. Leah é esquentada, mas não exatamente traiçoeira. Estou mais confusa quanto ao lance de Janae. — Ela se volta para Addy. — Uma das coisas mais estranhas sobre o Tumblr é quantos detalhes ele acertou. Seria quase preciso que a pessoa fosse um de nós para saber daquelas coisas... ou passar muito tempo conosco. Vocês não acham estranho que Janae circule entre a gente embora nós estejamos sendo acusados de matar o melhor amigo dela?

— Bem, justiça seja feita, *eu* a convidei — explica Addy. — Mas ela anda muito nervosa ultimamente. E vocês notaram que ela e Simon não estavam tão juntos como sempre logo antes de ele morrer? Eu não paro de imaginar se algo aconteceu entre os dois. — Ela se apoia na parede e morde o lábio inferior. — Acho que, se alguém sabia quais segredos Simon estava prestes a revelar e como usá-los, essa pessoa seria Janae. Eu só... não sei, galera. Não sei se Janae teria coragem de fazer algo assim.

— Talvez Simon tenha a rejeitado, e ela... o matou? — Cooper parece não acreditar antes de terminar a frase. — Mas não vejo como. Ela não estava lá.

Bronwyn dá de ombros.

— Não temos certeza disso. Quando conversei com Eli, ele não parou de falar que alguém podia ter planejado o acidente de carro como uma distração para entrar de mansinho na sala. Se vocês aceitarem essa possibilidade, qualquer pessoa poderia ter matado Simon.

Zoei Bronwyn quando ela tocou no assunto pela primeira vez, mas... não sei. Eu queria conseguir me lembrar mais daquele dia, de dizer com certeza se aquilo sequer é possível. A coisa inteira virou uma memória confusa.

— Um dos carros era um Camaro vermelho — relembra Cooper. — Parecia antigo. Eu não me lembro de ter visto esse carro antes no estacionamento. Ou desde então. O que *é* estranho quando se pensa no caso.

— Ah, qual é — desdenha Addy. — Isso é tão absurdo. Parece com um advogado que tem um cliente culpado e está se agarrando a qualquer coisa. Alguém novo provavelmente só estava pegando um aluno naquele dia.

— Talvez — diz Cooper. — Não sei. O irmão de Luis trabalha numa oficina no centro da cidade. Talvez eu pergunte para ele se um carro como aquele passou por lá, ou se ele pode verificar com outras oficinas. — Cooper levanta a mão diante das sobrancelhas erguidas de Addy. — Ei, não é *você* a nova suspeita favorita da polícia, ok? Estou desesperado aqui.

Não estamos chegando a lugar algum com essa conversa, mas eu me dou conta de duas coisas ao ouvi-los conversar. Primeiro: gosto mais de todos eles do que pensei que gostaria. Bronwyn obviamente foi a maior surpresa, e *gostar* não é o termo adequado. Mas Addy virou uma baita fodona, e Cooper não é tão unidimensional quanto eu pensava.

E dois: não acho que nenhum deles matou Simon.

Bronwyn
Sexta-feira, 26 de outubro, 20h

Na noite de sexta-feira, minha família inteira se reúne para assistir a *Mikhail Powers Investiga*. Sinto mais medo do que de costume, me preparando para ver a postagem no blog de Simon sobre Maeve e me preocupando se o programa vai mostrar algo sobre

Nate e eu. Eu nunca deveria tê-lo beijado no colégio. Embora, em minha defesa, ele estava inacreditavelmente gostoso naquela ocasião específica.

De qualquer forma. Estamos todos nervosos. Maeve se enrosca ao meu lado quando toca o tema do programa de Mikhail e fotos de Bayview surgem na tela.

Uma investigação de assassinato se torna uma caçada. Quando a tática policial inclui revelar informações pessoais em nome da coleta de provas, será que eles foram longe demais?

Espere. O quê?

A câmera dá um zoom em Mikhail, e ele está *puto*. Eu me endireito no assento quando ele encara a câmera e diz:

— A situação em Bayview, na Califórnia, ficou feia nesta semana quando um estudante homossexual enrustido, envolvido na investigação, teve sua orientação sexual revelada após uma rodada de interrogatórios policiais, o que causou uma erupção na mídia que deve preocupar todo norte-americano que se importa com o direito à privacidade.

E aí eu me lembro. Mikhail Powers é gay. Ele saiu do armário no ensino médio e foi algo importante porque aconteceu quando algumas fotos dele beijando um cara circularam na internet. Não foi escolha dele. E, pela forma que está cobrindo a reportagem agora, Mikhail Powers ainda guarda rancor.

Porque, de repente, a polícia de Bayview é o bandido. Eles não têm provas, causaram transtornos em nossas vidas e violaram os direitos constitucionais de Cooper. A polícia está na defensiva quando um porta-voz alega que eles foram cuidadosos durante os interrogatórios e que nada vazou do departamento. Mas a União Norte-americana pelas Liberdades Civis quer se envolver agora. E lá está Eli Kleinfelter da Até que Provem novamente, falando que o caso foi mal conduzido desde o início, que nós quatro fomos feitos de bodes expiatórios enquanto ninguém sequer pergunta quem mais teria desejado a morte de Simon Kelleher.

— Será que todo mundo se esqueceu do professor? — pergunta ele, se debruçando por trás de uma mesa cheia. — Ele é a única pessoa presente naquela sala que está sendo tratada como testemunha em vez de suspeito, embora tivesse tido mais oportunidades do que qualquer outro. Isso não pode ser descartado.

Maeve inclina a cabeça perto da minha e sussurra:

— Você devia estar trabalhando para a Até que Provem, Bronwyn.

Mikhail chama o próximo bloco: *O verdadeiro Simon Kelleher vem à tona*. A foto de turma de Simon surge na tela enquanto as pessoas se recordam e comentam sobre as boas notas, a boa família e de todos os clubes de que ele fazia parte. Então, Leah Jackson aparece na tela, parada no jardim da frente do Colégio Bayview. Eu me viro para Maeve, de olhos arregalados, e ela parece igualmente chocada.

— Ela deu um depoimento — murmura minha irmã. — Ela realmente deu um depoimento.

A entrevista de Leah é seguida por blocos com outros alunos prejudicados pelas fofocas de Simon, incluindo Aiden Wu e uma menina cujos pais a expulsaram de casa quando a notícia de sua gravidez se espalhou. A mão de Maeve encontra a minha quando Mikhail solta a última bomba — uma captura de tela dos tópicos de discussão do 4chan, com as piores postagens de Simon sobre o tiroteio no colégio de Orange County destacadas.

Olhe, em tese, eu apoio a ideia de abalar colégios com violência, mas esse moleque demonstrou uma falta deprimente de imaginação. Quero dizer, foi bacana, eu acho. Cumpriu sua função, mas foi tão prosaico. Já não vimos isso uma centena de vezes? Um garoto sai dando tiros no colégio, se mata, filme às onze horas. Aumentem as expectativas, pelo amor de Deus. Façam algo original.

Uma granada, talvez. Espadas de samurai? Quero que me surpreendam ao eliminar um bando de babacas. É tudo que peço.

Eu me lembro de Maeve mandando mensagens sem parar naquele dia que Janae ficou irritada com ela durante o almoço.

— Então, você mandou mesmo aquilo para o programa? — sussurro.

— Mandei mesmo — sussurra ela de volta. — Mas eu não sabia que iam usar. Ninguém nunca me retornou.

Quando termina o programa, os verdadeiros vilões são a polícia de Bayview, seguida bem de perto por Simon. Addy, Nate e eu somos testemunhas inocentes no meio de um fogo cruzado que não merecemos, e Cooper é um santo. Toda a situação passa por uma reviravolta estonteante.

Não sei se é possível chamar aquilo de jornalismo, mas o *Mikhail Powers Investiga* definitivamente provocou um impacto nos dias seguintes. Alguém começou uma petição no *Change.org* para interromper a investigação e reuniu quase 20 mil assinaturas. A liga nacional de beisebol e as universidade locais são pressionadas por discriminação contra jogadores gays. O tom da cobertura da mídia muda, com mais questões sendo levantadas sobre a condução do caso por parte da polícia do que sobre nós. E, quando volto ao colégio na segunda-feira, as pessoas passam a falar comigo novamente. Até Evan Neiman, que andou agindo como se nunca tivesse me conhecido, se aproxima de mim cautelosamente no último sinal e me pergunta se vou ao treino da Olimpíada de Matemática.

Talvez minha vida não volte a ser completamente normal, mas, no fim da semana, eu começo a ter esperança de que será menos criminosa.

Na noite de sexta-feira, estou no telefone com Nate como sempre, lendo para ele a postagem mais recente do Tumblr.

Ser acusado de assassinato está sendo um tremendo pé no saco. Quero dizer, claro, a cobertura da TV é interessante. E me parece bom que a cortina de fumaça que instalei esteja funcionando — as pessoas ainda não fazem ideia de quem matou Simon.

Nate me interrompe após o primeiro parágrafo.

— Foi mal, mas temos coisas mais importantes a discutir. Responda honestamente: se eu não sou mais um suspeito de assassinato, você ainda vai me achar atraente?

— Você ainda vai continuar em liberdade condicional por tráfico de drogas — argumento. — Isso é um tesão.

— Ah, mas isso acaba em dezembro — responde Nate. — No ano que vem, é capaz de eu ser um cidadão-modelo. Seus pais podem até me deixar te chamar pra sair de verdade. Se você quiser ir.

Se eu quiser ir.

— Nate, eu quero sair com você desde o quinto ano — revelo.

Eu gosto que ele imagine como nós dois seremos fora desta bolha esquisita. Talvez, se ambos estivermos pensando a respeito, haja uma possibilidade de descobrirmos.

Nate me conta sobre a visita mais recente da mãe, que realmente parece estar tentando. Nós assistimos a um filme juntos — escolha dele, infelizmente —, e eu adormeço ao som da voz de Nate criticando os movimentos de câmera ruins. Quando acordo no sábado de manhã, noto que o telefone só tem alguns minutos sobrando. Tenho que pedir um outro a ele, que será o celular número quatro, eu acho.

Talvez a gente possa usar os nossos telefones de verdade um dia desses.

Fico na cama até um pouco mais tarde do que de costume, até o momento que preciso me mexer se eu e Maeve pretendemos fazer nosso esquema de sempre de correr e passar na biblioteca. Mal acabei de amarrar os cadarços dos tênis e estou procurando pelo iPod na cômoda quando uma batida hesitante ecoa na porta do quarto.

— Entre — convido ao desencavar um pequeno aparelho azul de uma pilha de faixas de cabeça. — É você, Maeve? É você o motivo para isso aqui estar só com dez por cento de bateria?

Eu me viro para ver minha irmã com a cara tão pálida e trêmula que quase deixo o iPod cair. Sempre que Maeve parece doente, sou tomada por um medo horrível de que ela tenha uma recaída.

— Você está se sentindo bem? — pergunto ansiosamente.

— Estou bem. — As palavras saem como um suspiro de susto. — Mas você precisa ver uma coisa. Desça, ok?

— O que está acontecendo?

— Apenas... venha.

A voz de Maeve está tão fraca que meu coração bate dolorosamente. Ela desce pela escada inteira agarrada ao corrimão. Estou prestes a perguntar se há algo de errado com a mamãe ou o papai quando Maeve me conduz à sala de estar e aponta para a televisão, sem dizer nada.

Onde leio as palavras *Prisão no Caso do Assassinato de Simon Kelleher* passando pelo pé da tela. Nate está algemado, sendo levado de casa.

CAPÍTULO 25

Bronwyn
Sábado, 3 de novembro, 10h17

Desta vez eu *realmente* deixo o iPod cair.

Ele escorrega da minha mão e cai suavemente no tapete enquanto vejo um dos policiais ao lado de Nate abrir a porta da viatura e empurrá-lo, sem muita delicadeza, para o banco de trás. A cena corta para uma repórter do lado de fora, afastando do rosto o cabelo escuro remexido pelo vento.

— A polícia de Bayview se recusou a dar qualquer declaração. A única confirmação é que novas provas indicam que há causa provável para incriminar Nate Macauley, o único integrante do Quarteto de Bayview com antecedentes criminais, pelo assassinato de Simon Kelleher. Vamos continuar trazendo novas informações de acordo com o desdobramento do caso. Sou Liz Rosen, para o noticiário do Channel 7.

Maeve para ao meu lado, com o controle remoto na mão. Eu puxo a manga dela.

— Você pode voltar para o início, por favor?

Ela retrocede a gravação, e eu examino o rosto de Nate no vídeo que vai e volta. Sua expressão é neutra, quase entediado, como se ele tivesse sido convencido a ir a uma festa que não lhe interessa.

Conheço aquela expressão. É a mesma que Nate usou quando mencionei o Até que Provem no shopping center. Ele está se desligando e armando suas defesas. Não há traços do garoto que conheço do telefone, dos nossos passeios de moto ou da minha sala de TV. Ou daquele que me recordo do ensino fundamental, a gravata torta do São Pio e a camisa para fora da calça, conduzindo a mãe em prantos pelo corredor com um olhar intenso que desafiava qualquer um de nós a rir.

Eu ainda acredito que aquele é o Nate de verdade. Seja lá o que a polícia pense ou tenha encontrado, isso não muda.

Meus pais não estão em casa. Pego o telefone e ligo para minha advogada, Robin, que não atende. Deixo uma mensagem tão longa e incoerente que a caixa postal me interrompe, e desligo me sentindo impotente. Robin é minha única esperança de obter informações, mas ela não consideraria isso uma emergência. É um problema para o futuro advogado de Nate, não para Robin.

Esse pensamento me deixa ainda mais em pânico. O que um defensor público atolado de serviço que nunca conheceu Nate vai ser capaz de fazer? Meu olhos disparam pela sala e encontram o olhar atormentado de Maeve.

— Você acha que ele pode ter...

— Não — respondo, com vigor. — Ora, vamos, Maeve, você viu como esta investigação está zoada. Eles acharam que *eu* matei Simon durante um tempo. Eles estão errados. Tenho certeza de que estão errados.

— Fico pensando o que eles podem ter encontrado — diz minha irmã. — É de considerar que a polícia tomaria muito cuidado depois de todas as críticas que recebeu da imprensa.

Eu não respondo. É a primeira vez na vida que não sei o que fazer. Meu cérebro está vazio de tudo, a não ser de uma ansiedade turbulenta. O Channel 7 desistiu de fingir que sabe de alguma novidade e está repetindo trechos da investigação até a data de hoje. Há imagens retiradas do *Mikhail Powers Investiga*. Addy com seu corte pixie rebelde, mostrando o dedo em desafio a quem quer que a estivesse filmando. Um porta-voz do Departamento de Polícia de Bayview. Eli Kleinfelter.

É claro.

Eu pego o telefone e procuro pelo nome de Eli. Ele me deu o número da última vez que nos falamos, e disse para ligar a qualquer hora. Espero que tenha sido sincero.

Eli responde ao primeiro toque.

— Eli Kleinfelter.

— Eli? É Bronwyn Rojas, de …

— É claro. Oi, Bronwyn. Imagino que você esteja vendo o noticiário. O que tem a dizer?

— Eles estão errados. — Eu olho fixamente para a televisão enquanto Maeve faz o mesmo comigo; o medo está tomando conta de mim, como uma trepadeira que cresce rápido e aperta meu coração e pulmões, de forma que é difícil respirar. — Eli, Nate precisa de um advogado melhor do que qualquer defensor público aleatório que vão empurrar para ele. Nate precisa de alguém que se importa e sabe o que está fazendo. Eu acho, há, bem… basicamente, acho que ele precisa de você. Você consideraria aceitar o caso?

Eli não responde de cara, e, quando responde, sua voz é cautelosa.

— Bronwyn, você sabe que estou interessado neste caso e que simpatizo com todos vocês. A situação de vocês é uma merda e tenho certeza de que essa prisão é mais do mesmo, porém já estou com uma quantidade de serviço impossível…

— *Por favor* — interrompo, e o restante sai aos borbotões de mim.

Eu conto a Eli sobre os pais de Nate e como ele praticamente se criou sozinho desde o quinto ano. Conto todas as histórias

horríveis, de partir o coração, que Nate me disse ou que eu teste-
munhei ou adivinhei. Nate odiaria isso, mas nunca acreditei em
algo com tanta intensidade quanto acredito que ele precisa de Eli
para não ir para a prisão.

— Tudo bem, tudo bem — responde Eli finalmente. — Entendi. Entendi mesmo. Algum dos pais está em condições de
falar? Vou arrumar algum tempo para uma consulta e dar a eles
algumas ideias. Mas isso é tudo que posso fazer.

Não é suficiente, mas já é alguma coisa.

— Sim! — respondo, com uma confiança descaradamente falsa.

Nate falou com a mãe há dois dias, e ela estava aguentando
firme, mas não tenho ideia do efeito que a notícia de hoje possa
provocar na Sra. Macauley.

— Eu vou falar com a mãe de Nate — digo. — Quando podemos nos encontrar?

— Amanhã às dez, na nossa sede.

Maeve ainda está me observando quando desligo.

— Bronwyn, o que você está fazendo?

Pego as chaves do Volvo na ilha da cozinha.

— Preciso encontrar a Sra. Macauley.

Maeve morde o lábio.

— Bronwyn, você não pode…

Cuidar disso como se fosse o conselho estudantil? Ela tem razão.
Eu preciso de ajuda.

— Você viria? Por favor?

Minha irmã debate por meio minuto e mantém os olhos cor
de âmbar fixos em mim.

— Tudo bem.

Meu telefone quase escapa da palma da minha mão suada
quando nos dirigimos para o carro. Eu devo ter recebido uma
dezena de ligações e mensagens enquanto falava com Eli. Meu
pais, amigos e um bando de números que não reconheço, que

provavelmente são de repórteres. Tenho quatro mensagens de Addy, todas com alguma variação de *Você viu?* e *Que porra é essa?*

— Vamos contar para o papai e a mamãe sobre isso? — pergunta Maeve, enquanto saio da entrada de garagem de marcha a ré.

— O que seria "isso"? A prisão de Nate?

— Eu tenho certeza de que eles sabem da prisão de Nate. "Isso" é… a coordenação jurídica que você está fazendo.

— Você desaprova?

— Não *desaprovo*, exatamente. Mas você está perdendo o controle antes de sequer saber o que a polícia encontrou. Pode ser algo rotineiro. Eu sei que você realmente gosta dele, mas… não é possível que ele tenha feito aquilo?

— Não — respondo secamente. — E sim. Eu vou contar para a mamãe e o papai. Só estou tentando ajudar um amigo.

Minha voz gruda na última palavra, e nós dirigimos em silêncio até chegamos ao Motel 6.

Fico aliviada quando o balconista me informa que a Sra. Macauley ainda está hospedada, mas ela não atende ao telefone do quarto, o que é um bom sinal — espero que ela esteja com Nate, onde quer que seja. Eu deixo um recado com meu telefone e tento não exagerar com os sublinhados e letras maiúsculas. Maeve assume a direção na volta para casa enquanto ligo para Addy.

— Mas que diabos? — diz ela ao atender, e a trepadeira que aperta meu peito se solta um pouco diante da descrença na voz de Addy. — Primeiro eles acham que somos todos culpados. Depois vem uma dança das cadeiras até finalmente culparem Nate, pelo visto.

— Alguma novidade? — pergunto. — Eu estou longe da TV há meia hora.

Mas não há nada. A polícia está de bico fechado sobre o que quer eles tenham encontrado. O advogado de Addy não tem uma pista do que está acontecendo.

— Quer ficar aqui hoje à noite? — convida ela. — Você deve estar enlouquecendo. Minha mãe e o namorado têm um compromisso, então Ashton e eu vamos fazer pizza. Traga Maeve, podemos fazer uma noite de irmãs.

— Talvez, se essa situação não estiver muito fora de controle — aceito, em tom de agradecimento.

Maeve vira na nossa rua, e fico desanimada ao ver a fila de vans brancas de noticiário em frente à casa. Parece que a Univision e a Telemundo se juntaram à confusão, o que vai irritar meu pai seriamente. Ele nunca consegue que os dois canais cubram alguma coisa positiva sobre sua empresa, mas por causa *disso* as duas emissoras aparecem.

Nós estacionamos na entrada de garagem atrás do carro dos meus pais, e, assim que abro a porta, surge meia dúzia de microfones na minha cara. Eu os empurro para passar, encontro Maeve na frente do carro e pego a mão dela enquanto costuramos entre as câmeras e luzes que pipocam. A maioria dos repórteres berra alguma variação de "Bronwyn, você acha que Nate matou Simon?", mas um grita:

— Bronwyn, é verdade que você e Nate estão namorando?

Eu *realmente* espero que não tenham feito essa mesma pergunta para os meus pais.

Maeve e eu batemos a porta ao entrarmos e passamos abaixadas pelas janelas até entrarmos na cozinha. Mamãe está sentada à ilha com uma caneca de café entre as mãos e o rosto contraído de preocupação. Papai aumenta o tom de voz em uma conversa exaltada que vem da porta fechada de seu escritório.

— Bronwyn, nós precisamos conversar — diz mamãe, e Maeve sai voando para o segundo andar.

Eu me sento diante da minha mãe à ilha da cozinha e vejo seu olhar cansado com uma pontada de dó. *A culpa é minha.*

— Você viu o noticiário, obviamente — começa ela. — Seu pai está falando com Robin se aquilo significa alguma coisa para você. Enquanto isso, fizeram um monte de perguntas para nós enquanto passávamos por aquele zoológico. Algumas a respeito de você e de Nate. — Noto que ela está se esforçando muito para manter um tom de voz neutro. — Talvez a gente tenha criado dificuldades para você conversar sobre quaisquer... relacionamentos que tenha com outros garotos. Porque, do nosso ponto de vista, a melhor maneira de deixá-la a salvo foi mantê-la separada. Então, talvez você não pense que pode confiar em nós, mas preciso que seja sincera comigo agora que Nate foi preso. Existe alguma coisa que eu deva saber?

A princípio, tudo que consigo pensar é: *qual é o mínimo de informação que posso oferecer e que ainda permita fazê-la entender que preciso ajudar Nate?* Mas aí minha mãe estica o braço e aperta minha mão, e sinto uma pontada de culpa ao perceber que nunca escondi nada dela até roubar o teste de Química. E veja o que *aquilo* provocou.

Então, eu conto quase tudo para minha mãe. Não sobre ter trazido Nate para nossa casa ou tê-lo encontrado no Bayview Estates, porque tenho certeza de que isso nos levaria por um mau caminho. Mas explico as ligações nas altas horas, as escapadas do colégio de motocicleta, e, sim, os beijos.

Tenho que reconhecer que minha mãe está se esforçando *muito* para não surtar.

— Então, você... gosta mesmo dele? — Ela quase engasga com as palavras.

Minha mãe não quer a verdade. A estratégia de Robin de responder a uma pergunta diferente daquela que se está tentando desviar funcionaria bem agora.

— Mãe, eu entendo que esta é uma situação bizarra e que não conheço Nate tão bem assim, mas não acredito que ele machucaria Simon. E ele não tem ninguém que o proteja. O Nate precisa de um bom advogado, e é isso que estou tentando arrumar.

Meu telefone vibra com um número que não reconheço, e faço uma careta ao perceber que preciso atender caso seja a Sra. Macauley.

— Oi, aqui é Bronwyn.

— Bronwyn, que bom que você atendeu! Aqui é Lisa Jacoby do *Los Angeles Ti*…

Eu desligo e encaro minha mãe novamente.

— Desculpe por não ter sido sincera com a senhora depois de tudo que fez por mim, mas me deixe colocar a Sra. Macauley e o Eli em contato, ok?

Minha mãe massageia a têmpora.

— Bronwyn, não sei se você compreende como foi arrogante. Você ignorou o conselho de Robin e tem sorte que isso não explodiu em cima de você. Mas ainda pode acontecer. Só… não, não vou te impedir de falar com a mãe de Nate. Este caso está tão confuso que qualquer pessoa envolvida precisa de apoio jurídico decente.

Eu lhe dou um abraço e, meu Deus, que sensação boa simplesmente abraçar minha mãe por um minuto.

Ela dá um suspiro quando a solto.

— Deixe que eu falo com o seu pai. Eu não acho que uma conversa entre vocês dois seja produtiva neste exato momento.

Impossível discordar. Estou a caminho do segundo andar quando o telefone toca novamente, e meu coração pula quando vejo o DDD de Oregon. Eu não consigo conter a esperança na voz quando atendo.

— Oi, aqui é Bronwyn.

— Bronwyn, olá. — A voz é baixa e tensa, mas límpida. — É Ellen Macauley, a mãe do Nate. Você me deixou um recado.

Ai, graças a Deus graças a Deus graças a Deus. Ela não recorreu às drogas nem fugiu para Oregon.

— Sim. Sim, eu deixei.

Cooper
Sábado, 3 de novembro, 15h15

É difícil avaliar os jogos de exibição agora, mas, no todo, este aqui foi muito bom. Meu arremesso atingiu 150 quilômetros por hora, eliminei dois rebatedores, e apenas alguns caras nas arquibancadas pegaram no meu pé. Mas, como eles estavam usando saias de bailarina e bonés de beisebol, conseguiram se destacar mais do que o homofóbico comum até serem expulsos pelos seguranças.

Alguns olheiros de faculdade apareceram, e o cara da Universidade Estadual da Califórnia até se deu ao trabalho de falar comigo depois. O treinador Ruffalo recomeçou a receber contatos de outros times, mas isso me parece mais uma jogada de relações públicas do que interesse genuíno. Só a Universidade Estadual da Califórnia ainda está falando em bolsa, embora eu esteja arremessando melhor do que nunca. Essa é a vida de um suspeito de assassinato que saiu do armário, eu suponho. O Pai não espera mais por mim do lado de fora do vestiário. Ele vai direto para o carro quando termino, e liga o motor para que façamos uma saída rápida.

Os repórteres são outros quinhentos; estão doidos para falar comigo. Eu me preparo quando uma câmera se acende no momento que deixo o vestiário, e espero que a mulher com o microfone faça a meia dúzia de perguntas de sempre, mas ela me pega de surpresa:

— Cooper, o que você acha da prisão de Nate Macauley?

— Hã?

Eu paro do nada, chocado demais para passar por ela, e Luis quase tromba comigo.

— Você não soube? — A repórter sorri, como se eu tivesse entregado para ela um bilhete premiado da loteria. — Nate Macauley foi preso pelo assassinato de Simon Kelleher, e a polícia de Bayview declarou que você não é suspeito. Pode me dizer como se sente?

— Há… — *Não. Não posso.* Ou não vou dizer. Dá no mesmo. — Com licença.

— Que diabos? — murmura Luis assim que passamos pelo corredor polonês de câmeras. Ele puxa o telefone e mexe freneticamente enquanto localizo o carro do meu pai. — Porra, ela não estava mentindo. *Cara.* — Luis me encara com os olhos arregalados. — Você está salvo.

É esquisito, mas isso não me passou pela cabeça até ele falar.

Estamos dando uma carona para Luis até a casa dele, o que é bom, pois diminuiu o tempo que eu e o Pai passamos sozinhos. Luis e eu colocamos as mochilas no banco traseiro, e sento no banco do carona enquanto Luis se instala atrás. O Pai está mexendo no rádio, tentando achar uma estação de notícias.

— Eles prenderam aquele moleque, o Macauley — diz ele com uma satisfação sinistra. — Ouçam o que eu estou dizendo, eles vão ficar com um bando de processos nas mãos quando isto terminar. Começando pelo meu.

O Pai desvia o olhar para a minha esquerda quando me sento. É tipo um novo lance dele: ele olha *perto* de mim. O Pai não olha mais nos meus olhos desde que contei sobre Kris.

— Bem, tinha que ser Nate — diz Luis calmamente.

Ele joga Nate aos leões como se não estivesse sentado com o cara para almoçar a semana passada inteira.

Eu não sei o que pensar. Se tivesse que apontar um dedo para alguém quando tudo isso começou, teria sido para Nate, embora ele estivesse genuinamente em desespero enquanto procurava pela caneta de adrenalina de Simon. Nate era a pessoa que eu menos conhecia e já era um criminoso, então... não era um grande exagero.

Mas, quando o refeitório inteiro do Colégio Bayview esteve prestes a acabar comigo como um bando de hienas, Nate foi a única pessoa que disse alguma coisa. Eu nunca lhe agradeci, mas pensei muito sobre como o colégio teria ficado pior se ele tivesse passado por mim e deixado a situação virar uma bola de neve.

Meu telefone está cheio de mensagens de texto, mas as únicas que me importam são uma sequência enviada por Kris. Tirando uma visita rápida para avisá-lo sobre a polícia e pedir desculpas pelo futuro massacre da mídia, eu mal o vi nas últimas duas semanas. Embora as pessoas saibam sobre nós, nós não tivemos nenhuma chance de sermos normais.

Ainda não sei como isso sequer se pareceria. Gostaria de poder descobrir.

Ai, meu Deus, eu vi o noticiário

Isso é bom, certo??

Me ligue quando puder

Respondo a ele enquanto meio que escuto o que o Pai e Luis dizem. Depois de deixarmos Luis, o silêncio se instala entre meu pai e eu, denso como uma bruma. Sou o primeiro a quebrá-lo.

— Então, como me saí?

— Bem. Pareceu bem. — A resposta mínima, como de costume ultimamente.

Tento de novo.

— Eu falei com o olheiro da Universidade Estadual da Califórnia.

Ele solta um muxoxo de desdém.

— A *estadual*. Nem está entre as dez melhores.

— Certo — concordo.

Nós vemos as vans de noticiário quando estamos no meio da nossa rua.

— Puta que pariu — xinga o Pai. — Lá vamos nós de novo. Espero que isto valha a pena.

— Que o que valha a pena?

Ele para ao lado de uma van, coloca a marcha em ponto morto e arranca a chave da ignição.

— Sua *escolha*.

A raiva aumenta dentro de mim — por causa das palavras e como ele vocifera sem sequer me olhar.

— Nada disto é uma escolha — rebato, mas o barulho do lado de fora engole as palavras quando ele abre a porta.

O corredor polonês de repórteres é mais fino que o usual, então imagino que a maioria deles esteja na casa de Bronwyn. Eu sigo o Pai até o interior da casa, onde ele imediatamente ruma para a sala de estar e liga a TV. Eu deveria fazer o alongamento pós-jogo agora, mas meu pai não tem se dado ao trabalho de me lembrar da minha rotina de exercícios há um tempo.

A Vovó está na cozinha, preparando torradas na manteiga com açúcar mascavo em cima.

— Como foi o jogo, querido?

— Fantástico — respondo com cansaço ao desmoronar numa cadeira.

Pego uma moedinha solta e giro até virar um borrão na mesa da cozinha.

— Arremessei bem demais, mas ninguém se importa — continuo.

— Ora, ora. — A Vovó se senta na minha frente com a torrada e me oferece um pedaço, mas eu a empurro na direção dela.

— Dê tempo ao tempo. Você se lembra do que eu te disse no hospital?

Balanço a cabeça.

— As coisas vão piorar antes de melhorar — responde a Vovó.

— Bem, elas certamente pioraram mesmo, e agora não há mais para onde ir, a não ser para cima.

Ela morde a torrada, e eu continuo girando a moedinha até que a Vovó engula.

— Você devia trazer aquele seu rapaz algum dia desses para jantar, Cooper. Já está na hora de a gente conhecê-lo.

Eu tento imaginar meu pai conversando com Kris e comendo frango à caçarola.

— O Pai odiaria isso.

— Bem, ele vai ter que se acostumar, não é?

Antes que eu possa responder, o celular vibra com um número que não reconheço. *É Bronwyn. Peguei seu número com Addy. Posso ligar?*

Claro.

O telefone toca em segundos.

— Oi, Cooper. Você soube de Nate?

— Sim.

Não tenho certeza do que dizer além disso, mas Bronwyn não me dá uma oportunidade.

— Estou tentando armar uma reunião com a mãe de Nate e Eli Kleinfelter do Até que Provem. Estou torcendo para ele pegar o caso. Será que você teve uma chance de perguntar ao irmão de Luis sobre aquele Camaro vermelho do acidente no estacionamento?

— Luis ligou para ele na semana passada a respeito disso. Ele ia dar uma olhada, mas eu não soube de nada ainda.

— Você se importaria de verificar com ele? — pergunta Bronwyn.

Hesito. Embora ainda não tenha digerido tudo aquilo, há uma pequena bola de alívio crescendo dentro de mim, porque

ontem eu era o principal suspeito da polícia. E hoje já não sou.
Eu estaria mentindo se dissesse que não era uma boa sensação.

Mas isso envolvia Nate. Que não é um amigo, exatamente.
Ou de maneira alguma, creio eu. Mas ele não é nada.

— É, ok — digo a Bronwyn.

CAPÍTULO 26

Bronwyn
Domingo, 4 de novembro, 10h

Somos um grupo e tanto na sede do Até que Provem no domingo de manhã: eu, a Sra. Macauley e minha mãe — que estava disposta a me deixar ir, mas não sem supervisão.

O escritório pequeno e pouco mobiliado está lotado de gente, com cada mesa com pelo menos duas pessoas. Todo mundo está falando urgentemente ao telefone, ou digitando sem parar no computador. Às vezes ambas as coisas.

— Agitado para um domingo — comento, quando Eli nos conduz a uma sala minúscula abarrotada por uma mesinha e cadeiras.

O cabelo de Eli parece ter crescido uns 8 centímetros desde que apareceu no *Mikhail Powers Investiga*, tudo para cima. Ele passa a mão nos cachos de cientista louco e os coloca ainda mais para o alto.

— Já é domingo?

Como não há cadeiras suficientes, eu me sento no chão.

— Desculpem — diz Eli. — Podemos ser breves. Primeiro, Sra. Macauley, eu sinto muito pela prisão do seu filho. Soube que ele foi transferido para um centro de detenção juvenil em vez de uma instalação para adultos, o que é uma boa notícia.

Como eu disse a Bronwyn, não há muito que eu possa fazer dado meu volume atual de serviço. Mas, se a senhora estiver disposta a compartilhar qualquer informação que tenha, farei o possível para dar sugestões e talvez uma recomendação.

A Sra. Macauley parece exausta, mas como se tivesse feito um esforço para se arrumar um pouco ao vestir calças azul-marinho e um cardigã cinza desajeitado. Minha mãe está no seu estilo chique sem fazer esforço, com leggings, botas de cano alto, um suéter comprido de caxemira e um cachecol infinito com padronagem sutil. As duas não podiam ser mais diferentes, e a Sra. Macauley puxa a borda puída do cardigã como se soubesse disso.

— Bem, o que me disseram — fala ela — é que o colégio recebeu um telefonema informando que Nate tinha drogas no armário...

— Telefonema de quem? — pergunta Eli, anotando num bloco amarelo.

— Eles não disseram. Acho que foi anônimo. Mas eles foram em frente e retiraram o cadeado na sexta-feira, depois do horário das aulas, para verificar. Não encontraram droga alguma, mas acharam uma bolsa com a garrafa d'água e a caneta de adrenalina de Simon. E todas as canetas de adrenalina que sumiram da sala da enfermeira no dia que ele morreu.

Passo os dedos pelo tecido grosso do tapete e penso em todas as vezes que Addy foi interrogada sobre aquelas canetas. Cooper também. Elas pairam sobre nossas cabeças há semanas. Mesmo que Nate fosse realmente culpado por alguma coisa, não há como ele ter sido tão burro a ponto de deixar as canetas dentro do armário.

— Ah. — A voz de Eli sai como um suspiro, mas a cabeça permanece curvada sobre o bloco de notas.

— Então, a polícia se mobilizou e arrumou um mandado para vasculhar a casa no sábado de manhã — continua a Sra. Macauley.

— E eles encontraram um computador no armário de Nate com um... diário, acho que é assim que estão chamando. Todas aquelas postagens que vêm surgindo no Tumblr desde que Simon morreu.

Eu ergo o olhar e vejo minha mãe me encarando, com uma espécie de pena e ansiedade passando pelo rosto. Sustento seu olhar e balanço a cabeça. Não acredito em nada daquilo.

— Ah — repete Eli, que desta vez ergue o olhar, mas o rosto permanece calmo e neutro. — Alguma impressão digital?

— Não — responde a Sra. Macauley, e eu exalo baixinho.

— O que Nate diz sobre tudo isso? — pergunta Eli.

— Que não faz ideia de como essas coisas foram parar no armário ou na casa — responde a mãe de Nate.

— Ok. E o armário dele não foi vasculhado antes disso?

— Eu não sei — admite a Sra. Macauley, e Eli olha para mim.

— Foi — lembro. — Nate diz que foi vasculhado no primeiro dia em que nos interrogaram. O armário e a casa. A polícia foi com cachorros e tudo mais, à procura de drogas. Eles não encontraram nada — acrescento rapidamente, com uma olhadela de lado para minha mãe antes de me voltar novamente para Eli. — Mas ninguém encontrou as coisas de Simon ou um computador na ocasião.

— Sua casa fica sempre trancada? — pergunta Eli para a Sra. Macauley.

— Nunca fica trancada — responde ela. — Não acho que a porta sequer *tenha* mais uma tranca.

— Hum — murmura Eli, que volta a anotar no bloco.

— Tem mais uma coisa — diz ela, com a voz trêmula. — O promotor público quer que Nate seja transferido para uma prisão normal. Dizem que ele é perigoso demais para ficar num centro de detenção juvenil.

Um abismo se abre no meu peito quando Eli se endireita na cadeira de supetão. É a primeira vez que ele deixa cair a máscara de advogado imparcial e demonstra alguma emoção. O horror no rosto de Eli me aterroriza.

— Ah, não. Não, não, não. Isso seria um desastre, caralho. Desculpem o linguajar. O que o advogado dele está fazendo para impedir isso?

— Nós ainda não o conhecemos. — A Sra. Macauley parece que está prestes a chorar. — Recomendaram uma pessoa, mas não entraram em contato.

Eli solta a caneta e dá um resmungo de frustração.

— Estar de posse dos pertences de Simon não é bom. Não é bom mesmo. Pessoas foram condenadas com menos do que isso. Mas a forma como conseguiram essas provas... Eu não gosto. Denúncias anônimas, coisas que não estavam lá antes surgindo agora, de maneira conveniente. Em lugares que não são de difícil acesso. Cadeados com combinação são fáceis de arrombar. E, se o promotor público está falando sobre mandar Nate para uma prisão federal com 17 anos... qualquer advogado digno da profissão que exerce deveria bloquear essa medida imediatamente. — Ele esfrega o rosto com a mão e faz cara feia para mim. — Droga, Bronwyn. A culpa é sua.

Tudo que Eli vem dizendo tem me feito passar mal, a não ser isso. Agora estou apenas confusa.

— O que *eu* fiz? — reclamo.

— Você chamou minha atenção para este caso e agora eu tenho que assumi-lo. E *não* tenho tempo. Mas dane-se. Isto presumindo que a senhora está aberta a mudar de advogado, Sra. Macauley?

Ai, graças a Deus. O alívio que passa por mim me deixa mole e quase tonta. A Sra. Macauley concorda vigorosamente com a cabeça, e Eli suspira.

— Eu posso ajudar — digo, ansiosa. — A gente andou investigando...

Estou prestes a contar para Eli sobre o Camaro vermelho, mas ele ergue a mão com uma expressão de proibição.

— Pare imediatamente, Bronwyn. Se eu for representar Nate, não posso falar com outras pessoas representadas por advogados neste caso. Eu posso perder minha licença e colocar você sob risco de envolvimento. Na verdade, preciso que você e sua mãe saiam para que eu possa acertar alguns detalhes com a Sra. Macauley.

— Mas... — Olho impotente para minha mãe, que está concordando com a cabeça enquanto se levanta e pendura a bolsa no ombro com um ar decidido.

— Ele está certo, Bronwyn. Você precisa deixar a situação com o Sr. Kleinfelter e a Sra. Macauley agora. — Ela abranda a expressão quando encara a mãe de Nate. — Eu lhe desejo a melhor sorte do mundo com tudo isso.

— Obrigada — agradece a Sra. Macauley. — E obrigada a *você*, Bronwyn.

Eu deveria me sentir bem. Missão cumprida. Mas não me sinto. Eli não sabe da metade do que sabemos, e agora como vou conseguir contar a ele?

Addy
Segunda-feira, 5 de novembro, 18h30

Na segunda-feira, a situação se tornou estranhamente normal. Bem, o *novo* normal. Novormal? De qualquer forma, a questão é, quando me sento para jantar com minha mãe e Ashton, não há vans de noticiário na entrada da garagem e meu advogado não liga uma única vez.

Minha mãe coloca dois jantares congelados e comprados na mercearia na nossa frente, depois se senta entre nós com um copo turvo com uma bebida marrom-amarelada.

— Não vou comer — anuncia ela, embora a gente não tenha perguntado. — Estou me desintoxicando.

Ashton torce o nariz.

— Eca, mãe. Isso não é limonada com xarope de bordo e pimenta caiena, é? É nojento.

— Não dá para discutir com os resultados — argumenta minha mãe ao tomar um longo gole.

Ela passa o guardanapo nos lábios exageradamente carnudos, e observo minha mãe com o cabelo loiro armado, unhas com esmalte vermelho e o vestido justo que ela veste para passar uma segunda-feira normal. Essa sou eu daqui a 25 anos? A ideia me deixa com menos fome ainda do que eu estava há um minuto.

Ashton liga a TV, e nós assistimos à cobertura da prisão de Nate, incluindo uma entrevista com Eli Kleinfelter.

— Que garoto bonito — comenta a mamãe, quando a foto da ficha policial de Nate aparece na tela. — Pena que se revelou um assassino.

Afasto de mim a bandeja comida pela metade. Não faz sentido levantar a hipótese de que a polícia possa estar errada. A mamãe está simplesmente feliz que as contas do advogado estejam quase acabando.

A campainha toca, e Ashton dobra o guardanapo ao lado do prato.

— Eu vejo quem é.

Ela chama meu nome alguns segundos depois, e minha mãe me lança um olhar surpreso. Ninguém veio à minha porta há semanas, a não ser que quisesse me entrevistar, e minha irmã sempre espantava essas pessoas. A mamãe me acompanha até a sala de estar no momento que Ashton abre a porta para deixar TJ entrar.

— Ei. — Eu o encaro com surpresa. — O que você está fazendo aqui?

— Seu livro de História acabou indo parar na minha mochila depois da aula de Geociência. Isto é seu, não é?

TJ me passa um livro escolar grosso e cinza. Nós somos colegas de laboratório desde a primeira classificação de rochas, e geralmente é o ponto alto do meu dia.

— Ah. Sim, obrigada. Mas você podia ter devolvido amanhã.

— Mas temos aquele teste.

— Certo. — Não faz sentido contar que eu basicamente desisti dos estudos neste semestre.

Minha mãe está encarando TJ como se ele fosse a sobremesa, e TJ a encara com um sorriso educado.

— Oi, sou TJ Forrester. Eu estudo com Addy.

Ela sorri de maneira afetada e aperta a mão dele, enquanto observa as covinhas e o casaco de futebol. TJ é quase uma versão de pele escura e nariz quebrado de Jake. O nome não traz lembranças para minha mãe, mas Ashton suspira de leve atrás de mim.

Eu tenho que tirar TJ daqui antes que a mamãe some dois mais dois.

— Bem, obrigada novamente. É melhor eu ir estudar. Vejo você amanhã.

— Você quer estudar junto um pouco? — oferece TJ.

Eu hesito. Gosto de TJ, gosto mesmo. Mas me encontrar com ele fora do colégio é um passo que não estou pronta para tomar.

— Eu não posso, por causa de… outro lance.

Praticamente empurro TJ porta afora, e, quando me volto para dentro, o rosto da minha mãe é uma mistura de pena e irritação.

— Qual é o seu problema? — reclama ela. — Ser tão rude com um menino bonito como aquele! Não é como se eles estivessem mais batendo à sua porta. — Os olhos passam pelo meu cabelo com listras púrpuras. — Do jeito que você se descuidou, deveria se considerar com sorte que ele queira passar tempo com você.

— Cruzes, mãe… — diz Ashton, mas eu a interrompo.

— Não estou procurando outro namorado, mãe.

Ela me encara como se eu tivesse ganhado asas e começado a falar chinês.

— E por que não? Faz séculos que você e Jake terminaram.

— Eu passei mais de três anos com Jake. Uma folga cairia bem.

Digo isso em grande parte para discutir, mas, assim que as palavras saem da minha boca, eu sei que são verdadeiras. Minha mãe começou a namorar aos 14 anos, como eu, e não parou desde então. Mesmo quando isso significa sair com um garotão imaturo que é covarde demais para apresentá-la aos pais.

Não quero ter tanto medo assim de ficar sozinha.

— Não seja ridícula. Esta é a última coisa que você quer. Saia algumas vezes com um garoto como TJ, mesmo que não esteja interessada, e os outros rapazes do colégio talvez passem a te desejar novamente. É melhor do que acabar encalhada, Adelaide. Uma solteira patética que passa o tempo todo com aquele grupo esquisito de amigos que você tem agora. Se você tirasse essa porcaria de tinta do cabelo, deixasse crescer um pouco e voltasse a usar maquiagem, poderia se sair *muito* melhor do que isso.

— Eu não preciso de um homem para ser feliz, mãe.

— Claro que precisa — dispara ela. — Você está infeliz há um mês.

— Porque eu estava sendo investigada por assassinato — digo para minha mãe se lembrar. — Não porque eu estava *solteira*.

Isso não é cem por cento verdade, uma vez que a principal fonte da minha tristeza era Jake. Mas era com ele que eu queria estar. Não com qualquer outro.

Minha mãe balança a cabeça.

— Continue dizendo isso para si mesma, Adelaide, mas você está longe de conseguir entrar numa faculdade. Agora é o momento de encontrar um rapaz decente com um bom futuro que esteja disposto a tomar conta de vo...

— Mãe, ela só tem *17 anos* — interrompe Ashton. — A senhora pode adiar esse roteiro por pelo menos dez anos. Ou para sempre. Não é como se todo esse lance de relacionamento tivesse funcionado bem para alguma de nós.

— Fale por você, Ashton — diz a mamãe, com arrogância. — Justin e eu somos loucamente felizes.

Ashton abre a boca para dizer mais, porém o telefone toca e eu ergo o dedo quando o nome de Bronwyn aparece.

— Ei, qual é? — atendo.

— Oi. — A voz soa grossa, como se ela estivesse chorando. — Então, eu estava pensando sobre o caso de Nate e queria sua ajuda com uma coisa. Você pode passar aqui rapidinho hoje à noite? Vou chamar Cooper também.

Isso é melhor do que ser insultada pela minha mãe.

— Claro. Mande seu endereço por mensagem.

Jogo fora o jantar comido pela metade, pego o capacete e grito tchau para Ashton ao sair pela porta. Está uma noite perfeita de fim de primavera, e as árvores da rua balançam na brisa leve conforme eu passo pedalando. A casa de Bronwyn fica a menos de 2 quilômetros da minha, mas é uma vizinhança completamente diferente: não há nenhuma falta de originalidade em relação àquelas casas. Subo na garagem da enorme construção vitoriana cinza e vejo as flores de cores vibrantes e a varanda que circunda a casa com uma pontada de inveja. Ela é linda, mas não é apenas isso. A casa se parece com um *lar*.

Quando toco a campainha, Bronwyn responde com um "ei" abafado. Seus olhos estão caídos de exaustão, e metade do seu cabelo está fugindo do rabo de cavalo. Noto que todos nós tivemos nossa vez de sermos esmagados por esta experiência: eu, quando Jake me deu um pé na bunda e todos os meus amigos se voltaram contra mim; Cooper quando sua homossexualidade foi revelada, quando foi ridicularizado e perseguido pela polícia; e agora Bronwyn, quando o cara que ela ama está na cadeia por assassinato.

Não que Bronwyn tenha dito algum dia que ama Nate, mas é bem óbvio.

— Entre — convida ela ao abrir a porta. — Cooper está aqui. Estamos lá embaixo.

Bronwyn me conduz a uma sala espaçosa com sofás estofados e uma televisão enorme de tela plana montada na parede. Cooper já está esparramado numa poltrona, e Maeve está sentada de pernas cruzadas em outra, com o laptop apoiado no braço entre as duas. Bronwyn e eu afundamos no sofá.

— Como vai Nate? Você esteve com ele? — pergunto.

Pergunta errada, aparentemente. Bronwyn engole em seco uma vez, depois outra, tentando se controlar.

— Ele não quer que eu o veja. A mãe diz que Nate está... bem, considerando tudo isso. O centro de detenção juvenil é horrível, mas pelo menos não é a prisão.

Ainda. Todos sabemos que Eli está batalhando para manter Nate onde ele está.

— De qualquer forma — continua ela. — Obrigada por virem. Acho que apenas... — Os olhos de Bronwyn se enchem de lágrimas, e Cooper e eu trocamos um olhar preocupado antes que ela as contenha, piscando. — Sabem, eu fiquei tão contente quando nós todos nos reunimos e começamos a falar sobre essa situação. Eu me senti muito menos sozinha. E agora acho que estou pedindo a ajuda de vocês. Quero terminar o que começamos. Continuar juntando nossas ideias para entender este caso.

— Luis não me contou nada sobre o carro — diz Cooper.

— Na verdade, eu não estava pensando sobre isso neste exato momento, mas, por favor, vamos em cima disso, ok? Eu tinha mais esperança de que a gente pudesse olhar de novo aquelas postagens do Tumblr. Tenho que admitir, comecei a ignorá-las porque elas estavam me deixando doida. Mas agora que a polícia diz que Nate escreveu aquilo tudo, pensei que a gente deveria examiná-las e notar qualquer coisa que seja surpreendente, ou que não se encaixe nas nossas memórias dos fatos, ou que simplesmente nos pareça estranha. — Ela puxa o rabo de cavalo sobre o ombro ao abrir o laptop. — Vocês se incomodam?

— Agora? — pergunta Cooper.

Maeve vira a tela de maneira que Cooper consiga vê-la.

— Não há momento melhor do que o presente.

Bronwyn está ao meu lado, e nós começamos pelas primeiras postagens no Tumblr. *Eu tive a ideia de matar Simon enquanto assistia ao* Dateline. Nate nunca me pareceu ser um fã de programa de variedades, mas duvido de que este seja o tipo de sacação que Bronwyn esteja procurando. Ficamos em silêncio por um tempo, lendo. O tédio toma conta de mim, e me dou conta de que estava passando os olhos, então, volto e tento ler com mais atenção. *Blá-blá-blá, sou tão inteligente, ninguém sabe que fui eu, a polícia não tem pista.* E por aí vai.

— Espere aí. Isto não aconteceu. — Cooper está lendo com mais atenção do que eu. — Vocês já chegaram aqui? A postagem do dia 12 de outubro, sobre a detetive Wheeler e as rosquinhas?

Eu ergo a cabeça, como um gato que levanta as orelhas ao ouvir um som distante.

— Humm — diz Bronwyn, enquanto vasculha a tela com os olhos. — Ah, sim. Este é um comentário esquisito, né? Nós nunca estivemos todos juntos na delegacia ao mesmo tempo. Bem, talvez logo após o funeral, mas não nos vimos ou falamos uns com os outros. Geralmente, quando a pessoa que está escrevendo essas postagens dá algum detalhe específico, ele é bem preciso.

— O que vocês estão olhando? — pergunto.

Bronwyn aumenta o tamanho da página e aponta.

— Ali. Na penúltima linha.

A investigação está virando um clichê tão grande que nós quatro até flagramos a detetive Wheeler comendo uma pilha de rosquinhas na sala de interrogatório.

Uma onda gelada passa por mim quando as palavras entram no meu cérebro, se aninham ali e empurram para fora todo o resto. Cooper e Bronwyn estão certos: aquilo não aconteceu.

Mas foi o que eu contei para Jake.

CAPÍTULO 27

Bronwyn
Terça-feira, 6 de novembro, 19h30

Eu não devo falar com Eli. Então, na noite de ontem, mandei uma mensagem para a Sra. Macauley com um link para a postagem do Tumblr que Addy, Cooper e eu lemos juntos, e expliquei o que havia de estranho ali. Depois eu esperei. Um tempão muito frustrante até receber uma mensagem dela após as aulas.

Obrigada. Eu informei a Eli, mas ele pede que você não se envolva mais.

Só isso. Deu vontade de atirar o telefone do outro lado do quarto. Admito: passei a maior parte da noite fantasiando que a bomba de Addy tiraria Nate da prisão imediatamente. Embora eu tenha noção de que aquilo foi ridiculamente ingênuo, ainda acho que a informação merece mais do que uma rejeição.

Mesmo que eu não consiga conceber o significado. Porque... *Jake Riordan?* Se eu tivesse que escolher a pessoa mais aleatória para estar envolvida neste caso, ainda assim não teria sido ele. E envolvido como, exatamente? Será que ele escreveu o Tumblr inteiro ou apenas aquela postagem? Será que ele incriminou Nate? Será que matou Simon?

Cooper derrubou essa hipótese quase que imediatamente.

— Ele não poderia ter matado — disse Cooper na noite de segunda-feira. — Jake estava no treino de futebol quando Addy ligou para ele.

— Ele pode ter saído — insisti.

Então, Cooper ligou para Luis e confirmou.

— Luis diz que não — informou Cooper. — Jake estava dando o treino de passes o tempo todo.

Não sei se podemos apoiar uma investigação inteira na memória de Luis. Aquele garoto matou um monte de células cerebrais ao longo dos anos. Ele nem sequer questionou por que Cooper estava perguntando.

Agora estou no meu quarto com Maeve e Addy, colando na parede dezenas de Post-its coloridos que resumem tudo que sabemos. É muito *Lei & Ordem*, só que nada disso faz sentido.

Alguém colocou celulares nas nossas mochilas
Simon foi envenenado durante a detenção
Bronwyn, Nate, Cooper, Addy e o Sr. Avery estavam na sala
O acidente de carro nos distraiu
Jake escreveu pelo menos uma postagem no Tumblr
Jake e Simon eram amigos antigamente
Leah odeia Simon
Aiden Wu odeia Simon
Simon era a fim de Keely
Simon tinha um alter ego na internet que adorava violência
Simon estava deprimido
Janae parece deprimida
Janae & Simon deixaram de ser amigos?

A voz da minha mãe sobe pela escada.

— Bronwyn, Cooper está aqui.

A mamãe já ama Cooper. Ama tanto a ponto de não reclamar que todos nós nos reunamos novamente, mesmo quando o conselho de Robin como advogada seja para ainda mantermos distância uns dos outros.

— Ei — diz Cooper, longe de estar sem fôlego por subir rápido pela escada. — Não posso ficar muito tempo, mas trago boas notícias. Luis acha que talvez tenha encontrado aquele carro. O irmão ligou para um amigo de uma oficina em Eastland, e eles receberam um Camaro vermelho com o para-lama batido alguns dias depois da morte de Simon. Eu peguei a placa e um telefone para você.

Cooper vasculha dentro da mochila e me entrega um envelope rasgado com números rabiscados atrás.

— Acho que você pode passar isso para Eli, né? Talvez haja algo aí.

— Obrigada — agradeço de verdade.

Cooper passa os olhos pela parede.

— Isto está ajudando?

Addy se senta apoiada nas coxas e solta um barulho de frustração.

— Na verdade, não. É apenas uma coleção de fatos aleatórios. Simon isso, Janae aquilo, Leah isso, Jake aquilo…

Cooper franze a testa e cruza os braços enquanto se inclina à frente para examinar melhor a parede.

— Não entendo a parte de Jake, não mesmo. Não consigo acreditar que ele realmente se sentou para escrever aquela porra de postagem no Tumblr. Acho que Jake simplesmente… contou sem querer para a pessoa errada ou algo assim. — Ele bate com o dedo no Post-it com todos os nossos nomes escritos. — E eu não paro de me perguntar: por que *nós*? Por que fomos arrastados para essa situação? Será que somos apenas danos colaterais, como

Nate disse? Ou existe alguma razão específica para a gente ser parte disso?

Eu inclino a cabeça para ele, curiosa.

— Tipo qual?

Cooper dá de ombros.

— Não sei. Por exemplo, você e Leah. É uma coisa pequena, mas e se algo assim deu início a um efeito dominó? Ou eu e... — Ele vasculha a parede com o olhar e para em um Post-it. — Aiden Wu, talvez. Revelaram que ele se vestia de mulher, e eu estava escondendo que sou gay.

— Mas essa notícia foi alterada — lembro a Cooper.

— Eu sei. E isso é estranho também, né? Por que se livrar de uma ótima fofoca que é verdadeira e substituir por uma que não é? Não consigo me livrar da sensação de que o lance é *pessoal*, saca? A forma como o Tumblr manteve a situação andando, incitando as pessoas contra nós. Eu queria entender o motivo.

Addy mexe num dos brincos. Sua mão treme, e, quando ela fala, a voz também.

— A situação foi bem pessoal entre mim e Jake, eu acho. E talvez ele tivesse ciúmes de você, Cooper. Mas Bronwyn e Nate... por que ele envolveria os dois?

Danos colaterais. Todos nós fomos afetados, mas Nate foi de longe o mais prejudicado. Não faz sentido que Jake seja o culpado. Por outro lado, nada disso faz.

— Eu tenho que ir — avisa Cooper. — Vou encontrar com Luis.

Consigo dar um sorriso.

— E não Kris?

O sorriso que Cooper devolve é um pouco tenso.

— Ainda estamos vendo como vão ficar as coisas. De qualquer forma, me avise se o lance do carro for útil.

Ele sai e Maeve se levanta para ir ao ponto perto da minha cama que Cooper acabou de vagar. Ela mexe nos Post-its na parede e coloca quatro deles formando um quadrado:

Jake escreveu pelo menos uma postagem no Tumblr
Leah odeia Simon
Aiden Wu odeia Simon
Janae parece deprimida

— Essas são as pessoas mais conectadas. Ou que têm motivo para odiar Simon, ou que já sabemos que estão envolvidas de alguma forma. Algumas são bem improváveis — ela bate com o dedo no nome de Aiden — e algumas têm grandes indícios contra elas. — Maeve aponta para Jake e Janae. — Mas nada está muito claro. O que estamos deixando passar?

Todas nós encaramos os Post-its em silêncio.

Dá para saber muita coisa sobre uma pessoa quando se tem sua placa de carro e telefone. O endereço, por exemplo. E o nome, onde a pessoa estuda. Então, se quiser, é possível ficar no estacionamento do colégio da pessoa antes de as aulas começarem e esperar pelo seu Camaro vermelho aparecer. Teoricamente.

Ou na prática.

Eu tive a intenção de entregar os números que Cooper me deu para a Sra. Macauley, para que ela pudesse passá-los a Eli. Mas não parei de pensar na mensagem sucinta da mãe de Nate: *Eu informei a Eli, mas ele pede que você não se envolva mais.* Será que Eli sequer me levaria a sério? Foi ele que primeiro mencionou o acidente de carro como suspeito, mas está gastando todo o tempo tentando manter Nate no centro de detenção juvenil. Eli pode considerar a questão do Camaro vermelho como nada além de uma distração irritante.

Seja como for, estou apenas fazendo uma investigação preliminar. É disso que me convenço quando entro no estacionamento do Colégio Eastland. Como as aulas aqui começam quarenta minutos antes das nossas, vou conseguir voltar ao Bayview com tempo de sobra para o primeiro sinal. Está abafado no carro, e eu baixo as duas janelas da frente ao entrar numa vaga e desligar o motor.

O problema é que preciso estar fazendo alguma coisa. Se não fizer, eu penso demais em Nate. Penso onde ele está, no que está passando, e no fato de que ele não fala comigo. Quero dizer, entendo que ele tem opções limitadas de comunicação. Obviamente. Mas elas não são nulas. Eu perguntei à Sra. Macauley se poderia visitá-lo, e ela me disse que Nate não me quer ali.

E isso me magoa. A Sra. Macauley acha que ele quer me proteger, mas não tenho certeza. Nate está muito acostumado às pessoas desistirem dele, e talvez tenha decidido fazer isso primeiro comigo.

Um lampejo vermelho me chama a atenção, e um Camaro velho com um para-lama reluzente estaciona a poucas vagas da minha. De dentro dele sai um garoto baixo, de cabelo escuro, que retira uma mochila do banco do carona e a pendura num ombro só.

Eu não tenho a intenção de dizer nada, mas ele olha para mim ao passar pela minha janela, e, antes que eu consiga me deter, saio dizendo:

— Ei.

Ele para, e olhos castanhos curiosos encontram os meus.

— Ei. Eu te conheço. Você é a garota da investigação no Colégio Bayview. Bronte, certo?

— Bronwyn. — Uma vez que já estraguei meu disfarce, é melhor entrar de sola.

323

— O que você está fazendo aqui? — pergunta ele, vestido como se estivesse esperando pela volta do grunge dos anos 1990, com uma blusa de flanela sobre uma camiseta do Pearl Jam.

— Há…

Meus olhos se voltam para o carro. Eu deveria perguntar, certo? Foi para isso que vim. Mas, agora que estou de fato falando com este garoto, a coisa toda parece ridícula. O que devo dizer? *Ei, qual é o lance com aquele acidente de carro estranhamente oportuno num colégio que você não frequenta?*

— Estou esperando por alguém — respondo.

Ele franze a testa para mim.

— Você conhece gente daqui?

— Sim.

Mais ou menos. Eu sei do conserto recente que você fez no seu carro, de qualquer forma.

— Todo mundo anda falando de vocês. Caso estranho, hein? O moleque que morreu… ele era meio esquisito, né? Tipo, quem sequer faz um aplicativo daqueles? E todo aquele lance que falaram no *Mikhail Powers*. Doideira.

Ele parece… nervoso. Meu cérebro canta *pergunte pergunte pergunte*, mas a boca não obedece.

— Bem, até mais.

O garoto começa a passar pelo meu carro e ir embora.

— Espere! — Minha voz se solta, e ele para. — Posso conversar com você por um instante?

— A gente *estava* conversando agora mesmo.

— Certo, mas eu… tenho uma pergunta de verdade para você. A questão é, quando falei que estava esperando por alguém, eu quis dizer você.

Ele está definitivamente nervoso.

— Por que você estaria esperando por mim? Você nem me conhece.

324

— Por causa do seu carro — explico. — Eu te vi se envolvendo num acidente no nosso estacionamento naquele dia. No dia que Simon morreu.

O garoto fica pálido e olha espantando para mim.

— Como você... por que você acha que fui eu?

— Vi sua placa — minto, pois não há necessidade de entregar o irmão de Luis. — A questão é... a coincidência foi esquisita, sabe? E agora que alguém foi preso por algo que tenho certeza de que não cometeu, eu fiquei curiosa... Você por acaso viu alguma coisa ou alguém estranho naquele dia? Isso ajudaria... — A voz falha, e os olhos ardem com lágrimas, e pisco para contê-las. — Qualquer coisa que você puder me dizer vai ajudar.

O garoto hesita, dá um passo para trás e olha para o fluxo de alunos entrando no colégio. Eu espero que ele recue e se junte aos demais, mas, em vez disso, o garoto dá a volta no meu carro, abre a porta do carona e entra. Aperto um botão para subir o vidro das janelas e me volto para encará-lo.

— Então. — Ele passa a mão pelo cabelo. — Isto é esquisito. Eu sou Sam, falando nisso. Sam Barron.

— Bronwyn Rojas, mas acho que você já sabe disso.

— É. Eu andei vendo os noticiários e fiquei pensando se deveria dizer alguma coisa, mas não sabia se tinha algum significado. — Ele dá uma olhadela de lado para mim, como se verificasse por indícios de preocupação. — Nós não fizemos nada de errado. Tipo, ilegal. Até onde eu sei.

Sinto um arrepio na espinha ao me endireitar no banco.

— Quem é "nós"?

— Eu e meu amigo. Nós causamos o acidente de propósito. Um cara nos pagou mil pratas para fazer aquilo. Disse que era uma pegadinha. Tipo, você não faria? O para-lama mal custou quinhentos para consertar. O resto foi puro lucro.

— Alguém...

Está quente no carro com os vidros fechados, e minhas mãos estão escorregando de suor ao agarrar o volante. Eu deveria ligar o ar-condicionado, mas não consigo me mexer.

— Quem? — pergunto. — Você sabe o nome dele?

— Eu não sabia, mas...

— Ele tem cabelo castanho e olhos azuis? — disparo.

— Sim.

Jake. Ele deve ter fugido de Luis em algum momento, afinal de contas.

— Ele era... espere, tenho uma foto aqui em algum lugar — digo.

Eu procuro atabalhoadamente pelo telefone dentro da mochila. Tenho certeza de que tirei uma foto do conselho do baile em setembro.

— Eu não preciso de uma foto — fala Sam. — Sei quem ele é.

— Sério? Tipo, você sabe o nome dele? — Meu coração está tão disparado que consigo ver o peito se mexendo. — Tem certeza de que ele te deu um nome de verdade?

— Ele não me deu nome algum. Eu saquei depois quando vi o noticiário.

Eu me lembro daquelas primeiras reportagens, com a foto de turma de Jake ao lado da foto de Addy. Um monte de gente achou que não era justo mostrá-la, mas estou contente que tenham feito aquilo. Eu consegui achar a foto do baile agora e mostro para Sam.

— É ele, certo? Jake Riordan.

Ele olha surpreso para o celular, balança a cabeça e devolve.

— Não. Não é ele. Foi alguém muito mais... intimamente envolvido com o lance todo.

Meu coração está prestes a explodir. Se não foi Jake, só há outro garoto com cabelo escuro e olhos azuis envolvido na investigação. Envolvido *intimamente*, ainda por cima. E é Nate.

Não. Não. Por favor, Deus, não.

— Quem? — Minha voz nem sequer é um sussurro.

Sam solta um suspiro e se reclina no apoio de cabeça. Ele fica calado pelos segundos mais longos da minha vida até que diz:

— Foi Simon Kelleher.

CAPÍTULO 28

Cooper
Quarta-feira, 7 de novembro, 19h40

Esses encontros do clube dos assassinos estão se tornando um lance regular. Só que a gente precisa de um novo nome.

Desta vez, estamos numa cafeteria no centro de San Diego, enfurnados em uma mesa dos fundos, porque nossos integrantes continuam crescendo. Kris veio comigo, e Ashton veio acompanhando Addy. Bronwyn trouxe todos os Post-its em um bando de pastas de cartolina, incluindo o mais recente: *Simon pagou a dois caras para que encenassem um acidente de carro.* Ela diz que Sam Barron prometeu ligar para Eli e avisá-lo. Como isso vai ajudar Nate, eu não faço ideia.

— Por que você escolheu este lugar, Bronwyn? — pergunta Addy. — Meio fora do caminho.

Bronwyn pigarreia e rearruma as anotações nos Post-its de maneira espalhafatosa.

— Não há motivo. Então, enfim. — Ela dispara um olhar sério para a mesa inteira. — Obrigada por virem. Maeve e eu não paramos de examinar tudo isso, mas nada nunca faz sentido. Achamos que uma reunião coletiva poderia ajudar.

Maeve e Ashton voltam do balcão equilibrando os pedidos em um par de bandejas recicláveis. Elas distribuem as bebidas, e eu vejo Kris abrir metodicamente cinco sachês de açúcar e jogar dentro do café com leite.

— O que foi? — pergunta ele ao ver minha expressão.

Kris está vestido com uma camisa polo verde que realça seus olhos, e ele está muito, muito bonito. Isso ainda parece o tipo de coisa que eu não deveria notar.

— Você gosta de açúcar, hein?

Que besteira eu fui falar. O que quero dizer é *não faço ideia de como você gosta de tomar seu café porque esta é a primeira vez que estamos juntos, em público.* Kris junta os lábios, o que não deveria ser atraente, mas é. Eu me sinto incomodado e nervoso e acidentalmente bato no joelho dele embaixo da mesa.

— Não há nada de errado nisso — comenta Addy.

Ela brinda batendo sua bebida na de Kris. O líquido dentro da xícara de Addy é tão branco que mal se parece com café.

Kris e eu estamos passando mais tempo juntos, mas ainda não parece uma coisa natural. Talvez eu tenha me acostumado a encontrá-lo escondido ou ainda não tenha caído a ficha de que estou namorando um cara. Eu me vi mantendo distância de Kris quando nós saímos do meu carro para a cafeteria, porque não quis que as pessoas adivinhassem o que éramos um para o outro.

Odeio esta parte de mim, mas ela existe.

Bronwyn está tomando uma espécie de chá fumegante que parece quente demais para beber. Ela empurra a bebida para o lado e apoia uma das pastas de cartolina na parede.

— Isto é tudo que sabemos sobre Simon: ele ia postar rumores sobre nós. Pagou a dois caras para encenar um acidente de carro. Estava deprimido. Tinha uma personalidade virtual repugnante. Ele e a Janae pareciam estar de mal. Era a fim de Keely. Antigamente era amigo de Jake. Estou deixando passar alguma coisa?

— Ele apagou a menção original sobre mim no Falando Nisso — lembro.

— Não necessariamente — corrige Bronwyn. — Sua menção foi apagada, mas não sabemos por quem.

Justo, acho.

— E eis o que a gente sabe sobre Jake — continua Bronwyn. — Ele escreveu pelo menos uma das postagens do Tumblr ou ajudou alguém a escrever. Não estava no prédio do colégio quando Simon morreu, de acordo com Luis. Ele é...

— Um completo louco por controle — corta Ashton.

Addy abre a boca para reclamar, mas a irmã a interrompe.

— É *sim*, Addy. Ele controlou todos os aspectos da sua vida por três anos. Aí, assim que você fez algo que Jake não gostou, ele explodiu.

Bronwyn escreve *Jake é um louco por controle* num Post-it com um olhar de desculpas para Addy.

— É uma informação — diz Bronwyn. — Agora, e se...

A porta da frente abre, e ela fica muito vermelha.

— Que coincidência.

Eu acompanho o olhar de Bronwyn e vejo um rapaz com cabelo desgrenhado e uma barba rala entrando na cafeteria. Ele parece conhecido, mas não consigo identificá-lo. O rapaz nota Bronwyn com uma expressão exasperada que se torna assustada quando ele percebe Addy e eu.

O rapaz coloca a mão na frente do rosto.

— Eu não vejo você. Nenhum de vocês. — Aí ele nota Ashton, dá uma clássica segunda olhada e quase tropeça por causa disso. — Ah, oi. Você deve ser a irmã de Addy.

Ashton pestaneja, confusa, e olha para ele e para Bronwyn.

— Eu te conheço?

— Este é Eli Kleinfelter — explica Bronwyn. — Ele trabalha na Até que Provem. O escritório fica no andar de cima. Eli é, há, o advogado de Nate.

— *Que não pode falar com você* — avisa Eli, como se tivesse acabado de se lembrar.

Ele dá mais um olhar comprido para Ashton, mas vira o rosto e ruma para o balcão. Ashton dá de ombros e assopra o café. Tenho certeza de que ela está acostumada ao efeito que causa nos homens.

Addy está com os olhos arregalados ao ver Eli recuando.

— Cruzes, Bronwyn. Não acredito que você foi atrás do advogado de Nate.

Bronwyn parece quase tão envergonhada quanto deveria estar, e retira do mochila o envelope que dei para ela.

— Eu só queria saber se Sam Barron chegou a entrar em contato e passar aquela informação se ele não tivesse feito isso. Achei que se esbarrasse com o Eli naturalmente, ele pudesse falar comigo. Pelo visto, não. — Ela dispara um olhar esperançoso para Ashton. — Mas aposto que ele falaria com *você*.

Addy coloca as mãos na cintura e joga o queixo para a frente, indignada.

— Você não pode oferecer a minha irmã!

Ashton dá um sorriso irônico e estica a mão para pegar o envelope.

— Desde que seja por uma boa causa. O que eu devo dizer?

— Diga que ele estava certo, que o acidente de carro no Bayview no dia em que Simon morreu foi encenado. O envelope tem o contato do garoto que Simon pagou para fazer aquilo.

Ashton vai ao balcão, e todos nós bebemos em silêncio. Quando ela volta, um minuto depois, o envelope ainda está em sua mão.

— Sam ligou para ele — confirma Ashton. — Ele disse que está investigando, agradece pela informação, e que você deveria cuidar da porra da sua vida. Essa foi uma citação direta.

Bronwyn parece aliviada e em nada insultada.

— Obrigada. Esta notícia é ótima. Então, onde a gente estava?

— Simon e Jake — responde Maeve, que apoia o queixo numa das mãos enquanto olha para as duas pastas de cartolina. — Eles estão conectados, mas como?

— Com licença — diz Kris calmamente.

Todo mundo olha para ele como se tivesse esquecido que Kris estava à mesa, o que provavelmente aconteceu mesmo. Ele estava calado desde que chegamos ali.

Maeve tenta compensar o fato dando um sorriso encorajador para Kris.

— Sim?

— Estou aqui pensando — começa Kris, com um inglês sem sotaque e quase perfeito, com apenas um toquezinho de formalidade que indica que ele vem de outro lugar. — Sempre foi dado muito destaque a quem estava na sala. Foi por isso que a polícia originalmente mirou em vocês quatro, porque seria praticamente impossível que alguém que não estivesse na sala matasse Simon, certo?

— Certo — digo.

— Então. — Kris retira dois Post-its de uma das pastas. — Se o assassino não é Cooper, Bronwyn, Addy ou Nate, e ninguém acha que o professor que estava ali pudesse ter algo a ver com aquilo, quem sobra?

Ele cola um Post-it em cima do outro na parede ao lado da cabine, depois se reclina no assento e olha para nós com um atenção educada.

Simon foi envenenado durante detenção
Simon estava deprimido

Ficamos todos em silêncio por um longo minuto, até Bronwyn soltar um pequeno suspiro de susto.

— Eu sou o narrador onisciente — diz ela.

— O quê? — pergunta Addy.

— Foi o que Simon disse antes de morrer. Eu disse que isso não existia nos filmes de adolescente, mas ele disse que, na vida real, sim. Depois Simon tomou a água num gole só.

Bronwyn se vira e berra *"Eli!"*, mas a porta já está se fechando quando o advogado de Nate sai.

— Então, você está dizendo… — Ashton encara a mesa inteira até o olhar parar em Kris. — Você acha que Simon cometeu suicídio?

Kris concorda com a cabeça.

— Mas por quê? Por que desta *forma*?

— Vamos voltar ao que sabemos — diz Bronwyn, com uma voz quase clínica, mas o rosto está vermelho como tomate. — Simon era uma dessas pessoas que achava que deveria estar no centro de tudo, mas não estava. E era obcecado com a ideia de causar alguma espécie de impacto grande e violento no colégio. Ele fantasiava sobre isso o tempo todo naquelas discussões no 4chan. E se essa foi a versão de Simon para um tiroteio no colégio? Tirar a própria vida e levar um bando de alunos com ele, mas de uma forma inesperada, tipo incriminá-los pelo assassinato? — Ela se volta para a irmã. — O que Simon disse no 4chan, Maeve? *Façam algo original. Quero que me surpreendam ao eliminar um bando de babacas. É tudo que peço.*

Maeve concorda com a cabeça.

— Citação perfeita, eu acho.

Penso em como Simon morreu — engasgando, em pânico, tentando recuperar o fôlego. Se ele realmente fez aquilo contra si mesmo, eu desejo mais do que nunca que a gente tivesse encontrado a porra da caneta de adrenalina.

— Acho que Simon se arrependeu no fim — digo, e o coração sente o peso das palavras. — Ele parecia que queria ajuda. Se tivesse conseguido a medicação a tempo, talvez um susto desses tivesse transformado Simon num cara diferente.

A mão de Kris aperta a minha embaixo da mesa. Bronwyn e Addy parecem que estão de volta à sala onde Simon morreu, horrorizadas e atordoadas. Elas sabem que tenho razão. O silêncio cai, e acho que talvez a gente tenha terminado até que Maeve olha para a parede com Post-its e faz uma careta.

— Mas como Jake se encaixa? — pergunta ela.

Kris hesita e pigarreia, como se estivesse esperando permissão para falar. Quando ninguém reclama, ele diz:

— Se Jake não é o assassino de Simon, ele deve ser o cúmplice. Alguém tinha que manter as coisas andando após Simon morrer.

Ele vê o olhar de Bronwyn, e uma espécie de compreensão passa entre os dois. Eles são o cérebro desta operação. O restante está apenas tentando acompanhar. A mão de Kris se afastou da minha enquanto ele estava falando, e eu a pego de volta.

— Simon descobriu sobre Addy e TJ — diz Bronwyn. — Talvez tenha sido assim que ele se aproximou de Jake de início, para conseguir sua ajuda. Jake ia querer vingança, porque ele...

Uma cadeira faz barulho ao ser arrastada ao meu lado quando Addy se afasta da mesa.

— Pare — diz ela em uma voz embargada, com o cabelo com listras púrpuras caindo nos olhos. — Jake não faria... não poderia...

— Acho que já chega por uma noite — comenta Ashton com firmeza ao se levantar. — Vocês podem continuar, mas nós precisamos ir para casa.

— Foi mal, Addy — se desculpa Bronwyn, com uma expressão constrangida. — Eu me empolguei.

Addy gesticula com a mão.

—Tudo bem — releva ela, insegura. — Eu apenas... não consigo neste momento.

Ashton dá o braço à irmã até que cheguem à porta, depois abre e deixa que Addy saia na frente.

Maeve observa as duas com o queixo nas mãos.

— Ela tem razão. Toda essa situação parece impossível, né? E, mesmo se estivermos certos, não podemos provar nada.

Ela olha de maneira esperançosa para Kris, como se quisesse que ele fizesse mais alguma mágica com os Post-its. Kris dá de ombros e bate com o dedo no quadrado colorido mais próximo a ele.

— Talvez haja uma pessoa sobrando que saiba algo de útil.

Janae parece deprimida

Bronwyn e Maeve vão embora por volta das nove; Kris e eu não ficamos muito mais tempo. Recolhemos o que sobrou da mesa e colocamos na lixeira perto da saída. Ambos estamos em silêncio, saindo de um dos encontros mais estranhos da história.

— Bem — começa Kris ao passar pela porta e parar na calçada para me esperar. — Isto foi interessante.

Antes que ele possa dizer mais alguma coisa, eu agarro Kris e o imprenso contra a parede da cafeteria. Meus dedos se afundam em seu cabelo, e minha língua lhe penetra a boca num beijo profundo e carente. Kris solta um som como um rosnado de surpresa e me puxa com mais força contra o peito. Quando outro casal sai pela porta, e nos separamos, ele parece tonto.

Kris ajeita a camisa e passa a mão pelo cabelo.

— Pensei que você tinha esquecido como fazer isso.

— Desculpe. — Minha voz fica grossa com o desejo de beijá-lo de novo. — Não é como se eu não quisesse, é só que...

— Eu sei. — Kris entrelaça os dedos aos meus e ergue as mãos como uma pergunta. — Sim?

— Sim — respondo, e começamos a andar pela calçada juntos.

Nate
Quarta-feira, 7 de novembro, 23h30

Então, é assim que você lida com a prisão.

Fique de boca calada. Não fale sobre a vida ou o motivo de estar ali. Ninguém se importa, a não ser que queiram usar a informação contra você.

Não aceite provocação de ninguém. Jamais. Detenção juvenil não é a série *Oz*. Os detentos vão foder com você se acharem que é fraco.

Faça amigos. Eu uso o termo de maneira imprecisa. Identifique as pessoas que não são tão ruins e se associe a elas. Andar em bando é útil.

Não desobedeça às regras, mas finja que não viu quando alguém desobedecer.

Malhe e assista à televisão. Muito.

Fuja o máximo possível da atenção dos guardas. Incluindo a mulher exageradamente simpática que vive oferecendo ajuda para você dar telefonemas do escritório dela.

Não reclame sobre a lerdeza da passagem do tempo. Quando você está preso por um crime capital, mas a apenas quatro meses de completar 18 anos, os dias que se arrastam são seus amigos.

Você cria novas maneiras de responder às perguntas incessantes do advogado. *Sim, deixo meu armário aberto às vezes. Não, Simon nunca esteve na minha casa. Sim, a gente se viu algumas vezes fora do colégio. A última ocasião? Provavelmente quando eu vendi maconha para ele. Foi mal, a gente não deve falar sobre isso, né?*

Não pense sobre o que está do lado de fora. Ou quem. Especialmente se for melhor para ela que se esqueça da sua existência.

CAPÍTULO 29

Addy
Quinta-feira, 8 de novembro, 19h

Não paro de ler aquele Tumblr do Falando Nisso, como se fosse mudar, mas nunca muda. As palavras de Ashton se repetem na minha cabeça: *Jake é um louco por controle*. Ela não está errada, mas isso significa que o restante tem que estar certo? Talvez Jake tenha contado para outra pessoa o que eu disse, e essa pessoa escreveu aquilo. Ou talvez seja tudo apenas uma coincidência.

Só que surge uma memória da manhã da morte de Simon, aparentemente tão insignificante que não tinha passado pela minha cabeça até agora: Jake tirando a mochila dos meus ombros com um sorriso despreocupado enquanto andávamos pelo corredor juntos. *Isto é pesado demais para você, gata. Eu levo.* Ele nunca tinha feito isso antes, mas não questionei o fato. Por que questionaria?

E um telefone que não era meu foi retirado da minha mochila poucas horas depois.

Não sei o que é pior — que Jake possa ter participado de algo tão horrível, que eu o levei a isso, ou que ele andou fingindo por semanas.

— A escolha foi dele, Addy — argumenta Ashton para me lembrar. — Muitas pessoas levam chifre, e não perdem a cabeça.

Veja o meu caso, por exemplo. Eu joguei um vaso na cabeça de Charlie e segui com a minha vida. É uma reação normal. Seja lá o que esteja rolando aqui, não é culpa sua.

Isso pode ser verdade, mas não *parece* ser verdade.

Então, eu tenho que conversar com Janae, que não foi ao colégio a semana inteira. Tentei mandar mensagens algumas vezes depois das aulas, e novamente depois do jantar, mas ela nunca respondeu. Por fim decido descobrir o seu endereço no diretório escolar e simplesmente visitá-la. Quando contei a Bronwyn, ela se ofereceu para vir junto, mas pensei que seria melhor ir apenas eu. Janae nunca foi muito com a cara de Bronwyn.

Cooper insiste em me dar carona, mesmo quando digo que ele terá que esperar no carro. Janae nunca vai se abrir sobre qualquer coisa se ele estiver por perto.

— Beleza — concorda Cooper ao estacionar do outro lado da rua da casa de Janae, uma construção em falso estilo Tudor. — Mande uma mensagem se a situação ficar esquisita.

— Mando sim — digo, e presto continência ao fechar a porta e atravessar a rua.

Não há carros na garagem de Janae, mas há luzes acesas pela casa inteira. Eu toco a campainha quatro vezes sem ser atendida e dou de ombros ao olhar para Cooper na última tentativa. Estou prestes a desistir quando a porta abre uma fresta e um dos olhos com rímel negro de Janae me encara.

— O que você está fazendo aqui?

— Vendo se você está bem. Você não tem aparecido e não está respondendo às mensagens. Tudo bem?

— Ótimo. — Janae tenta fechar a porta, mas meto o pé para impedi-la.

— Posso entrar? — pergunto.

Ela hesita, mas solta a porta e dá um passo para trás, o que me permite empurrar a porta e entrar. Quando dou uma boa olhada em Janae, quase solto um suspiro de susto. Ela está mais magra do que nunca, e tem urticárias vermelhas e inflamadas cobrindo o rosto e o pescoço. Janae coça o problema na pele constrangida.

— O que foi? Não estou me sentindo bem. Obviamente.

Espio o corredor.

— Mais alguém em casa?

— Não. Meus pais saíram para jantar. Olhe, há, sem querer ofender, mas você tem algum motivo para estar aqui?

Bronwyn treinou comigo o que dizer. Devo começar com questões pequenas e sutis sobre onde Janae esteve a semana inteira e como está se sentindo. Seguir com o assunto da depressão de Simon e encorajá-la a me contar mais. Como último recurso, eu talvez consiga falar a respeito do que espera Nate quando o promotor público tentar mandá-lo para uma prisão de verdade.

Não faço nada disso. Ao contrário, dou um passo à frente e abraço Janae, embalo aquele corpo magricelo, como se ela fosse uma criança que precisasse de apoio. Janae parece mesmo uma criança, cheia de ossos sem peso e braços frágeis. Ela enrijece o corpo, depois cai sobre mim e começa a chorar.

— Ai, meu Deus! — exclama Janae em uma voz grave e rouca. — Está tudo fodido. Tudo está completamente fodido.

— Vamos.

Eu a levo para o sofá da sala de estar, onde ela desaba e chora mais. A cabeça de Janae se enfia sem jeito no meu ombro enquanto faço carinho em seu cabelo, que está duro por causa da tinta. As raízes de tom castanho-claro opaco se misturam à tintura reluzente de preto azulado.

— Simon fez isso com ele mesmo, não foi? — pergunto com cuidado.

Ela se afasta, enfia a cabeça nas mãos e confirma, balançando para a frente e para trás.

Meu Deus. É verdade. Eu não acreditava completamente até agora.

Eu não deveria contar tudo para Janae. Na verdade, não deveria contar *nada* a ela, mas conto. Não consigo pensar em outra forma de ter essa conversa. Quando termino, ela se levanta e sobe ao segundo andar sem dizer uma palavra. Eu espero alguns minutos, fico contorcendo uma mão no colo e uso a outra para mexer no brinco. Será que Janae está ligando para alguém? Pegando uma arma para dar um tiro na minha cabeça? Cortando os pulsos para se juntar a Simon?

Bem no momento em que penso que deveria ir atrás dela, Janae desce pela escada com passos pesados, segurando uma pilha fina de papéis que ela estende na minha direção.

— O manifesto de Simon — anuncia Janae, com a boca contorcida numa expressão amarga. — Deveria ser enviado para a polícia daqui a um ano, após as vidas de você estarem completamente fodidas. Para que todo mundo soubesse como ele conseguiu fazer tudo isso.

As folhas tremem na minha mão enquanto leio:

> *Eis a primeira coisa que vocês precisam saber: eu odeio a minha vida e tudo nela.*
>
> *Então decidi cair fora, mas não discretamente.*
>
> *Pensei muito em como fazer isso. Podia comprar uma arma, como basicamente qualquer idiota nos Estados Unidos. Barrar as portas numa manhã e matar o maior número de babacas do Colégio Bayview enquanto tivesse balas para atirar, antes de mirar a última em mim mesmo.*
>
> *E eu teria muitas balas.*

Mas já fizeram muito isso. Não teria mais o mesmo impacto.

Eu quero ser mais criativo. Mais original. Quero que meu suicídio seja comentado por anos. Quero que impostores tentem me imitar. E que falhem, porque o planejamento que isso exige vai além do típico fracassado deprimido com um desejo de morrer.

Vocês viram os fatos se desdobrarem há um ano agora. Se aconteceu da maneira que espero, não fazem ideia do que realmente houve.

Eu tiro os olhos dos papéis.

— Por quê? — pergunto, sentindo a bile na garganta. — Como Simon chegou a esse ponto?

— Ele andava deprimido há um tempo — responde Janae, torcendo o tecido da saia preta entre as mãos, o que faz com que os vários braceletes com tachas que ela usa em ambos os braços chacoalhem com o movimento. — Simon sempre achou que deveria receber muito mais respeito e atenção do que recebia, sabe? Mas ele ficou realmente amargurado com toda essa situação neste ano. Começou a passar o tempo todo na internet com um bando de gente repugnante, fantasiando sobre se vingar de todo mundo que o fazia infeliz. Chegou ao ponto em que acho que Simon nem sabia mais o que era realidade. Sempre que algo ruim acontecia, ele exagerava de maneira desproporcional.

As palavras saem aos borbotões de Janae.

— Simon começou a falar sobre se matar e levar pessoas com ele, mas, tipo, com criatividade. Ficou obcecado com a ideia de usar o aplicativo para incriminar todo mundo que ele odiava. Simon sabia que Bronwyn tinha roubado o teste e isso o deixava irritado. Ela já estava praticamente garantida como oradora da cerimônia de formatura, mas fez com que fosse impossível que ele a alcançasse. Simon também achava que ela tomou o lugar dele quando foi para as finais da simulação estudantil da ONU. E ele não suportava Nate por causa do lance com Keely. Simon achou que tinha chance com ela, mas aí Nate ficou com ela sem sequer tentar ou mesmo se importar com isso.

Meu coração se contrai. Cruzes, pobre Nate. Que motivo idiota e sem sentido para acabar na cadeia.

— E quanto a Cooper? Simon o envolveu por causa de Keely também?

Janae solta um muxoxo amargo de desdém.

— O Sr. Perfeitinho? Cooper fez Simon entrar na lista proibida da festa pós-baile organizada por Vanessa, mesmo com o Simon fazendo parte do conselho e tudo mais. Ele se sentiu *tão* humilhado não apenas por não ter sido convidado, mas sim por ter sido proibido de ir. *Todo mundo* estaria lá.

— *Cooper* fez isso?

Olho espantada. Isso é novidade para mim. Cooper não mencionou esse fato, e eu nunca notei que Simon não estava lá.

O que eu acho que era parte do problema.

Janae concorda com a cabeça.

— É. Não sei por que, mas ele fez. Então, esses três foram os alvos de Simon, e ele tinha as fofocas preparadas. Até então eu ainda achava que era só papo dele. Uma forma de extravasar. Talvez tivesse sido, se eu tivesse convencido Simon a sair da internet e parar de ficar obcecado. Mas aí Jake descobriu algo que Simon não queria que ninguém soubesse e foi… aquilo foi simplesmente a gota d'água.

Ah, não. Cada segundo que passou sem a menção ao nome de Jake me fez ter esperança de que ele não esteve envolvido, afinal de contas.

— O que você quer dizer?

Puxo o brinco com tanta força que corro o risco de rasgar o lóbulo. Janae arranca o esmalte lascado da unha e deixa cair pedacinhos cinzentos na saia.

— Simon fraudou a votação para participar do conselho do baile dos calouros.

Minha mão trava na orelha, e eu arregalo os olhos. Janae solta uma risadinha sem graça e diz:

— Pois é, que idiotice, né? Simon era esquisito assim. Ele debochava das pessoas, mas queria as mesmas coisas que elas. E queria ser admirado. Então, Simon fraudou a votação e ficou tirando onda sobre isso na piscina no verão passado, dizendo como foi fácil e que mexeria com o baile de volta às aulas também. E Jake nos ouviu.

Como eu imediatamente imagino a reação de Jake, as próximas palavras de Janae não me surpreendem.

— Ele se acabou de rir. Simon surtou. Ele não suportava a ideia de Jake contando para as pessoas, e todo mundo do colégio descobrindo que ele fez uma coisa tão patética. Tipo, Simon passou anos contando os segredos de todo mundo, e agora ele ia ser humilhado por um segredo próprio. — Janae faz uma careta. — Consegue imaginar? O criador do Falando Nisso sendo exposto por um motivo fútil desses? Aquilo fez com que ele passasse do limite.

— Do limite? — repito.

— Sim. Simon decidiu parar de falar sobre o plano maluco e realmente colocá-lo *em prática*. Ele já sabia sobre você e TJ, mas ficou guardando a fofoca até que as aulas recomeçassem. Então, Simon usou a informação para calar Jake e envolvê-lo no plano, porque ele precisava de alguém para manter as coisas em andamento após sua morte, e eu não faria isso.

Não sei se devo acreditar nela ou não.

— Você não faria?

— Não, não faria. — Janae não me encara. — Não pelo *bem* de vocês. Eu não me importava com nenhum de vocês. Pelo bem de Simon. Mas ele não me dava ouvidos, e, de repente, já não precisava de mim. Simon sabia como Jake era, que ele ficaria maluco quando descobrisse sobre você e TJ. Simon disse para Jake que ele incriminaria você sobre tudo, de maneira que você levasse a culpa e acabasse na prisão. E Jake topou completamente. Ele até bolou a ideia de mandar você para a sala da enfermeira naquele dia atrás de Tylenol para que você parecesse mais culpada.

Um ruído branco provoca um zumbido no meu cérebro.

— A vingança perfeita por ter traído um namorado perfeito.

Eu não tenho certeza de que disse isso em voz alta até Janae concordar com a cabeça.

— Sim — concorda ela —, e ninguém jamais adivinharia que Simon e Jake sequer fossem amigos. Para Simon, tinha a vantagem adicional de que ele não se importava se Jake fizesse merda e fosse preso. Ele basicamente torcia para isso, porque odiava Jake há anos.

A voz de Janae ganha volume, como se estivesse se aquecendo para participar do tipo de sessão de reclamações que ela e Simon provavelmente tinham o tempo todo.

— A forma como Jake simplesmente abandonou Simon no primeiro ano. Começou a andar com Cooper, como se os dois sempre tivessem sido melhores amigos, como se Simon não existisse mais. Como se ele não fosse importante.

A saliva nada no fundo da minha garganta. Eu vou vomitar. Não, vou desmaiar. Talvez as duas coisas. Qualquer uma das duas coisas seria melhor do que ficar sentada aqui ouvindo isso. Todo aquele tempo depois que Simon morreu, quando Jake me confortou, me fez ir a uma festa com TJ, como se nada tivesse acontecido, *transou* comigo; ele sabia. Sabia que eu o tinha traído e estava apenas esperando pelo momento certo. Esperando para me punir.

Talvez esta seja a pior parte: como ele agiu *normalmente* o tempo todo.

De alguma forma, eu encontro minha voz.

— Mas ele... mas *Nate* foi incriminado. Jake mudou de ideia?

Aquilo machuca tanto que eu quero que seja verdade.

Janae não responde de primeira. A sala fica em silêncio, a não ser pela respiração ofegante dela.

— Não — diz ela finalmente. — A questão é... tudo aconteceu quase da maneira exata como Simon planejou. Ele e Jake colocaram os celulares nas mochilas de vocês naquela manhã, e o Sr. Avery descobriu os aparelhos e mandou todos para a detenção, exatamente como Simon disse que ele faria. Ele facilitou a investigação da polícia ao deixar o site de administrador do Falando Nisso escancarado. Escreveu um resumo do diário do Tumblr e mandou que Jake postasse as atualizações em computadores públicos com detalhes sobre o que realmente estava acontecendo. Foi como assistir a um reality show fora de controle, onde a pessoa não para de pensar que os produtores vão intervir dizendo *chega*. Mas ninguém interveio. Aquilo me revoltou. Eu falava para Jake que ele precisava parar antes que a situação fosse longe demais.

Meu estômago dá um nó.

— E Jake não parou?

Janae torce o nariz.

— Não. Ele realmente curtiu todo o lance assim que Simon morreu. Teve delírios de poder vendo vocês serem levados para a delegacia, vendo a confusão no colégio e todo mundo surtando por causa do Tumblr. — Ela para por um segundo e dá uma olhada para mim. — Acho que você sabe disso.

É, acho que sim, mas podia passar sem o lembrete agora.

— *Você* poderia ter impedido isso, Janae — digo, e meu tom de voz sobe conforme a raiva começa a superar o choque. — Deveria ter contado para alguém o que estava acontecendo.

— Eu *não podia* — confessa Janae, com os ombros caídos. — Uma vez, quando nos reunimos com Simon, Jake nos gravou no celular. Eu estava tentando colocar algum juízo na cabeça de Simon, mas a forma como Jake editou o vídeo fez parecer que tudo foi praticamente ideia minha. Ele disse que entregaria a gravação para a polícia e colocaria a culpa de tudo em mim se eu não ajudasse.

Ela respira fundo, tremendo.

— Eu deveria forjar todas as provas contra você. Lembra daquele dia que fui à sua casa? Eu estava com o computador comigo, mas não consegui fazer. Depois disso, Jake não parou de me atormentar e entrei em pânico. Simplesmente joguei tudo em cima de Nate. — Janae contém um soluço. — Foi mais fácil. Nate não tranca nada. E fiz a denúncia anônima sobre ele, e não sobre você.

— Por quê? — Minha voz sai miúda, e as mãos tremem tanto que o manifesto de Simon faz um barulho de chocalho. — Por que você não seguiu o plano?

Janae recomeça e se balança para a frente e para trás.

— Você foi legal comigo. Centenas de pessoas naquele colégio idiota, e *ninguém*, a não ser você, jamais perguntou se eu sentia falta de Simon. Eu sentia. Eu *sinto*. Sei completamente que ele era todo errado, mas… Simon era meu único amigo. — Ela recomeça a chorar para valer, e os ombros magros balançam. — Até você. Sei que nós não somos realmente amigas e que você provavelmente me odeia agora, mas… eu não poderia ter feito aquilo com você.

Não sei como reagir. E se continuar pensando sobre Jake, vou ficar maluca. Minha mente se agarra a uma pecinha deste quebra-cabeças confuso que não faz sentido.

— E quanto à notícia sobre Cooper? Por que Simon escreveria a verdade e depois substituiria com uma mentira?

— Aquilo foi Jake — responde Janae, secando os olhos. — Ele obrigou Simon a mudar a postagem. Ele disse que estava fazendo um favor para Cooper, mas… não sei. Acho que foi mais o caso de Jake não querer que alguém soubesse que seu melhor amigo era gay. E ele parecia sentir muito ciúme de toda a atenção que Cooper estava recebendo por causa do beisebol.

Minha cabeça está girando. Eu deveria estar fazendo mais perguntas, mas só consigo pensar em uma:

— E agora? Você vai… quero dizer, você não pode deixar que Nate seja condenado, Janae. Você vai contar para alguém, certo? Tem que contar para alguém.

Janae passou a mão pelo rosto.

— Eu sei. Isso está me fazendo mal há uma semana. Mas o problema é que eu não tenho nada além deste material impresso. Jake tem a versão em vídeo no disco rígido de Simon, juntamente com todos os arquivos de backup que mostram que ele planejou tudo isso há meses.

Eu empunho o manifesto de Simon como um escudo.

— Isto aqui basta. Isto e a sua palavra são *muita coisa*.

— O que aconteceria comigo? — murmura Janae baixinho. — Estou, tipo, sendo cúmplice, certo? Ou obstruindo a justiça? *Eu* posso acabar na prisão. E Jake tem aquela gravação pairando sobre a minha cabeça. Ele já está puto comigo. Tenho medo até de ir para o colégio. Ele não para de passar por aqui e… — A campainha toca, e Janae trava quando meu celular toca anunciando uma mensagem. — Ai, meu Deus, Addy, provavelmente é ele. Jake só vem quando o carro dos meus pais não está na entrada de garagem.

Meu telefone toca com uma mensagem de Cooper. *Jake está aqui. O que está acontecendo?* Eu pego Janae pelo braço.

— Preste atenção. Vamos fazer com Jake exatamente o que ele fez com você. Fale com ele sobre tudo isso, e a gente grava. Você está com seu telefone?

Janae tira o aparelho do bolso quando a campainha toca novamente.

— Não vai adiantar de nada. Jake sempre me faz entregar o celular para ele antes de a gente conversar.

— Ok. A gente usa o meu. — Eu olho para a sala de jantar às escuras atrás de nós. — Vou me esconder ali enquanto você conversa com ele.

— Eu não acho que consigo — sussurra Janae, mas eu balanço o braço dela com força.

— Você tem que conseguir. Você precisa dar jeito nesta situação, Janae. Tudo isso já foi longe demais.

Minhas mãos estão tremendo, mas consigo mandar uma mensagem rápida para Cooper — *está tudo bem, apenas espere* — e me levantar. Puxo Jane comigo e a empurro na direção da porta.

— Atenda à porta.

Entro tropeçando na sala de jantar e me ajoelho, abro o aplicativo de gravador do celular e aperto para gravar. Coloco o aparelho o mais próximo possível da passagem entre a sala de jantar e a de estar, e corro para me encolher na parede ao lado de uma cristaleira.

De início, o sangue que corre para as orelhas bloqueia um som ou outro, mas, quando ele recua, ouço a voz de Jake:

— ... você não tem ido ao colégio?

— Eu não estou me sentindo bem — responde Janae.

— Sério. — A voz de Jake está tomada por desdém. — Eu também não, mas vou mesmo assim. E você também precisa comparecer. Tudo como antes, sabe?

Tenho que fazer algum esforço para ouvir Janae.

— Você não acha que esta situação já foi longe demais, Jake? Tipo, Nate está na *cadeia*. Sei que esse é o plano e tudo mais, mas agora o que está acontecendo é muito complicado.

Não tenho certeza se o telefone vai conseguir captá-la, mas não posso fazer muita coisa a respeito. Não dá exatamente para dirigir Janae como uma atriz de teatro aqui da sala de jantar.

— Eu sabia que você estava surtando. — A voz de Jake ecoa facilmente. — Nós não podemos. Janae, nós não podemos surtar, porra. Isso colocaria a gente em risco. De qualquer forma, mandar Nate para a prisão foi escolha sua, não foi? Deveria ter sido Addy, e aliás é por isso que estou aqui. Você fez merda e precisa consertar a situação. Eu tenho algumas ideias.

A voz de Janae fica um pouco mais forte.

— Simon era *doente*, Jake. Cometer suicídio e incriminar outras pessoas por assassinato é loucura. Eu quero cair fora. Não vou contar a ninguém que você está envolvido, mas quero que a gente... sei lá... faça uma denúncia anônima de que tudo foi uma pegadinha ou algo assim. Temos que fazer isso parar.

Jake dá um muxoxo de desdém.

— A decisão não é sua, Janae. Não se esqueça do que tenho comigo. Posso colocar tudo na sua porta e ir embora. Não há nada que me ligue ao que aconteceu.

Errado, babaca, penso eu. Depois o tempo parece parar quando uma mensagem de Cooper surge no telefone com um toque alto de "Only Girl" da Rihanna. *Você está bem?*

Eu me esqueci do básico que era silenciar o celular antes de usá-lo como espiã.

— Mas que diabos? *Addy?* — ruge Jake.

Nem sequer penso, apenas disparo pela sala de jantar e cruzo a cozinha de Janae, agradecendo a Deus que ela tenha uma porta dos fundos por onde posso fugir. Passos pesados ecoam atrás de mim, então, em vez de ir para o carro de Cooper, eu corro para o bosque fechado atrás da casa de Janae. Passo voando pelo matagal em pânico, me desviando de arbustos e raízes enormes até que meu pé engancha em algo e caio no chão. É como a pista de atletismo novamente — joelho rasgado, sem fôlego, mãos em carne viva —, só que desta vez meu tornozelo também está torcido.

Eu ouço galhos quebrando atrás de mim, mais longe do que pensava, mas vindo bem na minha direção. Fico de pé, faço uma careta e considero minhas opções. Uma coisa é certa: depois de tudo que ouvi na sala de estar, Jake não vai sair deste bosque até me achar. Não sei se consigo me esconder, e tenho certeza absoluta de que não consigo correr. Eu respiro fundo, berro *Socorro!* a plenos pulmões e disparo novamente, tentando ziguezaguear para longe do ponto onde acho que Jake está, enquanto ainda tento me aproximar da casa de Janae.

Mas, ai, Deus, meu tornozelo dói demais. Eu mal estou me arrastando à frente, e os barulhos atrás de mim ficam mais altos até que uma mão agarra meu braço e me puxa para trás. Eu consigo gritar uma vez mais antes que Jake coloque a outra mão sobre a minha boca.

— Sua putinha — diz ele, com a voz rouca. — Você mesma que provocou isso, sabia?

Eu cravo os dentes na palma da mão de Jake, e ele emite um som animal de dor, solta a mão e levanta com a mesma rapidez para dar um tapa na minha cara.

Cambaleio com o rosto doendo, mas consigo ficar de pé e girar o corpo numa tentativa de enfiar o joelho na virilha de Jake e as unhas no seu olho. Jake grunhe de novo quando faço contato, e cambaleia o bastante para que eu me solte e dê meia-volta.

Meu tornozelo cede, e a mão de Jake agarra meu braço com a força de uma trepadeira. Ele me puxa em sua direção e me pega firme pelos ombros. Por um momento bizarro, acho que Jake vai me beijar.

Em vez disso, ele me empurra para o chão, se ajoelha e bate com minha cabeça em uma pedra. Meu crânio explode de dor, e minha visão fica vermelha nas bordas, depois preta. Alguma coisa faz pressão no meu pescoço e começo a sufocar. Não consigo ver nada, mas consigo escutar.

— Deveria ser você na prisão em vez de Nate, Addy — rosna Jake, enquanto arranho as mãos dele. — Mas isso serve também.

Uma voz de garota em pânico atravessa a dor na minha cabeça.

— Jake, pare! Deixe Addy em paz!

A pressão terrível para, e eu arfo para respirar. Ouço a voz de Jake, baixa e furiosa, depois um guincho e um baque. Eu deveria me levantar *agora mesmo*. Estico as mãos e sinto grama e terra embaixo dos dedos enquanto luto para encontrar um apoio. Eu simplesmente preciso me tirar do chão. E tirar as estrelas brilhando dos olhos. Uma coisa de cada vez.

As mãos voltaram para a minha garganta e estão apertando. Ataco com as pernas, mando que elas funcionem como fazem na bicicleta, mas elas parecem espaguete. Eu não paro de piscar até finalmente conseguir ver. Só que agora desejo não ter visto nada. Os olhos de Jake brilham como prata ao luar, cheios de fúria gelada. *Como eu não percebi que isso ia acontecer?*

Não consigo arrancar as mãos dele por mais força que faça.

Então, volto a respirar novamente quando Jake voa para trás, e imagino vagamente como e por que ele fez aquilo. Sons tomam conta do ar quando rolo de lado e arfo para encher os pulmões. Segundos ou minutos se passam, é difícil dizer, até que uma mão aperta meu ombro e eu pestanejo para ver um par de olhos diferentes. Gentis e preocupados. E tão assustados quanto os meus.

— Cooper — digo com a voz áspera.

Ele me coloca sentada, e eu deixo a cabeça cair no seu peito. Sinto o coração acelerado na minha bochecha enquanto o lamento distante de sirenes se aproxima.

CAPÍTULO 30

Nate
Sexta-feira, 9 de novembro, 15h40

Sei que tem alguma coisa diferente pela maneira como o guarda me olha quando chama meu nome. Não feito um bloco de terra que ele quer esmagar com o sapato, como sempre.

— Traga suas coisas — diz ele.

Eu não tenho muita coisa, mas enfio tudo sem pressa num saco plástico antes de segui-lo pelo longo corredor cinzento até o gabinete do diretor.

Eli está na entrada com as mãos nos bolsos e me lança o mesmo olhar intenso de sempre, só que multiplicado por cem.

— Bem-vindo ao restante da sua vida, Nate. — Quando eu não reajo, ele acrescenta: — Você está livre. Está solto. Tudo isso foi uma pegadinha que acabou de ser desmascarada. Então, tire este macacão, coloque roupas normais e vamos embora daqui.

A esta altura, estou acostumado a fazer o que me mandam, então, isso é tudo o que faço. Não compreendo nada, mesmo quando Eli me mostra as notícias sobre a prisão de Jake, até que ele me diz que Addy está no hospital com uma concussão e uma fratura no crânio.

— A boa notícia é que é uma fratura fina, sem dano cerebral profundo. Ela vai se recuperar completamente.

353

Addy, aquela princesa do baile desmiolada que virou investigadora ninja fodona, no hospital com o crânio rachado porque tentou me ajudar. Possivelmente está viva apenas por causa de Janae, que ganhou um maxilar quebrado pela inconveniência, e Cooper, que de repente virou uma espécie de super-herói por quem a mídia está babando. Eu ficaria feliz por ele se toda essa situação não me deixasse enjoado.

Há um monte de papelada quando se sai da prisão por um crime que você não cometeu. *Lei & Ordem* nunca mostra quantos formulários são necessários preencher antes de voltar ao mundo. A primeira coisa que vejo quando saio para a luz do sol reluzente é uma dezena de câmeras ganhando vida. É claro. A situação toda é um filme que não termina, e eu passei de vilão a herói em questão de horas, embora não tenha feito uma única coisa para influenciar esse desfecho desde que cheguei aqui.

Minha mãe está lá fora, o que acho que é uma surpresa agradável. Eu *nunca* estou despreparado para que ela desapareça. E Bronwyn, mesmo eu tendo dito especificamente que não queria vê-la perto deste lugar. Acho que ninguém acreditou que eu estava falando sério a respeito disso. Antes que eu possa reagir, os braços dela estão em volta de mim e meu rosto está enfiado em seu cabelo de maçã verde.

Meu Deus. Esta garota. Por alguns segundos sinto seu cheiro e tudo está bem.

Só que não.

— Nate, como você se sente estando livre? Tem algum comentário sobre Jake? Qual o seu próximo passo?

Eli dispara comentários para todos os microfones na minha cara enquanto avançamos para o carro dele. Eli é o homem do momento, mas não entendo o que ele fez para merecer isso. As acusações foram retiradas porque Bronwyn continuou desenrolando a trama, e foi atrás de uma testemunha. Porque o namorado de Cooper ligou os pontos que ninguém viu. Porque Addy se colocou na linha de tiro. E porque Cooper salvou tudo antes que Jake conseguisse calá-la.

Eu sou o único integrante do clube dos assassinos que não contribuiu com porra nenhuma. Tudo que fiz foi ser o bode expiatório.

Eli passa lentamente com o carro por todas as vans de noticiários até chegarmos à rodovia e o centro de detenção juvenil virar um pontinho ao longe. Ele está falando sobre tantas coisas que fica difícil acompanhar: que está trabalhando com a agente Lopez para retirar minhas acusações de tráfico de drogas; que se eu quiser dar uma declaração à imprensa, ele recomendaria Mikhail Powers; que preciso de uma estratégia para ser reintegrado ao colégio. Eu olho pela janela, e minha mão é um peso morto na de Bronwyn. Quando finalmente ouço a voz de Eli indagando se tenho alguma pergunta, noto que ele vem se repetindo há um tempo.

— Alguém alimentou Stan? — pergunto.

Meu pai com certeza não.

— Eu alimentei — responde Bronwyn.

Quando eu não reajo, ela aperta minha mão e acrescenta:

— Nate, você está bem?

Bronwyn tenta encontrar meu olhar, mas eu não consigo. Ela quer que eu esteja feliz, mas também não consigo. A impossibilidade de Bronwyn me atinge como um soco no estômago: tudo que ela quer é bom, certo e lógico, e eu não consigo fazer nada disso. Bronwyn sempre será aquela garota diante de mim na caça ao tesouro, com o cabelo reluzente me hipnotizando tanto que quase me esqueço que estou andando inutilmente atrás dela.

— Só quero ir para casa e dormir.

Ainda não estou olhando para Bronwyn, mas, pelo rabo do olho, vejo sua expressão ficar triste, e, por algum motivo, isso é perversamente satisfatório. Estou decepcionando Bronwyn, como fui programado para fazer. Finalmente algo faz sentido.

Cooper
Sábado, 17 de novembro, 9h30

É muito surreal descer para tomar café no sábado de manhã e ver minha avó lendo um exemplar da revista *People* comigo na capa.

Eu não posei para ela. É uma foto de Kris e eu saindo da delegacia após darmos depoimentos. Kris está fantástico, e eu pareço que acabei de acordar de uma noite de bebedeira terrível. É óbvio qual de nós dois é o modelo.

É engraçado como esse lance de fama acidental funciona. Primeiro as pessoas me apoiaram mesmo eu tendo sido acusado de trapaça e assassinato. Depois me odiaram por quem eu me revelei ser. Agora elas me amam de novo porque eu estava no lugar certo, na hora certa, e consegui derrubar Jake com um soco bem dado.

E por causa do efeito mágico de estar com Kris, eu suponho. Como Eli deu todo o crédito a Kris por ter descoberto o que realmente aconteceu, ele é o novo astro que surgiu nesta confusão inteira. E o fato de ele estar tentando evitar a máquina da mídia só faz com eles o queiram ainda mais.

Lucas está sentado diante da Vovó, enfiando colheres de cereal de chocolate na boca enquanto mexe no iPad.

— Sua página de fãs no Facebook tem cem mil curtidas agora — informa ele, enquanto tira uma mecha de cabelo do rosto, como se fosse um inseto irritante.

Essa é uma boa notícia para o meu irmão, que levou para o lado pessoal quando a maior parte dos meus pretensos fãs desertaram da página após a polícia ter revelado que eu sou gay.

A Vovó torce o nariz e joga a revista na mesa.

— Que horrível. Um rapaz está morto, outro arruinou a própria vida e quase arruinou a de vocês, e as pessoas ainda tratam o caso como se fosse um programa de TV. Em breve tudo isso vai passar, se Deus quiser. Outra coisa vai surgir e você pode voltar ao normal.

O que quer que seja isso.

Já faz uma semana que Jake foi preso. Até agora, ele foi acusado de agressão, obstrução da justiça, manipulação de provas, e um bando de outras coisas que não consigo acompanhar. Jake está com advogado próprio e se encontra no mesmo centro de detenção onde Nate esteve preso, o que considero que seja justiça poética, mas não é uma coisa boa. Eu ainda não consigo conciliar o cara que arranquei de cima de Addy com o moleque de quem fui amigo desde o nono ano. O advogado dele está falando sobre influência indevida por parte de Simon, e talvez isso explique tudo. Ou talvez Ashton esteja certa e Jake sempre foi um louco por controle, desde o início.

Janae está cooperando com a polícia e parece que ela vai fazer um acordo de delação premiada. Addy e ela são unha e carne agora. Eu tenho sentimentos contraditórios em relação a Janae e à forma como ela deixou a situação ir tão longe. Mas também não sou tão inocente quanto pensava. Enquanto Addy estava zureta das ideias por causa dos analgésicos no hospital, ela me contou tudo, incluindo como a desfeita idiota e assustada que cometi no baile dos calouros fez Simon ter ódio suficiente de mim a ponto de me incriminar por assassinato.

Tenho que descobrir uma forma de conviver com isso, e não será por não perdoar os erros das outras pessoas.

— Você vai se encontrar com Kris mais tarde? — pergunta a Vovó.

— Sim — respondo.

Lucas continua comendo cereal sem piscar um olho. Na verdade, ele não está nem aí que o irmão mais velho tenha um namorado, embora pareça que sinta saudade de Keely.

Também vou ver Keely hoje, antes de me encontrar com Kris. Em parte porque lhe devo desculpas, e em parte porque ela também foi envolvida nesta confusão, mesmo que a polícia tenha tentado manter seu nome fora da confissão de Simon. Keely não foi mencionada no registro público, mas o pessoal no colégio já sabia o suficiente para adivinhar. Eu mandei uma mensagem para ela no início da semana para saber como estava, e ela respondeu com um pedido de desculpas por não ter me apoiado mais quando a história sobre Kris foi revelada. Isso foi bacana da parte de Keely, considerando as mentiras que contei.

Nós trocamos algumas mensagens depois. Ela ficou muito magoada pelo papel que desempenhou em tudo, embora não fizesse ideia do que estava acontecendo. Eu sou uma das poucas pessoas na cidade que conseguem compreender essa sensação.

Talvez a gente consiga ser amigos depois que tudo isso acabar. Eu gostaria disso.

O Pai entra na cozinha com o laptop, balançando o aparelho, como se tivesse um presente dentro.

— Você viu seu e-mail?

— Hoje ainda não.

— Josh Langley entrou em contato. Quer saber se você está pensando na universidade em vez da seleção. E chegou a oferta da UCLA. Mas nada da Universidade Estadual da Louisiana por enquanto.

O Pai não vai ficar feliz até que todos os cinco principais times universitários façam uma oferta de bolsa. A faculdade em Louisiana foi a única que não se pronunciou, o que deixa meu pai irritado, já que ela é a primeira da lista.

— Enfim — diz ele —, Josh quer conversar semana que vem. Você topa?

— Claro — respondo, embora eu já tenha decidido que não irei diretamente para a seleção.

Quanto mais eu penso sobre meu futuro no beisebol, mais quero que o próximo passo seja só o beisebol universitário. Tenho o resto da vida para jogar, mas apenas alguns poucos anos para fazer faculdade.

E minha primeira escolha é a Universidade Estadual da Califórnia, porque foi a única faculdade que não se afastou de mim quando eu estava na pior.

Mas o Pai vai ficar feliz de conversar com Josh Langley. Voltamos a ter uma hesitante relação pai e filho desde que as boas notícias do beisebol começaram a surgir. Ele ainda não fala comigo sobre Kris e fica calado quando outra pessoa o menciona. Porém, não sai mais correndo do ambiente. E voltou a me olhar nos olhos.

É um começo.

Addy
Sábado, 17 de novembro, 14h15

Como não posso andar de bicicleta por causa do crânio fraturado e do tornozelo torcido, Ashton me leva de carro para a consulta de revisão do médico. Tudo está sarando do jeito que deveria, embora eu ainda sinta dores de cabeça instantâneas caso mexa a cabeça rápido demais.

O lance emocional vai demorar mais. Metade do tempo, tenho a sensação de que Jake morreu, e, na outra metade, eu quero matá-lo. Posso admitir, agora, que Ashton e TJ não estavam errados a respeito de como era nosso relacionamento. Ele controlava tudo, e eu permitia. Mas nunca imaginaria que Jake seria capaz daquilo que fez no bosque. Meu coração parece que ficou como o meu crânio logo depois que Jake me atacou — como se tivesse sido dividido ao meio por um machado cego.

Também não sei o que sinto em relação a Simon. Às vezes eu fico muito triste quando penso como ele planejou arruinar a vida de quatro pessoas porque achou que tiramos dele coisas que todo mundo quer: ser bem-sucedido, ter amigos, ser amado. Ser *visto*.

Mas, na maior parte do tempo, simplesmente desejo que nunca tivesse conhecido Simon.

Nate me visitou no hospital, e eu o vi algumas vezes desde que tive alta. Estou preocupada com ele. Nate não é uma pessoa que desabafa, mas ele me disse o suficiente a ponto de eu perceber que ele se sentiu bastante inútil por ficar preso. Venho tentando convencê-lo do contrário, mas não acho que esteja conseguindo entrar na cabeça dele. Eu gostaria que Nate me desse ouvidos, porque, se alguém sabe como foder a vida quando a pessoa decide que não presta, esse alguém sou eu.

TJ me mandou mensagens algumas vezes desde que recebi alta há alguns dias. Ele não parava de dar sinais de que ia me chamar para sair, então eu finalmente tive que dizer que não vai acontecer. É impossível que eu me junte à pessoa que me ajudou a iniciar toda essa reação em cadeia. É uma pena, porque talvez houvesse potencial se a gente tivesse conduzido a situação de maneira diferente. Mas estou começando a me dar conta de que há coisas que são impossíveis de serem desfeitas, não importa o tamanho das boas intenções.

Tudo bem também. Eu não concordo com minha mãe que TJ fosse minha última e melhor esperança para evitar o posto prematuro de titia. Ela não é a especialista que pensa que é em relacionamentos.

Prefiro seguir o exemplo de Ashton, que está curtindo a súbita paixão por Eli. O advogado foi atrás dela após a situação com Nate ser resolvida, e chamou minha irmã para sair. Como Ashton disse que não está pronta para namorar ainda, ele não para de interromper sua jornada de trabalho insana para levá-la a programas elaborados e cuidadosamente planejados que não são encontros — que, ela tem que admitir, está curtindo.

— Não sei se posso levá-lo a sério — comenta Ashton, enquanto capengo até o carro de muletas após o exame. — Quero dizer, só por aquele cabelo...

— Eu gosto do cabelo. Tem personalidade. Além disso, parece macio como uma nuvem.

Ashton dá um sorrisão e afasta uma mecha solta de cabelo da minha testa.

— Eu gosto do *seu*. Deixe crescer um pouco mais e seremos gêmeas.

Esse é o plano secreto. Venho cobiçando o penteado de Ashton desde o início.

— Eu tenho algo para te mostrar — diz ela ao se afastar do hospital. — Boas notícias.

— Sério? O quê?

Às vezes é difícil lembrar qual é a sensação de receber boas notícias. Ashton balança a cabeça e sorri.

— É para mostrar, não para contar.

Ela estaciona em frente a um novo prédio naquilo que mais se aproxima de uma vizinhança descolada em Bayview. Ashton acompanha meu ritmo lento ao entrarmos no saguão iluminado e me conduz a um banco na recepção.

— Espere aqui — diz ela, enquanto apoia as muletas no banco.

Minha irmã desaparece por uma curva e, quando retorna dez minutos depois, me conduz a um elevador, que nos leva ao terceiro andar.

Ela enfia uma chave na porta marcada com o número 302 e abre para revelar um grande apartamento com pé-direito alto, parecido com um estúdio. É cheio de janelões, tijolos expostos e piso de tábua corrida encerada, e eu amo o apartamento instantaneamente.

— O que você acha? — pergunta Ashton.

Eu apoio as muletas na parede, entro aos pulinhos na cozinha aberta e admiro o mosaico de azulejos na parede atrás da pia. Quem diria que Bayview tem um lugar assim?

— É lindo. Você, hã, está pensando em alugá-lo?

Tento parecer entusiasmada, e não com medo de que Ashton me deixe sozinha com a mamãe. Minha irmã não está morando lá em casa há tanto tempo assim, mas fiquei meio que acostumada a tê-la conosco.

— Já aluguei — revela ela, dando um sorrisão e um pequeno rodopio no piso de madeira de lei. — Charlie e eu recebemos uma oferta no condomínio enquanto você esteve no hospital. O negócio ainda tem que ser fechado, mas, assim que for, vamos ter um bom lucro. Ele aceitou assumir todos os empréstimos estudantis como parte do acordo de divórcio. Meu trabalho como designer ainda está devagar, mas vou ter grana suficiente para conseguir pagar o aluguel. E o custo de vida em Bayview é bem menor do que em San Diego. Esse apartamento no centro custaria o triplo lá.

— Que fantástico! — Espero estar fazendo um bom trabalho ao fingir empolgação. *Estou* empolgada por ela, de verdade, mas sentirei falta da minha irmã. — É bom que você tenha um quarto sobrando para eu poder te visitar.

— Eu tenho, de fato, um quarto sobrando — diz Ashton. — Mas não quero que você visite.

Olho estupefata para ela. Não posso ter ouvido direito. Pensei que a gente estivesse se dando bem nos últimos meses. Ela ri ao ver minha expressão.

— Quero que você *more* aqui, sua boba. Você precisa sair daquela casa tanto quanto eu. A mamãe disse que não tem problema. Ela está naquela fase ladeira abaixo com Justin onde pensa que um casal precisa passar bastante tempo sozinho para resolver seus problemas. E, além disso, você vai fazer 18 anos de idade em alguns meses e pode morar onde bem quiser.

Eu agarro Ashton num abraço antes que ela consiga terminar, e minha irmã aguenta por alguns segundos antes de se desvencilhar. Ainda não dominamos a arte da afeição entre irmãs que não seja embaraçosa.

— Vá em frente, vá ver seu quarto. É bem ali.

Eu capengo até um quarto banhado pelo sol com uma enorme janela que dá vista para uma ciclovia atrás do prédio. Há estantes de livros embutidas na parede, e vigas expostas no teto sustentam um lustre sensacional cheio de lâmpadas de filamentos em vários tamanhos e formatos. Eu amo tudo naquele quarto. Ashton se encosta na porta e sorri para mim.

— Um recomeço do zero para nós duas, hein?

Finalmente parece que isso pode ser verdade.

Bronwyn
Domingo, 18 de novembro, 10h45

No dia seguinte à libertação de Nate, eu dei minha primeira e única entrevista para a imprensa. Eu não queria, mas o próprio Mikhail Powers me emboscou do lado de fora da minha casa, e, como eu imaginava, quando vi pela primeira vez a potência de seu charme voltada para o nosso caso, não consegui resistir a ele.

— Bronwyn Rojas. A garota com um futuro brilhante.

Ele estava com um terno azul-marinho elegante e uma gravata com padronagem discreta, as abotoaduras de ouro reluziram quando Mikhail estendeu a mão com um sorriso gentil.

— Venho tentando falar com você há semanas — confessa ele. — Você nunca desistiu do seu amigo, não foi? Eu admiro isso. Admirei você pelo decorrer do caso inteiro.

— Obrigada — agradeço com a voz fraca.

Aquilo foi uma tentativa franca de me bajular, e funcionou completamente.

— Eu adoraria saber sua opinião sobre tudo. Pode ceder alguns minutos para nos dizer como foi essa provação para você e como se sente agora que acabou?

Eu não deveria. Robin e minha família tivemos nossa última reunião jurídica na manhã de hoje, e seu conselho de despedida foi para sermos discretos. Ela estava certa, como sempre. Mas tinha algo que eu queria revelar que não pude dizer antes.

— Só uma coisa. — Eu olhei para a câmera enquanto Mikhail dava um sorriso encorajador. — Eu realmente roubei o teste de Química e sinto muito. Não apenas por ter me colocado nesta confusão, mas porque foi uma coisa horrível de se fazer. Meus pais me criaram para ser honesta e trabalhar duro, como eles fazem, e eu decepcionei os dois. Não foi justo com eles, com meus professores ou com as faculdades que eu queria entrar. E não foi justo com Simon.

Minha voz começou a tremer naquele momento, e não consegui conter mais as lágrimas.

— Se eu soubesse... se tivesse imaginado... nunca vou deixar de me sentir arrependida pelo que fiz. Nunca farei algo assim novamente. É tudo que eu queria dizer.

Eu duvido que era isso que Mikhail queria, mas ele usou o material mesmo assim no último programa sobre o Colégio Bayview. Dizem os rumores que Mikhail vai tentar inscrever a série para concorrer ao Emmy.

Meus pais não param de falar que não posso me culpar pelo que Simon fez. Assim como não paro de dizer a mesma coisa para Cooper e Addy. E eu diria a Nate, se ele permitisse, mas mal ouvi falar dele desde que saiu do centro de detenção juvenil. Nate fala com Addy mais do que comigo agora. Quero dizer, ele *deve* falar com Addy, que é obviamente uma estrela do rock. Mas ainda assim.

Nate finalmente concorda em me deixar visitá-lo e colocar o papo em dia, mas não crio tanta expectativa como costumava quando toco a campainha. Alguma coisa mudou desde que ele foi preso. Quase espero que Nate não esteja em casa, mas ele abre a porta rangente e me dá passagem.

A casa de Nate parece melhor do que antes, quando alimentei Stan. A mãe dele está ficando aqui e acrescentou todo tipo de detalhes novos, como cortinas, almofadas e fotografias emolduradas. A última vez que falei brevemente com Nate depois que ela voltou para casa, ele disse que a mãe convenceu o pai a tentar passar um tempo numa clínica de reabilitação. Nate não tem muita esperança quanto a isso, mas tenho certeza de que estar com o pai temporariamente fora de casa é um alívio.

Nate desaba numa poltrona na sala de estar enquanto vou até Stan e espio dentro da jaula, contente pela distração. Ele ergue a pata da frente na minha direção, e eu rio de surpresa.

— Stan acabou de *acenar* para mim?

— Sim. Ele faz isso, tipo, uma vez por ano. É o único gesto dele. — Nate encara meu olhar com um sorriso, e por um segundo as coisas estão normais entre nós, mas aí o sorriso desaparece e ele baixa os olhos. — Então. Parece que eu não tenho muito tempo, na verdade. A agente Lopez quer me arrumar um emprego de fim de semana numa construtora qualquer em Eastland. E tenho que estar lá em vinte minutos.

— Que ótimo. — Eu engulo em seco. Por que é tão difícil falar com ele agora? Foi a coisa mais fácil do mundo há algumas semanas. — Eu só… — digo. — Acho que eu queria dizer que, há, sei que você passou por algo terrível e entendo se não quiser falar a respeito, mas estou aqui caso queira. E eu ainda... gosto de você. Tanto quanto antes. Então. É só isso, eu acho.

É um começo embaraçoso, agravado pelo fato de que Nate não olha para mim durante meu pequeno discurso triste. E, quando finalmente olha, seus olhos não têm emoção.

— Eu venho querendo falar com você quanto a isso. Primeiro, obrigado por tudo que você fez. Sério, eu te devo uma. Provavelmente jamais poderei pagar, mas é hora de voltar ao normal, certo? E nós não somos o normal um do outro.

Ele desvia o olhar novamente, o que me mata. Se Nate olhasse para mim por mais de dez segundos, tenho certeza de que não diria isso.

— Não, não somos. — Fico surpresa com a firmeza da minha voz. — Mas isso nunca me incomodou, e não acho que tenha incomodado você. Meus sentimentos não mudaram, Nate. Ainda quero estar com você.

Eu nunca disse algo tão importante de maneira tão direta, e a princípio fico contente que não tenha me acovardado. Mas Nate parece que não está nem aí. E, embora eu não me abale por obstáculos externos que surgem no meu caminho — *Pais que desaprovam? Sem problema! Sentença na cadeia? Eu vou te soltar!* —, a indiferença dele me faz perder as forças.

— Eu não vejo sentido. Nós levamos vidas muito diferentes, e não temos nada em comum agora que a investigação foi encerrada. Você precisa se preparar para as grandes universidades, e eu... — Nate solta uma risada sem graça. — Eu farei seja lá o que for o oposto disso.

Quero abraçá-lo e beijá-lo até que ele pare de falar assim. Mas seu rosto está fechado, como se sua mente já estivesse a mil quilômetros dali, esperando que o corpo o alcançasse. Como se Nate só tivesse me deixado vir ali por causa de uma sensação de obrigação. E eu não suporto aquilo.

— Se é assim que você quer.

Ele concorda com a cabeça tão rápido que qualquer fiapo de esperança que eu pudesse ter desaparece.

— É. Boa sorte com tudo, Bronwyn. Obrigado de novo.

Nate se levanta, como se fosse me acompanhar até a porta, mas não consigo tolerar falsa educação neste exato momento.

— Não se incomode — digo ao passar por ele com os olhos voltados para o chão.

Eu saio sozinha e ando com o corpo rígido até o carro, fazendo um esforço para não correr, e remexo atabalhoadamente na bolsa com as mãos trêmulas até achar as chaves.

Dirijo para minha casa com os olhos secos, que não piscam, e subo até meu quarto antes de perder o controle. Maeve bate suavemente na porta e entra sem esperar pelo convite. Ela se aninha ao meu lado e faz carinho no meu cabelo enquanto choro com a cara enfiada num travesseiro, como se meu coração tivesse acabado de rachar no meio. O que acho que aconteceu.

— Sinto muito — lamenta minha irmã, que sabia aonde eu tinha ido, e não preciso contar a ela o que aconteceu. — Ele está sendo um babaca.

Maeve não diz mais nada até eu me esgotar e sentar, esfregando os olhos. Eu me esqueci de como é cansativo chorar sem parar.

— Desculpe por não conseguir melhorar esta situação — diz Maeve, enquanto enfia a mão no bolso e retira o telefone. — Mas tenho algo para te mostrar que pode te animar. Muitas reações no Twitter à declaração que você fez ao *Mikhail Powers Investiga*. Todas positivas, aliás.

— Maeve, eu não me importo com o *Twitter* — digo, cansada.

Eu não acessei o Twitter desde que essa confusão toda começou. Mesmo com o perfil privado, eu não conseguiria lidar com o massacre de opiniões.

— Eu sei, mas você deveria ver isso.

Ela me entrega o telefone e aponta para uma postagem feita pela Universidade de Yale:

Errar é humano @BronwynRojas. Estamos ansiosos para receber seu pedido de matrícula.

EPÍLOGO

TRÊS MESES DEPOIS

Bronwyn
Sexta-feira, 15 de fevereiro, 18h50

Eu meio que estou saindo com Evan Neiman agora. A relação chegou de mansinho. Primeiro estávamos sempre juntos em grupos grandes, depois nos menores, e há algumas semanas ele me deu carona até em casa, após termos assistido (e odiado) *The Bachelor*, na casa de Yumiko, com muitos amigos. Quando chegamos a minha casa, Evan se debruçou sobre mim e me beijou.

Foi... bom. Ele beija bem. Eu me vi analisando o beijo em detalhes praticamente clínicos enquanto acontecia, congratulando Evan mentalmente sobre a técnica fora de série, e ao mesmo tempo notando a ausência de qualquer tesão ou atração magnética entre nós. Meu coração não disparou quando devolvi o beijo, e os braços e pernas não tremeram. Foi um bom beijo com um rapaz bacana. O tipo que eu sempre quis.

Agora as coisas estão praticamente como eu pensava que estariam quando me imaginei namorando com Evan pela primeira vez. Nós somos um casal sério. Eu tenho um acompanhante automático para o baile do recesso da primavera, o que é legal. Mas estou planejando minha vida pós-colégio em uma trilha paralela que não tem nada a ver com ele. Somos um casal até a formatura, no máximo.

Eu me matriculei em Yale, mas não fiz matrícula antecipada. Vou descobrir no mês que vem, juntamente com todo mundo, se entrei ou não. Entretanto, agora isso não parece mais ser o fator essencial do meu futuro. Estou trabalhando como estagiária de Eli nos fins de semana e começando a ver o lado bom de permanecer em Bayview e acompanhar o Até que Provem.

Tudo está muito mutável, e estou tentando levar isso na boa. Penso muito em Simon e no que a mídia chamou de "ressentimento causado pela sensação de direito adquirido" — a crença de que deviam a Simon algo que ele não recebeu, e que todo mundo deveria pagar por causa disso. É quase impossível de compreender, a não ser por aquele cantinho do meu cérebro que me levou a roubar um teste por uma legitimação que eu não merecia. Eu nunca mais quero ser aquela pessoa de novo.

A única ocasião em que vejo Nate é no colégio. Ele frequenta mais do que antigamente, e acho que está indo bem. Mas não sei ao certo, porque não nos falamos mais. De maneira alguma. Nate não estava brincando sobre seguirmos nossas vidas separadas.

Às vezes eu quase flagro Nate olhando para mim, mas provavelmente é um desejo que eu queria que fosse realidade.

Ele ainda está na minha mente constantemente, e isso é uma merda. Eu torci para que meu relacionamento com Evan pudesse conter a presença de Nate nos meus pensamentos, mas só piorou as coisas. Então, tento não pensar em Evan a não ser que esteja de fato com ele, o que significa que eu às vezes deixo passar coisas que não deveria. Tipo, hoje à noite que paguei de pseudonamorada de Evan.

Tenho um solo de piano com a Orquestra Sinfônica de San Diego. É parte da série de concertos Foco no Ensino Médio, para o qual me inscrevi desde que era caloura sem jamais ter recebido um convite. No último mês, finalmente recebi. Provavelmente foi por causa de algum resquício de notoriedade, embora eu goste de pensar que o vídeo de teste de "Variações do Cânone" que enviei ajudou.

— Você está nervosa? — pergunta Maeve ao descermos a escada.

Minha irmã está arrumada para o concerto com um vestido de veludo cor de vinho que tem um ar renascentista, e seu cabelo está preso por uma trança cheia de pequenos grampos cravejados. Maeve recentemente conseguiu o papel de Lady Guinevere na próxima versão de *Rei Arthur* do clube de teatro, e exagerou um pouco ao entrar no papel. Porém, o vestido lhe cai muito bem. Eu estou mais conservadora num vestido de tecido Jacquard com decote em U e uma padronagem sutil de pontos pretos e brancos, que é justo na cintura e rodado acima dos joelhos.

— Um pouco — respondo, mas ela está meio distraída.

Os dedos de Maeve voam pelo telefone, provavelmente combinando mais um ensaio de fim de semana com o garoto que interpreta Lancelot em *Rei Arthur*, que ela insiste que é apenas um amigo. Claro.

Estou com o celular na mão, mandando mensagens com orientações para Kate, Yumiko e Addy. Cooper vai trazer Kris, mas os dois estão jantando com os pais dele primeiro, então, talvez se atrasem. Com os pais de Kris, quero dizer. O pai de Cooper está mudando lentamente de opinião, mas ainda não chegou a esse ponto. Yumiko manda uma mensagem *Devemos procurar por Evan?*, e nesse momento eu me lembro de que jamais o convidei.

Mas tudo bem. Não é nada demais. Saiu no jornal, e tenho certeza de que ele teria mencionado se tivesse visto e quisesse vir.

Nós estamos no Salão Copley, diante de uma plateia lotada. Quando é a minha vez de tocar, entro no enorme palco que apequena o piano no centro. A plateia está em silêncio, exceto por algumas tosses ocasionais, e meus saltos fazem um barulho alto no piso encerado. Ajeito o vestido embaixo de mim antes de me sentar no banco de ébano. Nunca me apresentei para tanta gente, mas não estou nervosa como pensei que estaria.

Eu flexiono os dedos e espero por um sinal dos bastidores. Quando começo, posso dizer logo de cara que será a melhor apresentação da minha vida. Todas as notas fluem, mas não é apenas isso. Quando atinjo o crescendo e as notas suaves a seguir, eu coloco todas a emoções dos últimos meses nas teclas embaixo dos dedos. Sinto cada nota como uma batida do coração. E sei que a plateia também o faz.

Altos aplausos ecoam pelo salão quando eu termino. Fico de pé e inclino a cabeça, absorvendo a aprovação do público até que o gerente de palco acena para mim e entro nas coxias. Nos bastidores, eu recolho as flores que meus pais deixaram para mim, e as abraço enquanto ouço os demais artistas.

Depois consigo conversar com meus amigos no saguão. Kate e Yumiko me dão um buquê menor, que se junta às flores que já estão nas mãos. Addy está sorrindo com as bochechas rosadas e usando um novo casaco da equipe de atletismo sobre um vestido preto; a atleta mais improvável do mundo. O cabelo que é quase igual ao corte *choppy bob* da irmã, a não ser pela cor. Ela decidiu usá-lo completamente púrpura, e caiu bem.

— Aquilo foi tão bom! — elogia Addy alegremente ao me puxar para um abraço. — Eles deviam ter te deixado tocar *todas* as canções.

Para minha surpresa, Ashton e Eli surgem atrás dela. A irmã de Addy mencionou que estaria ali, mas não pensei que Eli fosse sair do escritório tão cedo. Acho que eu já deveria saber. Os dois são oficialmente um casal agora, e Eli dá algum jeito de encontrar tempo para o que quer que Ashton queira fazer. Ele fica com aquele sorriso bobo de sempre quando estão juntos, e duvido de que Eli tenha ouvido uma nota que eu toquei.

— Nada mal, Bronwyn — diz ele.

— Filmei você — avisa Cooper, brandindo o celular. — Eu te mando depois que fizer umas edições.

Kris, que está elegante vestindo um paletó esportivo e jeans escuros, revira os olhos.

— Cooper finalmente aprendeu a usar o iMovie e agora nada o detém. Acredite. Eu tentei.

Cooper abre um sorriso de quem não está arrependido, guarda o telefone e dá a mão a Kris. Addy não para de virar o pescoço para vasculhar o saguão lotado a ponto de eu ficar curiosa se ela trouxe um acompanhante.

— Esperando alguém? — pergunto.

— O quê? Não — responde ela ao fazer um gesto animado. — Só olhando as coisas. Que prédio lindo.

Addy tem o pior rosto inexpressivo do mundo. Eu acompanho o seu olhar, mas não vejo nenhum possível sujeito misterioso. Mas ela não parece desapontada.

As pessoas continuam me parando a fim de conversar, então, eu, Maeve e meus pais levamos meia hora para sair. Meu pai aperta os olhos para as estrelas cintilantes no céu.

— Eu tive que estacionar bem longe. É melhor vocês três não andarem até lá de salto alto. Esperem aqui que vou trazer o carro.

— Tudo bem — diz minha mãe, que dá um beijo na bochecha dele.

Eu seguro firme as flores e olho para todas as pessoas bem-vestidas ao nosso redor, rindo e murmurando enquanto saem aos borbotões para as calçadas. Uma fila de carros de luxo avança, e observo os veículos, mesmo que esteja cedo demais para meu pai estar entre eles. Um Lexus. Um Range Rover. Um Jaguar.

Uma moto.

Meu coração dispara quando as luzes se apagam e o piloto retira o capacete. Nate desce da moto, passa por um casal mais velho e avança na minha direção com os olhos fixos nos meus.

Eu não consigo respirar.

Maeve cutuca o braço da minha mãe.

— Melhor a gente se aproximar do estacionamento para o papai nos ver.

Meus olhos estão voltados para Nate, então, eu apenas ouço o longo suspiro da mamãe. Mas ela se afasta com Maeve, e as duas me deixam sozinha na calçada quando Nate chega.

— Ei.

Ele me encara com aqueles olhos cativantes, com cílios grandes e escuros, e o rancor corre pelas minhas veias. Eu não quero ver aqueles olhos idiotas, aquela boca idiota, e todas as partes daquele rosto idiota que me fez sofrer pelos últimos três meses. Eu tive uma noite, finalmente, onde pude me perder em algo além da minha patética vida amorosa. Agora ele a estragou.

Mas não vou lhe dar a satisfação de saber disso.

— Oi, Nate. — Fico surpresa com minha voz calma e neutra; é impossível imaginar como o coração quer fugir desesperadamente da caixa torácica. — Como vai você?

— Ok — responde ele, enquanto enfia as mãos nos bolsos.

Nate parece quase… envergonhado? É uma postura nova vindo dele.

— Meu pai voltou para a clínica de reabilitação — diz ele. — Mas disseram que isso é uma coisa positiva, que ele está dando outra chance.

— Que ótimo. Espero que dê certo. — Não parece que estou sendo sincera, embora eu esteja. Quanto mais tempo ele fica ali, mais difícil é agir naturalmente. — Como vai sua mãe?

— Bem. Trabalhando. Ela trouxe tudo do Oregon, então… acho que vai ficar por um tempo. Esse é o plano, de qualquer forma. — Nate passa a mão pelo cabelo e dispara outra olhadela com os olhos semicerrados para mim, o tipo de expressão que costumava tomar seu rosto antes de me beijar. — Eu vi seu solo. Eu estava errado, naquela noite na sua casa quando te ouvi pela primeira vez. *Esta*, hoje à noite, foi a melhor coisa que já ouvi na vida.

Eu aperto tanto os talos das flores que os espinhos das rosas me espetam.

— Por quê?

— Por que o quê?

— Por que você veio? Quero dizer... — Eu aponto a multidão com o queixo. — Esta não é a sua praia, né?

— Não — admite Nate. — Mas é importante para você, certo? Eu queria ver.

— Por quê? — repito.

Quero perguntar mais, porém não consigo. A garganta se fecha, e fico horrorizada quando os olhos ardem e se enchem. Eu me concentro na respiração, aperto os espinhos e forço a dor leve a me distrair. Ok. Pronto. Lágrimas contidas. Desastre impedido.

Nos segundos em que fiquei me controlando, Nate se aproximou. Eu não sei para onde olhar porque não há parte do corpo dele que não me desconcentre.

— Bronwyn. — Nate esfrega a nuca e engole em seco, e percebo que ele está tão nervoso quanto eu. — Fui um idiota. Ficar preso bagunçou a minha cabeça. Pensei que você ficaria melhor sem mim na sua vida, então, eu simplesmente... fiz com que isso acontecesse. Desculpe.

Eu baixo os olhos para os tênis de Nate, que parecem ser o ponto mais seguro. Não confio em mim para falar.

— O problema é que... nunca tive alguém de fato, sabe? Não estou dizendo isso para você sentir pena de mim. Só para tentar explicar. Eu não sei... não sabia... como essas coisas funcionam. Que não dá para fingir que não dá a mínima e acabou. — Nate troca de pés, o que eu noto já que meus olhos permanecem fixos no chão. — Eu venho falando com Addy sobre isso porque... — Ele ri um pouco. — Ela não deixa o assunto em paz. Eu perguntei a Addy se ela achava que você ficaria furiosa se eu tentasse conversar com você, e ela disse que não isso não importava. Que eu te devia uma explicação de qualquer forma. Addy está certa. Como sempre.

Addy. Aquela intrometida. Não surpreende que ela tenha ficado procurando por alguém no salão.

Eu pigarreio para tentar desfazer o nó da garganta, mas não adianta. Tenho que superá-lo para falar.

— Você não era apenas meu namorado, Nate. Você era meu *amigo*. Ou eu achei que fosse. E aí você parou de falar comigo como se não fôssemos nada.

Eu tenho que morder com força o interior da bochecha para evitar as lágrimas novamente.

— Sei disso. Eu fui... meu Deus, nem consigo explicar, Bronwyn. Você foi a melhor coisa que aconteceu na minha vida, e isso me fez surtar. Achei que eu fosse te arruinar. Ou que você fosse me arruinar. É assim que as coisas rolam no lar dos Macauley. Mas você não é assim. — Ele solta um longo suspiro, e a voz fica mais baixa. — Você não é como qualquer outra pessoa. Eu sei disso desde que éramos crianças e simplesmente... fiz merda. Eu finalmente tive uma chance com você e fiz merda.

Nate espera um segundo para que eu diga algo, mas não consigo ainda.

— Desculpe — lamenta ele, trocando os pés novamente. — Eu não devia ter vindo. Joguei isso em cima de você assim, do nada. Eu não tinha a intenção de estragar sua grande noite.

A multidão está diminuindo, o ar da noite, esfriando. Meu pai vai chegar aqui em breve. Eu finalmente ergo os olhos, e a situação é tão enervante quanto achei que fosse.

— Você me magoou de verdade, Nate. Você não pode simplesmente chegar aqui de moto com... tudo *isso* — eu gesticulo em volta do rosto dele — e esperar que a situação entre nós fique bem. Não vai.

— Eu sei. — Os olhos de Nate procuram os meus. — Mas eu tinha esperanças... Quero dizer, o que você falou antes. Que éramos amigos. Eu queria te convidar... provavelmente é uma idiotice, depois de tudo isso, mas você sabe o Cinema Porter, em Clarendon? Aquele em que passa filmes antigos? Eles estão passando o segundo filme da série *Divergente* lá. Eu estava, hã, querendo saber se você gostaria de ir alguma hora.

Uma longa pausa. Meus pensamentos estão uma zona, mas tenho certeza de uma coisa — se eu disser não será motivado por orgulho e autopreservação. Não porque eu não queira.

— Como amigos?

— Como o que você quiser. Quero dizer, sim. Como amigos seria ótimo.

— Você odeia esses filmes — digo para ele se lembrar.

— Odeio mesmo. — Nate soa arrependido, e eu quase começo a rir. — Mas gosto mais de você. Estou sentindo muito a sua falta.

Eu franzo a testa para ele, que acrescenta rapidamente:

— Como amigo.

Nós nos encaramos por alguns segundos até o maxilar dele tremer.

— Ok. Como estou sendo sincero aqui, mais do que como amigo. Mas entendo que não seja onde sua cabeça está. Ainda assim, eu gostaria de te levar para um filme merda e ficar de boberia por algumas horas, se você permitir.

Minhas bochechas ardem, e os cantos da boca não param de tentar se virar para cima. Meu rosto oscila entre me trair e não me trair. Nate vê a expressão e se anima, mas, quando não digo nada, ele puxa a gola da camiseta e baixa a cabeça, como se já tivesse sido rejeitado.

— Bem, apenas pense a respeito, ok?

Eu respiro fundo. Ter levado um pé na bunda de Nate partiu meu coração, e a ideia de me abrir de novo para esse tipo de sofrimento é assustadora. Mas eu me arrisquei por Nate uma vez, quando disse o que sentia por ele. E novamente, quando o ajudei a sair da prisão. Nate vale pelo menos uma terceira vez.

— Se você admitir que *Insurgente* é um *tour de force* cinematográfico e que no fundo está doido para assistir, eu considerarei sua proposta.

Nate ergue o rosto de supetão e me dá um sorriso, como se o sol tivesse surgido.

— *Insurgente* é um *tour de force* cinematográfico, e eu estou doido para assistir.

A felicidade começa a borbulhar em mim, o que dificulta sustentar uma expressão séria. Porém, consigo manter a pose porque não vou facilitar *tanto assim* a situação para ele. Nate vai ver a série inteira antes de sairmos da *friendzone*.

— Essa foi rápida — digo. — Eu esperava mais resistência.

— Já desperdicei tempo demais.

Concordo com um leve aceno de cabeça.

— Tudo bem, então. Eu te ligo.

O sorriso de Nate some um pouco.

— Mas a gente nunca trocou números, não foi?

— Ainda tem o seu celular descartável? — pergunto.

O meu está carregando no closet há três meses. Só por precaução.

O rosto de Nate fica feliz novamente.

— Sim, tenho.

O toque gentil porém insistente de uma buzina penetra no meu cérebro. O BMW do papai entra devagar diretamente atrás de nós, e a mamãe abaixa a janela do carona para espiar. Se eu tivesse que usar uma palavra para descrever a expressão dela seria *resignada*.

— A minha carona chegou — aviso a Nate.

Ele estica a mão para pegar a minha e aperta rapidamente antes de soltá-la, e, juro por Deus, fagulhas de verdade percorrem a minha pele.

— Obrigado por não me mandar pastar. Vou esperar você me ligar, ok? Quando estiver pronta.

— Ok.

Eu passo por Nate na direção do carro dos meus pais e sinto que ele se vira para me ver. Eu finalmente me permito sorrir, e agora que comecei, não consigo parar. Mas não tem problema. Eu vejo o reflexo de Nate na janela traseira, e ele também não consegue parar.

AGRADECIMENTOS

Tantas pessoas me ajudaram no decorrer da jornada, da ideia à publicação, e eu serei eternamente grata a todas elas. Primeiro, um enorme agradecimento a Rosemary Stimola e Allison Remcheck, sem as quais este livro não existiria. Obrigada por me dar uma chance e pelos conselhos brilhantes e apoio constante.

Para Krista Marion, obrigada por ser uma editora incrível e pela compreensão profunda da minha história e dos meus personagens. Suas opiniões perspicazes e orientação fortaleceram este livro de maneiras que não julguei serem possíveis. A toda a equipe da Random House/Delacorte Press, estou honrada por fazer parte de seus autores.

Escritores melhoram muito quando fazem parte de uma comunidade. Para Erin Hahn, meu primeiro parceiro crítico, obrigada por ser um crítico honesto, um torcedor incansável e um bom amigo. Obrigada a Jen Fulmer, Meredith Ireland, Lana Kondryuk, Kathrine Zahm, Amelinda Berube e Ann Marjory K pela leitura cuidadosa e sábias dicas. Todas vocês melhoraram este livro.

Obrigada, Amy Capelin, Alex Webb, Bastian Schlueck e Kathrin Nehm por levarem *Um de nós está mentindo* para o público do mundo todo.

Obrigada à minha irmã, Lynne, em cuja mesa da cozinha eu me sentei e anunciei: "Finalmente vou escrever um livro." Você leu todas as palavras que escrevi desde então, e acreditou em mim quando tudo isso parecia um sonho impossível. Obrigada, Luis Fernando, Gabriela, Carolina e Erik pelo amor e apoio, e por aturar meu laptop nos encontros de família. Obrigada, Jay e April, vocês fazem parte de todas as histórias de irmãos que escrevo, e Julie por sempre querer saber como andava o livro.

Uma gratidão imensa aos meus pais por transmitirem a mim esse amor pela leitura e a disciplina exigida pela escrita. E para a minha professora do segundo ano do fundamental, Karen Hermann Pugh, já falecida, que foi a primeira pessoa a me chamar de contadora de histórias. Eu gostaria de poder ter lhe agradecido pessoalmente.

Todo o amor do mundo para Jack, meu filho tão gentil, inteligente e engraçado. Estou sempre orgulhosa de você.

E, finalmente, aos meus leitores — obrigada do fundo do coração por terem escolhido passar algum tempo com este livro. Eu não poderia estar mais feliz de compartilhá-lo com vocês.

Este livro foi composto na tipografia Minion Pro,
em corpo 11,5/15,2, e impresso em papel off-white
no Sistema Cameron da Divisão Gráfica
da Distribuidora Record.